D0419207

RITUEEL

Van Mo Hayder zijn verschenen:

Vogelman*
De behandeling*
Tokio*
Duivelswerk
Ritueel

*In POEMA-POCKET verschenen

MO HAYDER

RITUEEL

UITGEVERIJ LUITINGH

Oorspronkelijke titel: *Ritual*
Vertaling: Yolande Ligterink
Omslagontwerp: Pete Teboskins/Twizter.nl
Omslagfotografie: Arcangel/Hollandse Hoogte

ISBN 978 90 245 2819 6
NUR 305

www.boekenwereld.com

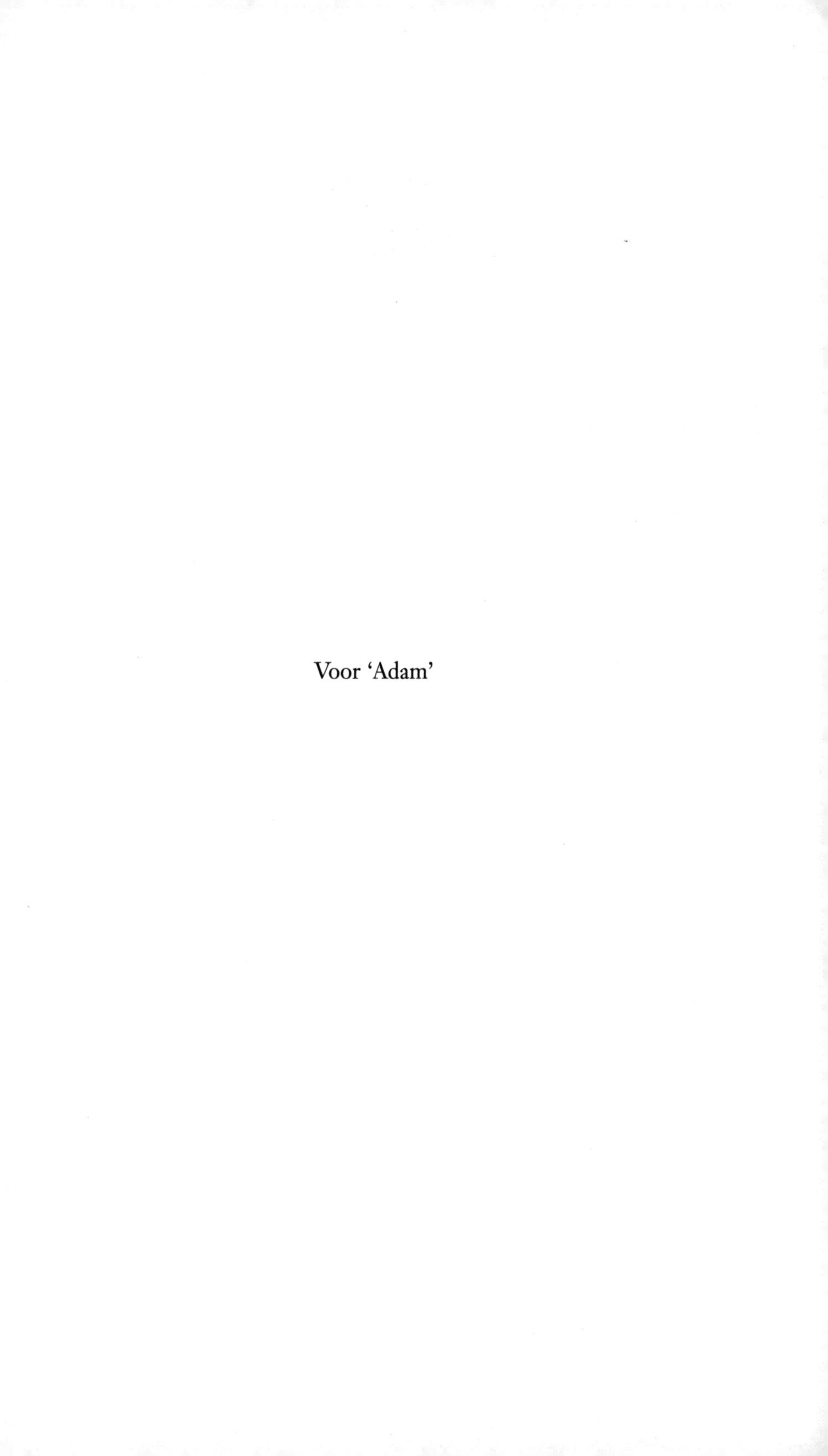

Voor 'Adam'

Ergens midden in de afgelegen Kalahariwoestijn in zuidelijk Afrika, genesteld in het droge, okergele veld, ligt een klein, met onkruid overgroeid meertje onder in een krater. Het ziet er heel gewoon uit, behalve dat het zo stil is; de toevallige voorbijganger zou er niet veel aandacht aan schenken en er niet verder bij stilstaan. Tenzij hij erin ging zwemmen. Of een teen in het water stak. Dan merkte hij dat er iets mis was. Iets vreemds.

Ten eerste zou hij voelen dat het water koud was. IJskoud, zelfs. Een kou die niet op deze planeet thuis leek te horen. Een kou die ontstaat in eeuwenlange stilte, afkomstig uit de oudste diepten van het universum. En ten tweede zou hem opvallen dat er bijna geen leven in te bespeuren was, op een paar kleurloze visjes na. En als hij ten slotte zo dwaas zou zijn om erin te willen zwemmen, zou hij het fatale geheim van het meertje ontdekken: het heeft geen zijkanten en geen bodem, er is slechts een rechte, koude lijn naar het midden van de aarde. Misschien zou hem dan invallen wat steeds weer gefluisterd werd in de oude stamtalen van het volk van de Kalahari: *dit is het pad naar de hel.*

Dit is Bushman's Hole. Dit is het Boesmansgat.

1

13 MEI

Op een dinsdag in mei, net na lunchtijd en bijna drie meter onder water in de 'drijvende haven' van Bristol, sloot politieduiker en hoofdagent 'Flea' Marley haar in een handschoen gestoken vingers om een menselijke hand. Ze schrok er een beetje van dat ze hem zo gemakkelijk gevonden had en schopte even met haar benen, zodat het drab en de motorolie van de bodem omhoogkwamen en haar lichaamsgewicht naar achteren werd verplaatst, waardoor haar drijfvermogen groter werd en ze omhoog begon te gaan. Ze moest zich naar beneden buigen, haar linkerhand onder een van de tanks van de ponton steken en een beetje lucht uit haar pak laten ontsnappen om haar stabiliteit te hervinden en weer naar de bodem te duiken, waar ze de tijd kon nemen om het voorwerp te betasten.

Het was hier pikkedonker, alsof ze met haar gezicht in de modder lag, en het had geen enkele zin om te kijken naar wat ze in haar hand had. Zoals bij elke duik in rivieren of havens moest alles op de tast gebeuren, dus moest ze geduld betrachten en de vorm van het voorwerp via haar vingers en haar arm laten doorgeven naar haar verstand, zodat ze zich er een beeld van kon vormen. Ze betastte het voorzichtig, deed haar ogen dicht, telde de vingers om zich ervan te verzekeren dat het inderdaad een mensenhand was en ging toen na welke vinger welke was: eerst voelde ze de ringvinger, die van haar af boog, en daaruit kon ze afleiden hoe de hand lag, met de palm naar boven. Er schoot van alles door haar heen toen ze zich probeerde voor te stellen hoe het lichaam erbij zou liggen – waarschijnlijk op de zij. Ze trok voorzichtig aan de hand. Maar er zat geen gewicht achter, en de hand kwam gemakkelijk los uit het drab. Op de plek waar een pols had moeten zitten, voelde ze slechts een ruw bot en kraakbeen.

'Hoofdagent?' zei agent Rich Dundas in haar oortelefoon. Zijn stem leek zo dichtbij in de claustrofobische duisternis dat ze ervan schrok. Hij stond op de kade en hield bij wat ze deed, samen met de oppervlakteassistent die haar reddingslijn vierde en het communicatiepaneel in de gaten hield. 'Hoe gaat het daar? Je zit recht boven de opgegeven plek. Zie je iets?'

De getuige had gemeld dat hij een hand had gezien, alleen een hand en geen lichaam, en dat zat het hele team dwars. Niemand had ooit meegemaakt dat een lijk op zijn rug dreef; de ontbinding zorgde ervoor dat het met het gezicht naar beneden kwam te liggen, zodat de armen en benen in het water afhingen. Een hand was wel het laatste wat je ervan zou zien. Maar nu ontstond er een heel ander beeld; de hand was op het zwakste punt, de pols, afgesneden. Er was alleen een hand, geen lichaam; dus was het niet zo dat er tegen alle natuurwetten in een lijk op zijn rug had rondgedreven. Toch klopte er nog steeds iets niet aan de getuigenverklaring. Ze draaide de hand om en prentte in haar geheugen hoe hij erbij lag, tot in alle kleine details die ze nodig had voor haar eigen getuigenverklaring. Hij had niet begraven gelegen. Ze kon zelfs niet zeggen dat hij in de modder had gelegen. Hij lag er gewoon bovenop.

'Hoofdagent? Hoor je me?'

'Ja,' zei ze. 'Ik hoor je.'

Ze pakte de hand op, nam hem voorzichtig in haar eigen handen en liet zich langzaam zakken tot vlak boven de modder op de bodem van de haven.

'Hoofdagent?'
'Ja, Dundas. Ja. Ik ben er nog.'
'Iets gevonden?'
Ze slikte. Ze draaide de hand om, zodat de vingers over die van haar lagen. Ze moest eigenlijk tegen Dundas zeggen dat ze iets gevonden had. Maar dat deed ze niet. 'Nee,' zei ze in plaats daarvan. 'Nog niets. Nog niet.'
'Wat gebeurt er?'
'Niets. Ik zoek hier even verder. Ik laat het je weten als ik iets heb.'
'Oké.'
Ze stak een arm in de troep op de bodem en dwong zichzelf helder na te denken. Eerst trok ze de lijn zachtjes naar beneden, terwijl ze tastte naar de driemeterknoop. Aan het oppervlak zou het lijken alsof de lijn op een natuurlijke manier werd meegetrokken terwijl ze over de bodem bewoog. Toen ze de driemeterknoop had gevonden, klemde ze de lijn tussen haar knieën om hem vast te houden en ging ze in de modder liggen op de manier waarop ze het team had geleerd uit te rusten in geval van een overdosis CO_2, met haar gezicht naar beneden zodat het duikmasker niet omhoogkwam en haar knieën licht in de drek. De hand hield ze dicht bij haar voorhoofd, alsof ze bad. In haar helm bleef het stil, op wat statisch geruis via het oordopje na. Nu ze haar doel bereikt had, kon ze rustig aan doen. Ze maakte de microfoon los en nam even de tijd om haar ogen te sluiten en haar balans te controleren. Ze concentreerde zich op een rood vlekje in haar oog, keek ernaar en wachtte tot het zou gaan dansen. Maar dat deed het niet. Het bleef op zijn plek. Ze bleef heel stil zitten wachten, zoals altijd, tot er iets zou gebeuren.
'Mam?' fluisterde ze, en ze haatte de hoopvolle, sissende klank van haar stem in de helm. 'Mam?'
Ze wachtte. Niets. Zoals altijd. Ze concentreerde zich uit alle macht en drukte licht op de botten van de hand, zodat het vreemde stuk vlees iets vertrouwds kreeg.
'Mam?'
Er kwam iets in haar ogen dat prikte. Ze deed ze open, maar

er was niets, alleen de gebruikelijke muffe duisternis van het masker, het vage bruin van de modder die voor haar ogen zweefde en het allesoverheersende geluid van haar ademhaling. Ze vocht tegen de tranen en wilde hardop zeggen: mam, help me alsjeblieft. Ik heb je vannacht gezien. Echt gezien. En ik weet dat je me iets wilt zeggen. Ik kan het alleen niet goed horen. Vertel me alsjeblieft wat je wilde zeggen.

'Mam?' fluisterde ze, en toen met een gevoel van schaamte: 'Mammie?'

Haar eigen stem kwam terug en weergalmde in haar hoofd, alleen zei hij dit keer niet *mammie*, maar klonk het meer als *idioot dat je bent*. Ze hief zwaar ademend haar hoofd en probeerde uit alle macht de tranen te verdringen. Wat had ze anders verwacht? Waarom moest ze altijd onder water huilen, de onhandigste plek die er bestond omdat ze er huilde in een masker dat ze niet kon afdoen, zoals een sportduiker kon. Misschien lag het voor de hand dat ze zich op een dergelijke plek dichter bij haar moeder voelde, maar er kwam meer bij kijken. Het water was altijd al de plek geweest waar ze zich kon concentreren, waar een soort vredigheid omhoogkwam, alsof ze daar diep in zichzelf kanalen kon openen die boven water gesloten bleven.

Ze wachtte nog een paar minuten tot de tranen effectief waren verbannen en ze wist dat ze niet verblind zou zijn of er als een dwaas zou uitzien als ze boven water kwam. Toen slaakte ze een diepe zucht en hield de losse hand omhoog. Ze moest hem dicht bij haar masker brengen, tegen de perspex bril aan, omdat ze er alleen dan iets van kon zien. En toen ze de hand van dichtbij zag, besefte ze wat haar nog meer dwarszat.

Ze maakte het microfoontje weer vast. 'Dundas? Ben je daar?'

'Wat is er?'

Ze draaide de hand op nog geen centimeter van haar bril om en bekeek het grijs wordende vlees en de rafelige wonden. De hand was gezien door een oude man. Heel even maar. Hij was aan het wandelen geweest met zijn kleindochter, een peuter die haar nieuwe roze laarzen in de storm had willen uitproberen. Ze hadden onder een paraplu staan kijken naar de regendruppels in het water toen hij hem had gezien. En hier had ze hem gevonden, precies op de plek waar hij gezegd had, vlak onder de ponton. Hij had hem in dit water nooit hierbeneden kunnen zien liggen. Vanaf de ponton kon je nog geen tien centimeter in het water kijken.

'Flea?'

'Ja, ik was aan het denken... Heeft iemand daarboven ooit meegemaakt dat je hier iets kon zien in het water?'

Een pauze terwijl Dundas de vraag doorspeelde aan het team op de kade. Toen zei hij: 'Negatief, hoofdagent. Hoezo?'

Ze legde de hand weer op de grond. Ze zou terugkomen met een zak om ledematen in te doen – ze kon er niet mee naar het oppervlak zwemmen en allerlei forensische sporen kwijtraken – maar voorlopig hield ze zich vast aan de lijn en probeerde ze na te denken. Ze probeerde een idee te krijgen van hoe de getuige de hand had kunnen zien, om dat idee vervolgens uit te werken, maar ze kreeg er geen vinger achter. Het zou wel iets te maken hebben met wat ze de vorige avond had uitgespookt. Of anders werd ze gewoon oud. Negenentwintig, volgende maand. Hé, mam, wat dacht je daarvan. Ik ben bijna negenentwintig. Nooit gedacht dat ik zo ver zou komen, of wel soms?

'Hoofdagent?'

Ze trok de lijn langzaam mee, tegen de weerstand van de oppervlakteassistent in, zodat het leek alsof ze terugkroop langs de onderkant van de kade. Ze betastte het snoertje van de communicatieapparatuur om zich ervan te verzekeren dat het goed vastzat.

'Ja, sorry,' zei ze. 'Ik was even weg. Ik heb hem gevonden, Rich. Ik kom naar boven.'

Ze stond aan de ijskoude haven met haar duikmasker in de hand en haar adem als witte wolkjes in de lucht te rillen terwijl Dundas haar afspoot. Ze was weer naar beneden gegaan met iets om de hand in te verpakken, de duik was voorbij en dit was het gedeelte waar ze een enorme hekel aan had. De schok weer uit het water te zijn, de schok van de geluiden en het licht en de mensen – en de lucht als een klap in haar gezicht. Ze klappertandde ervan. En de haven zag er troosteloos uit, zelfs nu in de lente. Het regende niet meer en het zwakke middagzonnetje viel op ramen, op de spitse kranen in het Great Western Dock tegenover hen en in olieachtige regenbogen op het water. Ze hadden een stuk van het terras van geïmpregneerd grenenhout achter The Moat, het restaurant aan het water, afgezet en haar mensen in de fluorescerende gele oppervlaktejasjes bewogen zich om de tafeltjes om hun spullen uit te zoeken: luchtcilinders, communicatiesysteem, vlot, brancard. Alles stond tussen de plassen regenwater op het terras.

'Hij was het met je eens.' Dundas draaide het water uit en knikte naar de grote ruit van het restaurant, waar de vuile en doffe weerspiegeling was te zien van de leider plaats delict, die neer stond te kijken op de geopende gele zak aan zijn voeten waarin de hand lag. 'Hij denkt dat je gelijk hebt.'

'Dat weet ik.' Flea zuchtte, legde haar masker neer en trok de twee paren handschoenen uit die alle politieduikers ter bescherming droegen. 'Maar dat zou je niet zeggen als je hem zo ziet, hè?'

Het was niet het eerste en het zou ook niet het laatste lichaamsdeel zijn dat ze in Bristol uit de modder zou halen, en behalve wat hij zei over het trieste en eenzame aspect van een overlijden was een losse hand in het algemeen geen opmerkelijk iets. Er zou wel een verklaring voor zijn, meestal iets deprimerends en afgezaagds, waarschijnlijk zelfmoord. Vaak werd het werk van de politie door de media vanaf de andere kant van de haven door zoomlenzen gadegeslagen, maar vandaag was er niemand op de Redcliffewerf. Dit was zelfs voor hen te alledaags. Alleen zij, Dundas en de LPD – de leider plaats delict – wisten dat de hand helemaal niet alledaags was en dat de pers zich in allerlei bochten zou wringen om informatie te krijgen als ze eenmaal had gehoord wat ze gemist had.

De hand was niet vergaan. Hij was zelfs helemaal gaaf, op de separatiewond na. Zo verdomde gaaf dat alle alarmbellen tegelijk waren afgegaan. Ze had de LPD erop gewezen en gevraagd hoe de hand van de bijbehorende arm was geraakt terwijl daar zo te zien geen enkele reden voor was, niet zonder een heel bepaalde verwonding, en als zij ernaar zou moeten raden, zagen die verwondingen er niet uit alsof ze door vissentanden waren toegebracht, maar leken er eerder zaagafdrukken in het bot te staan. En hij had gezegd dat hij daar geen commentaar op kon geven voordat de sectie was verricht, maar was zij geen slimme meid? Veel te slim om de helft van de tijd onder water door te brengen.

'Heeft iemand met de havenmeester gesproken?' vroeg Flea nu, terwijl de oppervlakteassistent haar hielp met het duikpak en de cilinders. 'Gevraagd hoe de stroming hier vandaag is geweest?'

'Ja,' zei Dundas, die zich bukte om de slang op te rollen. Ze keek neer op de bovenkant van zijn hoofd en de felrode muts die hij altijd droeg – anders kon je een stadion verwarmen met de warmte die van zijn kale hoofd kwam, zei hij. Ze wist dat hij lang en stevig gebouwd was onder het lichtgevende regenpak. Vroeger had hij haar werk gedaan, maar nu hij in de vijftig en als duiker met pensioen was, hadden ze hem aangesteld als burgertechnicus en hij ging nog steeds mee als er gedoken moest worden. Soms was het moeilijk om de enige vrouw te zijn en besluiten te nemen voor negen mannen, van wie de helft ouder was dan zij, maar aan Dundas twijfelde ze nooit. Hij stond altijd achter haar. De geniale technicus was als een vader voor de andere mensen en de uitrusting, maar af en toe kon hij enorm vuilbekken. Maar nu had hij zijn volle aandacht bij zijn werk en op die momenten was hij zo goed dat ze hem wel kon zoenen.

'Er is wel stroming geweest, maar pas nadat de hand was gezien,' zei hij.

'De sluizen?'

'Ja. Die hebben vanmiddag om veertien uur twintig minuten opengestaan. De havenmeester heeft de baggeraar uit het aanvoerkanaal laten komen om het een en ander te lossen.'

'En de melding kwam om hoe laat?'

'Dertien vijfenvijftig. Net toen ze de sluizen opendeden. Anders had de havenmeester wel gewacht. Dat weet ik wel zeker als ik eraan denk hoeveel ze hier van ons houden. Hoe ze altijd alle moeite voor ons willen doen.'

Flea haakte haar vingers onder de neopreen kap en rolde die tot in haar nek, waarbij ze voorzichtig over haar gezicht en hoofd ging zodat er niets vast kwam te zitten, want als ze haar kappen inspecteerde leken ze altijd vol haren te zitten die met wortel en al waren uitgetrokken, met kleine pareltjes huid eraan. Soms vroeg ze zich af waarom ze niet net zo kaal was als Dundas. Ze liet de kap vallen, veegde haar neus af en keek zijdelings over het water naar Perrot's Bridge. Het zonlicht overgoot de twee horens met goud en daarachter bevond zich St. Augustine's Reach, waar de Frome weer bovengronds kwam en uitstroomde in de haven.

'Ik weet het niet,' mompelde ze. 'Het lijkt mij de omgekeerde wereld.'

'Hoezo dat?'

Ze haalde haar schouders op, keek naar het stuk grijs vlees op het terras tussen de twee mannenvoeten en probeerde te bedenken hoe de getuige de hand had kunnen zien. Maar er kwam niets bij haar op. Haar gedachten bleven heen en weer schieten en probeerden haar mee te nemen. Ze liet zich op een van de stoelen zakken en bracht haar hand naar haar voorhoofd. Ze wist dat al het bloed uit haar gezicht geweken was.

'Alles goed, Flea, meid? Jezus, zo zie je er niet echt uit.'

Ze lachte en ging met haar vingers over haar gezicht. 'Ja, nou, zo voel ik me ook niet echt.'

Dundas ging op zijn hurken voor haar zitten. 'Wat is er aan de hand?'

Ze schudde haar hoofd, keek neer op haar benen in het zwarte droogpak en naar de plassen water rond haar duiklaarzen. Ze had er meer duikuren op zitten dan enig ander lid van het team en ze werd geacht de leiding te hebben, dus het was verkeerd, helemaal verkeerd, wat ze gisteravond had gedaan.

'O, niets,' zei ze, en ze probeerde het luchtig te houden. 'Niet echt. Wat er altijd is. Ik kan gewoon niet slapen.'

'Heb je er nog steeds zo'n last van?'

Ze glimlachte naar hem en voelde het licht in de regendruppels in haar ogen vallen. Als groepsleider was ze ook trainer en dat betekende dat ze soms zelf het water in moest en onder aan de gezagsketen moest gaan staan om de anderen de kans te geven duikmeester te zijn. Eigenlijk stond dat haar niet aan. In haar hart was ze alleen gelukkig op dagen als vandaag, waarop ze Dundas in kon zetten als duikmeester. Hij had een zoon, Jonah, een volwassen zoon die geld van hem en zijn ex-vrouw stal om drugs te kopen, maar zijn vader toch alle schuldgevoelens gaf die Flea altijd van haar broer Thom kreeg. Zij en Dundas hadden veel gemeen.

'Ja,' zei ze uiteindelijk. 'Ik heb er nog steeds last van. Zelfs na al die tijd.'

'Twee jaar,' zei hij, en hij legde een hand onder haar arm en hielp haar overeind. 'Dat is niet zo lang. Maar ik kan wel één ding noemen dat zou helpen.'

'Wat dan?'

'Iets eten, voor de verandering. Stom idee, dat weet ik, maar misschien kun je dan beter slapen.'

Ze glimlachte zwakjes, legde een hand op zijn schouder en liet zich helpen. 'Je hebt gelijk. Ik kan beter even iets eten. Is er nog iets in de bus?'

2

13 MEI

The Station was het botenhuis van de politie geweest voordat het was verkocht en gerenoveerd, en daarom vond de nieuwe eigenaar dat het helemaal verkeerd zou zijn als hij nu niet iets voor hen wilde doen en de politie het gebouw niet zou laten gebruiken nu ze het nodig had. Hij had hun een kamer gegeven achter het restaurant, naast de keukens, waar het warmer was dan in het busje. Vroeger waren hier de kluisjes van het personeel geweest; nu was het de kleedkamer. Hun gewone kleren hingen aan haakjes en hun schoenen en tassen stonden onder de bank die langs de hele muur liep.

Terwijl Dundas even in de keukens ging neuzen, zette Flea haar zwarte tas neer en begon ze zich uit te kleden. Ze trok het droogpak en de thermische kleding tot aan haar middel naar beneden. Daarna hield ze de thermische kleding aan, maar rolde het droogpak tot op haar enkels en schopte haar duiklaarzen uit. Toen bleef ze even naar haar voeten zitten staren omdat ze alleen was en het zich kon veroorloven. Ze trok haar tenen op en duwde ze weer van zich af, inspecteerde de huid tussen haar tenen en wreef erover tot ze rood werd. Vliezen. Ze kreeg vliezen tussen haar tenen als een kikker. Ze zouden haar 'kikkermeisje' moeten noemen. Ze pakte het stuk huid tussen de grote teen en die ernaast en zette haar nagels erin. De pijn schoot door haar lichaam en liet haar hersenen wit oplichten, maar ze hield vast. Ze sloot haar ogen om zich erop te concentreren en liet de warmte rond haar aderen bewegen. De maatschappelijk werker van de politie had Flea bij hun halfjaarlijkse gesprek gezegd dat ze iemand haar voeten moest laten zien en moest praten over hoe dit probleem zich had ontwikkeld. En heb ik het goed? Wanneer heeft die aandoening de kop opgestoken? Was dat niet rond de tijd van het ongeluk?

Maar ze had haar voeten aan niemand laten zien. Niet aan de maatschappelijk werker, niet aan de dokter. Op een dag zou ze er wel aan geopereerd moeten worden. Maar ze zou wachten tot ze pijn gingen doen of ze in haar bewegingen beperkt werd, of er iets anders gebeurde waardoor ze niet meer zou kunnen duiken.

Ze hoorde een geluid achter zich, rukte haar sokken uit de tas en trok ze snel aan. Dundas kwam binnen met een ciabatta in een papieren servetje met bloemetjespatroon en hij trok een wenkbrauw op toen hij haar in haar beha en naar beneden getrokken thermische kleding zag zitten, met haar handen beschermend om haar voeten.

'Eh, zou je niet eens iets aantrekken? De waarnemend onderzoeksleider komt eraan om de boel door te praten. Ik heb hem verteld waar hij ons kon vinden.'

Ze trok een T-shirt aan, pakte een handdoek en begon haar haar stevig droog te wrijven. 'Waar zit de onderzoeksleider dan?'

'Die heeft een vergadering over Operatie Atrium en heeft geen belangstelling voor ons en een losse hand in de haven. Hij vindt dat de afdeling zware misdrijven zich hier niet druk om moet maken. Hij was twintig minuten geleden al weg.'

'Blij toe. Ik mag hem niet,' zei ze, terugdenkend aan de briefing die ze eerder hadden gehad. De onderzoeksleider was op zich oké geweest, maar ze was nooit de blik in zijn ogen vergeten toen hij haar drie jaar eerder voor het eerst had gezien bij een duikbriefing: precies als die van alle andere onderzoeksleiders, enigszins gedeprimeerd omdat hij had zitten wachten op iemand met enig gezag, iemand die vragen kon beantwoorden over het water, maar in plaats van een gezaghebbend iemand Flea had gekregen, een magere zesentwintigjarige vrouw met een dikke bos haar en blauwe kinderogen die zo ver uit elkaar stonden dat ze eruitzag alsof ze nog geen bankrekening kon openen, laat staan dat ze een lijk uit de modder in vier meter water kon trekken. Maar dat gebeurde bijna altijd als ze te maken had met leidinggevenden. Aanvankelijk was het een uitdaging geweest. Nu werd ze er alleen nog maar nijdig van.

'Nou?' Ze liet de handdoek vallen. 'Wie heeft de leiding over het onderzoek? Iemand uit Kingswood?'

'Een nieuwe kerel. Iemand van wie ik nog nooit gehoord heb.'

'Hoe heet hij?'

'Dat weet ik niet meer. Hij klonk als zo'n uitgerangeerde ouwe Ierse dronkenlap. Van de oude stempel. Bier en afhaalmaaltijden. Hoge bloeddruk. Het type dat ieder jaar een jonger iemand met een vals identiteitsbewijs stuurt om zijn conditietest voor hem te doen.'

Ze glimlachte, keek naar haar armen en spande haar biceps. 'Daar gaan we het nu niet over hebben. Over twee weken heb ik mijn jaarlijkse controle.'

'Dus je moet naar Napier Miles, hoofdagent? Dan zou ik maar eens gaan eten.' Hij stak haar de ciabatta toe. 'Proteïnedrankjes. IJs. McDonald's. Moet je jezelf nou eens zien zitten. Ondergewicht is het nieuwe overgewicht, wist je dat niet?'

Ze nam het broodje aan en begon te eten. Dundas keek toe. Vreemd dat hij zo beschermend was ten opzichte van haar terwijl zij zijn baas was. Dundas vond het tijdverspilling om tegen zijn zoon te preken. Dat bewaarde hij voor Flea. Ze kauwde en bedacht dat dit iemand was aan wie ze het kon vertellen, aan wie ze kon uitleggen wat er gaande was, wat er de vorige avond was gebeurd.

Ze probeerde de juiste woorden te vinden en op een rijtje te krijgen toen achter hen de deur openging en een stem zei: 'Zijn jullie de duikers die de hand hebben gevonden?'

In de deuropening stond een man van midden dertig en gemiddelde lengte in een grijs pak en met een kop koffie uit de automaat in zijn hand. Hij had een vastberaden gezicht en een dikke bos kortgeknipt donker haar. 'Waar is hij?' vroeg hij, en hij leunde naar binnen met één hand tegen het kozijn om de kleedkamer door te kijken. 'Behalve jullie team is er verder niemand op de kade.'

Geen van hen zei iets.

'Hallo?'

Flea kwam met een schok weer tot zichzelf. Ze slikte de mondvol brood door en veegde haastig met de rug van haar hand de kruimels van haar lippen. 'Ja, sorry. En jij bent?'

'Inspecteur Jack Caffery. Waarnemend onderzoeksleider. Wie ben jij?'

'Dat is Flea,' zei Dundas. 'Hoofdagent Flea Marley.'

Caffery keek hem vreemd aan. Toen bestudeerde hij haar, en ze zag meteen dat hij zich inhield. Ze dacht wel te weten waarom. Mannen vonden het niet leuk om samen te werken met een vrouw die net een meter vijfenzestig was met haar duiklaarzen aan. Of anders had ze kruimels op haar T-shirt.

'Flea?' zei hij. '*Flea*?'

'Het is een bijnaam.' Ze stond op en stak haar hand uit. 'De naam is Phoebe Marley. Groepsleider Phoebe Marley.'

Hij keek neer op haar hand alsof hij nog nooit zoiets had gezien. Maar toen schudde hij hem stevig, alsof hij zich plotseling herinnerde waar hij zich bevond. Hij liet de hand snel los en zodra hij dat deed stapte Flea achteruit, uit zijn persoonlijke ruimte. Ze ging weer zitten en veegde nog eens onzeker langs haar T-shirt. Dat was weer zoiets dat haar altijd nijdig maakte. Ze was niet erg goed in de omgang met mannen. In ieder geval niet dit soort mannen. Ze deden haar denken aan dingen die ze achter zich had gelaten.

'En?' zei hij. '*Flea*. Waar is die hand die jullie uit het water hebben gevist?'

'De lijkschouwer heeft hem laten gaan,' zei Dundas. 'Heeft niemand dat gezegd?'

'Nee.'

'Nou, het is zo. De LPD heeft hem door iemand naar Southmeads laten brengen. Maar daar zijn ze er morgen pas klaar mee.'

'Halen jullie hier veel handen uit het water?'

'Ja,' zei Dundas. 'We hebben een hele verzameling in Southmeads. Voeten, handen, een paar benen.'

'Waar komen die dan vandaan?'

'Voornamelijk van mensen die zelfmoord hebben gepleegd. Negen van de tien keer door in de Avon te springen. Die heeft een getijdenstroom waar je u tegen zegt en alles wordt behoorlijk gebeukt door bomen en afval. Er duiken hier voortdurend links en rechts restanten op.'

Caffery strekte zijn arm om op zijn horloge te kijken. 'Oké, dan ben ik hier klaar.'

Hij had de deur al open en was al bijna buiten toen hij bleef staan, met zijn rug naar hen toe, zijn hand aan de deur en zijn gezicht naar de gang gekeerd. Misschien voelde hij dat de anderen hem zwijgend bekeken.

Na een paar tellen draaide hij zich weer om.

'Wat?' zei hij, kijkend van Dundas naar Flea en weer terug. 'Iemand heeft zelfmoord gepleegd. Wat doen jullie daar anders altijd mee?'

'Als we geen idee hebben waar het lijk is? Als we geen getuigen hebben?'

'Ja?'

'Dan wachten we tot het gaat drijven.' Flea sprak het woord 'drijven' zachtjes uit: in het team werd het zo vaak gebezigd dat ze eraan gewend waren en soms vergaten wat het betekende: dat de rottingsgassen zich zover ophoopten in een lijk dat het naar het oppervlak kwam. 'We wachten tot het gaat drijven en plukken het dan van het oppervlak. Met dit weer is dat over een paar weken.'

'Dat dacht ik al. Zo doen ze het in Londen ook.' Hij maakte weer aanstalten om te vertrekken, maar dit keer moest hij hebben gezien dat Dundas een blik op Flea wierp, want hij bleef weer staan. Hij deed de deur dicht en kwam de kamer weer in. 'Oké,' zei hij langzaam. 'Jullie proberen me iets te zeggen. Het enige probleem is dat ik geen idee heb wat het is.'

Flea haalde diep adem. Ze draaide haar stoel, zette haar ellebogen op haar knieën en boog iets naar voren om hem recht aan te kijken. 'Heeft de LPD niets gezegd? Heeft hij niet gezegd dat wij niet denken dat het iemand is die zelfmoord heeft gepleegd?'

'Je zei net dat jullie hier talloze zelfmoorden hebben.'

'Ja, in de Avon. Als die hand in de Avon had gelegen, hadden we het begrepen. Maar daar lag hij niet. Hij lag in de haven.'

Ze stond op en hield de stoel vast alsof die haar kon beschermen. Ze liet het niet merken, maar ze was zich ervan bewust dat hij lang en slank was onder zijn pak. Ze wist dat ze zou gaan staren of zoiets als ze nog dichterbij ging staan, want er waren haar al een paar dingen aan hem opgevallen, zoals het punt boven zijn kraag waar zijn stoppels begonnen door te komen. 'Wij zijn geen pathologen,' zei ze. 'We mogen eigenlijk niets zeggen. Maar er klopt iets niet.' Ze likte langs haar lippen en keek Dundas van opzij aan. 'Ik bedoel, ten eerste heeft de hand nog geen dag in het water gelegen. Eén lichaam wordt in ruw water pas uit elkaar geslagen als het al een hele tijd heeft gedreven. Die hand was daar veel te vers voor.'

Caffery hield zijn hoofd schuin en trok zijn wenkbrauwen op.

'Ja. En als die hand door dieren was afgebeten, vissen of misschien de havenratten, dan zouden er allemaal tandafdrukken in staan. Die zijn er niet. De enige verwonding is...' – ze stak haar hand op en omcirkelde de pols met een duim en een vinger – '... hier. Waar hij van de arm is losgeraakt. De LPD is het met me eens.'

Caffery stond naar haar haar te kijken en naar de magere armen in de thermische kleding. Dat haatte ze. Ze had altijd het gevoel dat ze niet goed in haar vel zat als ze zich op het droge bevond, waar andere mensen beschaafd omgingen met hun relaties, en dat was waarom ze zich onder water altijd beter zou voelen. Mam, dacht ze. Mam, jij weet hoe dit moet. Jij weet hoe je er normaal uit moet zien, niet zo nors als ik.

'Nou,' zei hij, en hij keek haar bedachtzaam aan. 'Wat kan een dergelijke verwonding veroorzaakt hebben?'

'Misschien een ongeluk op een boot. Maar dat gebeurt altijd verderop, in de riviermond. Dan zijn er nog de mensen die van Clifton Bridge springen. Wij noemen die brug de zelfmoordbrug. Als iemand hier in het water springt, is het negen van de tien keer van die brug. Het komt wel voor dat ze de rivier op en af worden gesleurd en soms, heel soms, als het tij goed is, komen ze een heel eind stroomopwaarts terecht.' Ze haalde haar schouders op. 'In theorie zal het wel mogelijk zijn dat iemand van de brug springt, wordt verminkt door een boot in de rivier en dat een losse hand langs de sluizen komt en in de haven terechtkomt. Of omhooggaat door de Cut.' Ze streek haar haar achter haar oren. 'Maar niet echt. Het is onmogelijk.'

'Onmogelijk,' zei Dundas. 'Een kans van een op miljoen. En zelfs als de hand uit de Frome is gekomen of hogerop uit de Avon, om dan door de sluizen bij Netham en in het aanvoerkanaal te belanden...'

'Dat kan alleen zijn gebeurd als er stroming stond in de haven, en dat gebeurt alleen als de sluis open is.'

'Wat de laatste twee dagen maar één keer gebeurd is. Nadat iemand had gemeld dat hij de hand had gezien. We hebben het gecontroleerd.'

'Dus jullie willen zeggen dat hij erin gegooid is?'

'Wij zeggen helemaal niets. Dat is niet aan ons.'

'Maar de hand is in het water gegooid?'

Ze keken elkaar even aan. 'Het is niet aan ons om dat te zeggen,' zeiden ze tegelijk.

Caffery keek van Flea naar Dundas en weer terug. 'Oké,' zei hij. 'De hand is in het water gegooid.' Hij keek nog eens op zijn horloge. 'Goed dan, tot hoe laat hebben jullie tweeën vandaag dienst? Wat moet ik doen om jullie in het water te houden?'

'O, daar zou ik me maar geen zorgen over maken als ik jou was.' Dundas glimlachte, haalde zijn regenjas van de haak en trok hem aan. 'We hebben ons nog niet afgemeld bij de havenmeester. En we hebben altijd zin in overuren. Nietwaar, hoofdagent?'

3

25 NOVEMBER

Het enige wat hij ooit heeft gewild, is afkicken. Het zou iemand die heeft gezien hoe hij honderd procent van zijn tijd en energie besteedt aan scoren verbazen om te horen wat hij eigenlijk wil, wat hij meer wil dan wat dan ook, namelijk om een uitweg te vinden en clean te worden. Het is november en hij staat met Bag Man, die ze 'BM' noemen, in de schaduw van een torenflat bij de vuilnisbelt, waar het meest gedeald wordt. Een gure herfstwind blaast het afval en de plastic zakken vooruit. BM draagt een grijze trui met capuchon en 'Malcolm X' op de borstzak, ook al is hij blank, en Mossy gaat tekeer omdat BM hem net heeft verteld dat hij niets meer op krediet krijgt.

'Wat?' zegt Mossy, want hij en BM kennen elkaar al heel lang en er is geen enkele reden om opeens moeilijk te doen. 'Waar heb je het verdomme over?'

'Sorry,' zegt BM en hij kijkt hem recht in de ogen. 'Het gaat allemaal te ver. Ik kan je dit keer niet helpen, man, niet meer. Tot hier en niet verder.' Hij knijpt in Mossy's arm en trekt hem naar zich toe. 'Het wordt tijd dat je in therapie gaat.'

'In therapie? Wat bedoel je daarmee?'

'Niet zo aandringen, makker. Ik heb je een tip gegeven. Niet verder aandringen.'

Mossy doet het toch, even maar, en probeert BM over te halen hem nog iets te geven, al is het maar een klein beetje. Maar BM is vastbesloten en houdt zijn poot stijf en uiteindelijk blijft Mossy niets anders over dan weg te sjokken. Aan de ene kant kan hij BM wel vermoorden, maar aan de andere kant denkt hij toch na over wat hij heeft gezegd, over die therapie. Hij is zelf verbaasd als hij in de namiddag aan de westkant van de stad is voor een sessie van een praatgroep in een eigenaardig kliniekje met een oude receptioniste die echt heel eng is. Op een dag zal het feit dat hij die kliniek is binnengelopen voor Mossy genoeg zijn om BM overal de schuld van te geven.

De praatgroep is heel vreemd. Iedereen zit verspreid in de kamer en niemand kijkt elkaar aan. Iemand heeft een tweeliterfles bronwater en blijft ervan drinken alsof zijn leven ervan afhangt. Mossy zit met zijn ellebogen op zijn knieën te doen alsof hij belangstelling heeft voor hen en voor hun monotone verhalen over hoe oneerlijk het leven is, want dat is hem wel opgevallen aan mensen die aan de heroïne zijn. Ze hebben altijd zo'n medelijden met zichzelf; hij hoopt maar dat hij zelf niet zo praat. Maar al die tijd dat hij naar ze zit te kijken, vraagt hij zich af of een van hen iets op zak heeft en wie van hen genoeg medelijden met hem zal hebben om er wat van uit te delen. Dus dist hij zijn verhaal op; hoe hij is misbruikt door zijn oom, hoe hij op zijn dertiende is gaan spuiten en al dat gedoe met de gedwongen behandelingen en tests die hij heeft moeten ondergaan en de prostitutie en hoe dat behoorlijk vroeg begon, toen hij nog geen vijftien was, en hij ratelt maar door, ook al voelt hij dat de gespreksleider, een getrainde kerel die jaren geleden gestopt is met gebruiken en die de maatschappij iets verschuldigd is, hem aanstaart, hem in de ogen kijkt, en Mossy denkt dat hij iets van medeleven ziet, dat hij hier misschien de enige is die een echt goede reden heeft verslaafd te zijn. Maar als hij klaar is met zijn verhaal, vraagt de gespreksleider: 'Mossy? Mossy? Hoe ben je aan die naam gekomen?'

Hij haalt zijn schouders op. 'Geen flauw benul. Ideetje van mijn vrienden. Omdat ik vel over been ben, net zoals dat model. Je weet wel, Kate Moss.'

Er valt een stilte en niemand kijkt hem aan, behalve de gespreksleider, die nog even blijft staren.

'Denk je niet dat mensen daar aanstoot aan zouden kunnen nemen?' zegt hij, en er klinkt iets door in zijn stem dat Mossy vertelt dat er iets mis is, een soort waarschuwing. Dus is het tijd weg te wezen, en hij mompelt dat hij niemand wil beledigen en wacht tot het gesprek op iets anders overgaat. Dan staat hij zo stilletjes mogelijk op, zet de plastic stoel tegen de muur en gaat naar buiten. Hij loopt weg van de kliniek, steekt een shagje op en zoekt een eindje verderop een plekje vanwaar hij de voorkant van de kliniek kan zien en iedereen de deur uit kan zien komen. Daar wacht hij, terwijl hij de krampen langzaam van voor naar achteren door zich heen voelt trekken. Dat is het ergste van het afkicken, de krampen, de eerste die opduiken en de laatste die verdwijnen. Hij gaat zitten met zijn armen om zijn buik en vraagt zich af of hij hier ergens zou kunnen schijten. Het is een warme dag en dat helpt, en als hij blijft neuriën, leidt dat hem af.

Na een tijdje gaan de deuren open. Hij voelt de gespreksleider naar hem kijken, maar hij laat zich niet intimideren, dus wacht hij tot de anderen naar buiten zijn gekomen. Hij is net een hyena die de gemakkelijkst uitziende prooi aan de rand van de kudde uitzoekt, degene die zal vallen voor een mooi verhaal. Je pikt ze er zo uit aan de hand van de hoop in hun ogen, alsof ze echt geloven dat iemand een beter mens kan worden. Mossy wacht tot ze langs hem komen en gaat dan naast ze lopen, met zijn handen in zijn zak en zijn hoofd iets naar beneden, zodat hij een beetje opzij kan mompelen: 'Heb je soms iets om me te helpen? Hmm? Een beetje maar? Ik betaal je terug. Daar kun je op vertrouwen.' Maar ze mompelen iets en steken met gebogen hoofd de weg over, alsof ze niet met hem gezien willen worden, en zo laten ze hem staan. Hij begint te zweten en de jeuk begint op te komen, en als hij terugloopt naar zijn plekje voelt hij zijn knieën tegen elkaar schuren. Is dat omdat hij te mager is of komt het ergens anders door? Is er soms iets vreemds aan de hand met zijn huid?

Als ze weg zijn, probeert hij wat geld af te troggelen van een voorbijgangster, maar die blijft recht voor zich uit kijken en loopt door, dus besluit hij na een tijdje naar de haven te gaan en te kijken of daar iets gebeurt. Misschien is iemand in Barton Hill in een goede bui. Zo niet, dan bedenkt hij wel iets anders.

Hij is net opgestaan en slentert door de straat als het gebeurt. Het ene moment loopt hij in zijn eentje slechte dingen te denken, en het volgende moment loopt er een klein, mager zwart ventje naast hem, met zijn haar strak tegen zijn schedel en een soort snorretje. Hij draagt een spijkerbroek met voorgebleekte pijpen en een olijfgroen Kappa-jasje, waarvan de capuchon min of meer om zijn hoofd is gedrapeerd, en Mossy herkent hem van de praatgroep; hij zat in de hoek. Maar het voornaamste wat Mossy opmerkt is de manier waarop hij loopt, alsof hij geolied is. Alsof hij niet hier in de droge straten van Bristol is geboren, maar op een betere plek. Alsof hij eraan gewend is dag na dag door het oerwoud te lopen.

'Zoek je iets?' zegt hij. 'Zoek je iets?'

Mossy blijft staan. 'Ja,' zegt hij, 'maar ik ben blut.'

En het vreemde is dat het magere ventje hem geen klap tegen zijn hoofd geeft, zoals hij verwacht, maar dat hij Mossy recht aankijkt en zegt: 'Maak je maar niet druk om het geld. Geen zorgen. Ik ken iemand die je kan helpen.'

En dat is natuurlijk hoe het allemaal begint.

4

13 MEI

De late zon was rood en een beetje gezwollen achter de wolken vandaan gekomen, maar in restaurant The Station brandden de lampjes op de tafeltjes. Het liep er al aardig vol en mensen kwamen binnen, deden hun jas uit en bestelden een drankje. Het was te koud om buiten te zitten en het terras lag er verlaten bij, dus ging Caffery naar buiten om een paar telefoontjes te plegen. Hij moest de hoofdinspecteur een beetje opjutten en hem ertoe brengen de mening van de duikeenheid en de LPD serieus te nemen en de zaak nog voor de sectie een status toe te kennen – want er zou sectie worden verricht op alleen de hand – en dan moest hij de twee hoofdagenten in Kingswood nog nieuwe opdrachten geven. Hij had ze gekregen om te werken aan een gewapende overval en hij wilde ze wat extra taken geven bij de eerstehulpafdeling van het ziekenhuis en bij het mortuarium. Waren er ergens mannelijke lijken tevoorschijn gekomen zonder rechterhand?

Toen hij hier en daar aan de tralies had gerammeld, deed hij zijn telefoon weer in zijn zak en ging naar de plek op het terras waar hij om de politieschermen heen kon kijken en de duikploeg kon zien, die zich klaarmaakte op het terras van het naastgelegen restaurant. Dat heette The Moat. Hij vond het wel een leuke naam, The Moat, alsof het om een middeleeuws gebouw ging in plaats van een opgepoetst botenhuis met wat namaak opgezette dieren aan de muren. Iemand had de bedrijfsleider overgehaald de deuren die avond gesloten te houden en het team had zijn spullen op het terras gezet. Alles stond in plassen water. Hoofdagent Marley liep ertussen door, bukte om een duikmasker op te rapen, bleef even staan praten met haar oppervlakteassistent en controleerde de uitrusting.

Hij leunde over de balustrade, rolde een shagje – een gewoonte waarmee hij nog niet had kunnen stoppen, hoe de overheid hem er ook over aan zijn kop zeurde zodra hij de tv aanzette – en stak hem aan terwijl hij haar zorgvuldig bekeek. 'Flea': Stomme bijnaam, hoewel hij ergens wel begreep waar hij vandaan kwam. Zelfs in het droogpak had ze iets beweeglijks. Iets in haar gezicht suggereerde dat haar gedachten niet lang bij één punt bleven. Hij ergerde zich eraan dat hij zulke dingen aan haar opmerkte. En toen hij de kleedkamer was binnengegaan en zij daar had gezeten met haar droogpak naar beneden en met haar magere armen bloot en haar slordige bos blond haar helemaal ruw, alsof het was gewassen in zeewater, had hij zich geërgerd aan het feit dat hij zo snel mogelijk weer weg had gewild omdat hij plotseling alleen nog zijn lichaam kon voelen. Hoe het contact maakte met zijn kleren, hoe zijn broek langs zijn bovenbenen schuurde, de druk van de broeksband in zijn middel en de plekken waar zijn overhemd zijn nek raakte. Hij had zichzelf tot de orde moeten roepen. Dat was voor iemand anders. Een andere persoon op een andere plek, heel lang geleden.

'Pardon.'

Hij keek over zijn schouder. Achter hem stond een klein vrouwtje. Ze had felrood haar dat met veelkleurige lapjes in een heleboel knotjes over haar hele hoofd was gebonden. Een serveerster van The Station, te oordelen naar de schort om haar middel.

'Ja?'

'Eh...' Ze veegde langs haar neus en keek over haar schouder naar het restaurant, om zich ervan te vergewissen dat ze niet in de gaten werd gehouden. 'Mag ik vragen wat er allemaal aan de hand is?'

'Dat mag.'

Ze sloeg haar armen over elkaar en huiverde, hoewel het helemaal niet zo koud was, niet koud genoeg om iemand te laten huiveren. 'Nou... Hebben ze al iets gevonden?'

Iets in haar stem zorgde ervoor dat hij zich omdraaide en haar wat beter bekeek. Ze was klein en mager en onder de schort droeg ze een zwarte legerbroek en een T-shirt met de tekst *I love you more when you're more like me.*

'Ja,' zei hij. 'Inderdaad.'

'Onder de ponton?'

'Ja.'

Ze trok een stoel onder een tafel uit, ging erop zitten en legde haar handen op de tafel. Caffery keek toe. In haar neus zaten twee ringetjes en het feit dat de gaatjes rood en dik waren wees erop dat ze ermee prutste als ze bezorgd was. 'Alles goed met je?' vroeg hij. Hij duwde het shagje uit, trok een stoel achteruit en ging tegenover haar zitten, met zijn rug naar The Moat. 'Zit je iets dwars?'

'Je zou me niet geloven als ik het je vertelde,' zei ze. 'Ik bedoel, ik kan aan je gezicht zien dat je me niet zou geloven.'

'Probeer het maar eens.'

Haar mond vertrok en ze keek hem bedachtzaam aan. Ze had heel bleke ogen en lusteloze wimpers. Een groepje sproeten rond haar neus was bedekt met make-up. 'Jezus.' Ze bracht haar handen naar haar gezicht, plotseling verlegen. 'Ik bedoel, zelfs ík weet dat het idioot klinkt.'

'Maar je wilt het me toch vertellen. Waar of niet?'

Er viel een stilte. Toen bracht ze haar hand omhoog en begon zoals hij al verwacht had te spelen met een van de ringetjes in haar neus, rond en rond en rond tot hij dacht dat de neus zou gaan bloeden. De enige geluiden kwamen van het water dat tegen de kade kabbelde en het duikteam dat bezig was met tuig en cilinders. Na een hele tijd liet ze haar hand zakken en wees met haar kin naar de ponton voor The Moat.

'Ik heb iets gezien. Heel laat in de avond. Het stond voor The Moat. Precies waar die duikers nu zijn.'

'Iets?'

'Oké, dan. Iemand. Ik geloof dat ik *iemand* moet zeggen, hoewel ik het echt niet zeker weet.' Ze huiverde nogmaals. 'Ik bedoel, het was heel donker. Niet zoals nu. Laat. En ik bedoel heel laat. We waren al gesloten en iemand had de hele vloer van de damestoiletten ondergekotst, en wie denk je dat daar mag schoonmaken als dat gebeurt? Ik liep door het restaurant met een emmer, op weg naar de bezemkast, en ik kwam langs het raam daar...' Ze wees naar The Station, waar een paar gasten de politieschermen in het oog hadden gekregen en hun hals rekten om te kunnen zien wat er gebeurde. De zon raakte nu bijna de horizon en hij zag het spiegelbeeld van hemzelf en het meisje in de ruiten, silhouetten met een rode stralenkrans eromheen. 'En toen ik bij dat tafeltje kwam, bleef ik ineens stilstaan. En toen zag ik hem.'

Caffery hoorde de adem van het meisje zwaarder worden.

'Hij was naakt. Dat zag ik meteen.'

'Hij?'

'Mijn vriend denkt dat het een zigeunerkind was. Die komen soms langs de oevers van de Cut naar beneden. Je ziet ze vanaf de weg kamperen achter de pakhuizen, met hun wasgoed aan de lijn. Mijn vriend zegt dat het een kind moet zijn geweest, omdat hij zo klein was. Hij kwam maar tot hier of zo.' Ze hield haar hand in de lucht om een lengte van iets meer dan een meter aan te geven. 'En hij was zwart. Echt pikzwart, snap je. Daarom geloof ik niet dat het een zigeunerkind was.'

'Hoe oud, denk je? Vijf? Zes?'

Maar ze schudde haar hoofd. 'Nee, dat is het juist. Dat is precies wat ik tegen mijn vriend zei. Hij was niet jong. Helemaal niet. Ik bedoel, hij was zo klein als een kind. Maar het was geen kind. Ik zag zijn gezicht. Maar heel eventjes, maar lang genoeg om te zien dat het geen kind was. Het was een man,' zei ze. 'Een heel vreemd uitziende man. Dat maakte het juist zo verdomde eng, en daarom weet ik dat je me niet zult geloven. Daarom en...'

'En?'

'En om wat hij aan het doen was.'
'Wat deed hij dan?'
'O...' Ze speelde weer met het ringetje. Bewoog haar hoofd van de ene kant naar de andere en keek hem niet aan. 'O, je weet wel...'
'Nee.'
'Gewoon, je weet wel, wat mannen altijd doen. Hij had zijn ding, je weet wel.' Ze legde haar hand iets gebogen op tafel. 'Hij hield hem zo vast.' Ze lachte gegeneerd. 'Maar hij was geen gewone, nou, geen gewone rukker. Ik bedoel, het moet een truc geweest zijn, want dat ding dat hij had... Het moet iets geweest zijn wat hij had omgedaan, want het was... belachelijk. Belachelijk groot.' Nu keek ze hem aan, enigszins boos, alsof hij had gezegd dat hij haar niet geloofde. 'Ik maak geen grapje, hoor. En ik wist gewoon dat hij wilde dat degenen die in The Moat waren het zagen. Alsof hij ze wilde choqueren.'
'En was daar iemand? Was er licht aan?'
'Nee. Het was twee uur in de morgen, of zo. Ik heb er later nog over nagedacht en toen dacht ik dat hij misschien naar zichzelf keek. Je weet wel, in het raam. Het licht binnen was uit, dus hij moet zichzelf hebben kunnen zien.'
'Misschien.'
In zijn hoofd zag Caffery het gebeuren: het verlaten restaurant, met als enige verlichting de gekleurde lichtjes van de bar en het Coors-reclamebord daarboven, buiten de lampen van Redcliffe Quay en de weerspiegeling daarvan in het water, een stuk duisternis tussen de rivier en het restaurant. Hij zag de vage omtrekken van het meisje in het raam toen ze met de emmer door het restaurant liep. Hij zag haar gezicht, bleek en geschokt, oren gespitst op elk geluid, ogen opzij draaiend naar de donkere nacht. Hij zag het silhouet van een kind tegen de oranje lucht, dat naar zijn naakte lichaam keek in een groot raam. Een priaap.
'Waar denk je dat hij vandaan kwam?'
'O, uit het water,' zei ze, en ze klonk verrast omdat hij daar nog niet achter was. 'Ja, daar kwam hij vandaan. Uit het water.'
'Bedoel je uit een boot?'

'Nee. Hij kwam uit het water. Hij had gezwommen.'

'Naar de ponton?'

'Ik heb hem er niet zien aankomen, maar ik wist dat hij uit het water kwam omdat hij nat was, drijfnat. En naderhand ging hij weer terug. Weer het water in. Daar, waar dat rode ding nu ligt. Het gebeurde heel snel, alsof hij... een aal was.'

Caffery draaide zich om. Ze wees naar de rode markeerboei in het water. Hoofdagent Marley – Flea – moest zich daar nu onder bevinden, omdat het oppervlakteteam op de ponton in het water stond te kijken. Er liep een lijn van het water naar de oppervlakteassistent en Dundas praatte zachtjes in een microfoon, maar je kon je moeilijk voorstellen dat zich iemand onder het wateroppervlak bevond; het was glad en nietszeggend en weerspiegelde de rode hemel. Iemand had een 'lijkenbrancard' tevoorschijn gehaald, een stijf, oranje blok polyurethaan, en die stond vol verwachting op het terras, klaar om in het water gegooid te worden. Er hing een vreemde stilte over het toneel in het vervagende licht, alsof ze allemaal naar het water luisterden en wachtten tot er iets uit tevoorschijn zou schieten. Een mens die eruitzag als een man maar klein genoeg was om een kind te zijn, misschien. Een mens die zich bewoog als een aal.

Caffery draaide zich weer om naar het meisje met het rode haar. Haar ogen traanden nu, alsof ze de angst weer voelde, alsof ze terugdacht aan iets wat donker was en nat en stilletjes in het water gleed.

'Ik weet het,' zei ze toen ze zijn gezicht zag. 'Ik weet het. Het was het vreemdste wat ik ooit heb gezien. Ik bleef er een tijdje naar kijken terwijl ik langs de muur liep en toen...'

'En toen?'

'Toen verdween hij onder water. Hij ging onder zonder een rimpeltje. En ik heb hem nooit weer gezien.'

Flea en haar team deden meer dan alleen duiken; naast de normale ondersteunende taken, het bestrijden en voorkomen van relletjes en het uitvoeren van bevelschriften, waren ze getraind in zoektaken in besloten ruimten en het opruimen van chemische en biologische stoffen. Doordat ze zo goed bekend waren met het werken in beschermende kleding werden Flea en haar team erbij geroepen zodra er ergens in het gebied een rottend lijk opdook, in of buiten het water. Ze waren zo goed geworden in het vervoeren van vergane lijken dat ze in december 2004 naar Thailand waren gestuurd om mee te doen aan de grootscheepse actie om slachtoffers van de ramp te identificeren. In tien dagen had haar team bijna tweehonderd lijken geborgen.

De mensen konden niet geloven dat ze dit werk aankon. Vooral niet na de tsunami, zeiden ze. Had ze geen nachtmerries? Niet echt, zei ze. En we krijgen psychologische hulp. En dan vroegen ze of ze dit echt moest doen, en verspilde ze haar talent niet met rottende lijken uit buizen en pijpen trekken? Als ze even met haar meerdere ging praten en het verzoek deed overgeplaatst te worden naar de recherche, zou ze beslist agent in burger kunnen worden. Zou dat niet veel leuker zijn?

Ze gaf geen antwoord. Ze wisten niet dat ze het niet kon opgeven. Ze wisten niet dat ze sinds het ongeluk alleen helder kon denken als ze in staat was iemands lichaam terug te geven aan de familie, in de wetenschap dat ergens een moeder of vader of zoon of dochter een beetje verder kon komen op het pad van de verwerking. En het duiken – boven alles was er het duiken. Als ze niet kon duiken – wat ze haar hele leven had gedaan met haar familie – zou ze 's morgens niet eens meer uit bed komen. Alleen onder water kon ze zichzelf zijn.

Alleen nu niet, want vanavond voelde ze zich zelfs onder water niet op haar gemak. Het water in de haven was enigszins tot rust gekomen en ze kreeg vage visuele referenties als ze haar lamp aandeed. Er verschenen vormen in de duisternis, dingen die ze herkende: een boiler die een maand geleden van een boot was gegooid, een meter of tien links van haar een auto, een Peugeot waarvan de ruit en de belastingschijf nog zichtbaar waren als je dichtbij genoeg kwam. Dat was een verzekeringsklus; het vehikel was bij de Ostrich Inn in het water geduwd, voordat de helling was afgezet. Hij had er al zes maanden gelegen voordat de grijper van de dregboot er op een ochtend in februari tegenaan had gestoten. Ze had de wagen bekeken en er stroppen omheen gelegd om de havenmeester een plezier te doen, en hij wachtte nu tot de kraan was gerepareerd en hij hem eruit kon tillen.

Maar hoewel het allemaal gesneden koek was – niet anders dan wel honderd andere zoekacties die ze had uitgevoerd – hing er toch een vreemde onrust om haar heen terwijl ze aan het werk was. Sommige mensen zeiden dat de haven een eigenaardige plek was; ze praatten over vreemde ingangen die van de bedding naar een diepere onderwereld leidden, zoals de dichtgemetselde oude gracht die onder Castle Green verdween en vijfhonderd meter verderop bij een donkere, geheime samenloop, drie meter onder de grond, in de rivier de Frome uitkwam. Maar ze had er honderden keren gedoken en ze wist dat het niet deze verhalen waren die haar zenuwachtig maakten. Het lag ook niet aan de waarnemend onderzoeksleider, ook al haatte ze het dat hij naar haar keek alsof ze een kind was, recht door haar professionalisme heen, en ook al herinnerde hij haar eraan hoe angstaanjagend het leven was en hoe enorm jong en naïef ze zich had gevoeld sinds het ongeluk. Zelfs dat was niet genoeg om haar dit gevoel te bezorgen. Nee. In haar hart wist ze waar dat akelige gevoel vandaan kwam; het werd veroorzaakt door wat ze de avond daarvoor in de studeerkamer van haar vader had gedaan.

Ze probeerde er niet aan te denken en werkte verder in het troebele water. Ze hadden een diagonaal zoekpatroon uitgezet en twee lijnen gespannen van de ene kant van de haven naar de andere kant, omdat die op dit punt smal genoeg was. Daarna hadden ze tussen die twee lijnen een diagonale lijn gezet en daarlangs bewoog ze zich nu, zoekend met haar vrije hand. Ze was al bijna veertig minuten volgens het patroon aan het zoeken, eigenlijk te lang. Niet dat het haar iets kon schelen, maar boven was het donker, dat zag ze aan de kleur van het water, en Dundas had haar inmiddels naar boven moeten halen. Ze was niet van plan het gezag dat ze hem had gegeven te ondermijnen, maar ze was moe van het heen en weer zwemmen, het gewicht aan de lijn een meter langs de havenmuur te verplaatsen, zich om te draaien en met de lijn aan haar linkerkant terug te zwemmen, waarbij ze langzaam de bodem afzocht door haar handen in een boog van een meter te laten zwaaien.

Een defensieve, tactiele zoekactie, noemden ze dat, tactiel omdat je alles op de tast deed, en defensief omdat je elk moment verwachtte op iets gevaarlijks te stuiten, gebroken glas of een vislijn. Soms was datgene wat je zocht het laatste wat je verwachtte te vinden. Een voet. Of haar. Het was een keer gebeurd dat ze een lijk had gevonden doordat ze twee vingers in zijn neusgaten stak. Dat kreeg je niet voor elkaar als je het probeerde, had Dundas gezegd. Ze had ook een keer vloekend en zwetend een stuk buis naar het oppervlak gesjord, voor honderd procent zeker dat het het been was van een dertigjarige gymleraar die een week eerder van Clifton Bridge was gesprongen. Alles staat op zijn kop als je tot neutraal drijfvermogen bent verzwaard en maar een paar centimeter voor je uit kunt zien. Toen ze een van de rechte lijnen onder de ponton raakte, slechts twee meter van de plek waar ze de hand had gevonden, voelde ze zich vreemd opgelucht.

Langzaam, omdat ze inmiddels moe werd, trok ze het gewicht uit de modder en liet het een meter verder weer vallen. Ze had het vastgezet en controleerde of de lijn strak stond, zodat ze aan de terugweg kon beginnen, toen er iets gebeurde dat haar kippenvel bezorgde over haar hele lichaam. Het was heel vreemd. Ze zag niets, en achteraf had ze niet eens kunnen zweren dat ze iets had gevoeld, maar plotseling en onverklaarbaar was ze er zeker van dat zich nog iemand in het water bevond.

Ze draaide zich om, haalde het mes uit de schede op haar enkel en drukte haar rug tegen de muur. Hijgend greep ze de zoeklijn, zette haar voeten schrap en hield het mes voor zich uit voor het geval iemand zich op haar zou storten.

'Rich?' zei ze beverig in de microfoon.

'Ja?'

'Zie jij iemand anders in het water?'

'Eh... nee. Dat geloof ik niet. Hoezo?'

'Ik weet het niet.' Ze hield zichzelf recht door haar hand heen en weer te bewegen, zodat haar rug tegen de muur bleef. De lucht in haar pak probeerde naar het oppervlak te stijgen en verzamelde zich rond haar hals, zodat ze een beetje licht in haar hoofd werd van de druk. 'Volgens mij zie ik spoken.'

'Wat is er aan de hand?'

'Niets. Niets,' zei ze. Haar hoofd bonsde. De boei die aan de rechte lijn zat kon het gewicht van een mens dragen en ze kon zich binnen een seconde omhoogtrekken als er iets op haar afkwam. Maar haar training weerhield haar ervan naar het oppervlak te schieten en ze wachtte hijgend, terwijl haar ogen de duisternis verkenden en ze het mes in een verdedigende halve cirkel voor zich langs zwaaide. De haven van Bristol, hield ze zichzelf voor. Het is de haven van Bristol maar. En in feite had ze helemaal niets gezien. De minuten gingen voorbij. De wijzer van haar manometer bewoog licht en toen er niets gebeurde en haar hartslag en ademhaling heel langzaam weer normaal werden, stak ze het mes terug in de holster. Het kwam door wat er de vorige avond in pa's studeerkamer was gebeurd. Dit was niet leuk. Helemaal niet. Ze liet haar bovenlichaam vooroverzakken, zodat de lucht terugkeerde naar de pijpen van haar pak en ze geen druk meer om haar nek voelde. Zo liet ze een paar tellen voorbijgaan, terwijl de modder om haar heen wervelde.

'Dundas?' zei ze. 'Ben je daar?'

'Alles goed, hoofdagent?'

'Nee. Nee, alles is niet goed.' *Ik heb hallucinaties, Rich. Ik leid aan achtervolgingswaanzin.* 'Ik ben al veertig minuten bezig,' zei ze eindelijk. 'Ik geloof dat het tijd wordt om me eruit te halen. Vind je ook niet?'

5

13 MEI

Pa's studeerkamer was sinds het ongeluk afgesloten geweest. Flea had al die tijd geweten waar de sleutel zich bevond – die hing aan een spijker in de voorraadkast – maar ze had nooit de moed gevonden om er gebruik van te maken. Er waren sinds het ongeluk twee jaar voorbijgegaan en ze kon zich er nog steeds niet toe brengen de kamer binnen te gaan waar pa zich altijd terugtrok om na te denken. Vlak na het ongeluk ging haar broer Thom er vaak nadenken over wat er was gebeurd, maar nu wilde hij er niet meer in de buurt komen, zelfs niet om haar te helpen de spullen uit te zoeken. Iedereen wist hoe moeilijk Thom het had gehad met het verlies van hun ouders, nog moeilijker dan Flea, en als je erover nadacht wat er bij het ongeluk met hem was gebeurd, was het misschien niet zo vreemd dat hij zelfs de woorden 'ma' en 'pa' weigerde uit te spreken...

Uiteindelijk had ze het alleen moeten doen. Het was een zonnige dinsdagochtend, twee dagen voordat de hand werd gevonden in de haven. De televisie stond aan in de keuken en ze stond in de voorraadkast achter op de planken te zoeken naar een oud meelblik, een blauw-met-wit geëmailleerd blik met een zeef in het deksel, dat ma altijd gebruikte om biscuitgebak te maken. Ze rekte zich uit toen iets haar ertoe bracht opzij te kijken en daar hing de sleutel te glinsteren. Ze bleef er met haar armen in de koele duisternis bij de muur en haar ogen opzij gericht naar staan kijken. Even leek hij haar iets mee te delen, maar ze wist dat dat onzin was. Toch besloot ze ter plekke dat hij haar vertelde dat de tijd was gekomen.

Het huis waarin haar ouders dertig jaar hadden gewoond, was groot en vervallen. Het bestond uit vier achttiende-eeuwse stenen arbeidershuisjes die met elkaar waren verbonden en een front van bijna twintig meter vormden langs een afgelegen landweg. Door het midden liep een met flagstones geplaveide gang. De studeerkamer was aan het eind van de gang en toen ze daar aankwam, stond ze een beetje wankel op haar voeten. Ze bleef voor de deur staan en voelde zich als Alice in Wonderland met de sleutel in haar hand, haar andere hand tegen de deur en haar neus tegen het hout, waardoor ze de muffige, wasachtige rookgeur ervan inademde. Pa had zijn kinderen nooit aangemoedigd er binnen te komen, maar ze wist hoe de kamer aan de andere kant van de deur eruitzag: veel steen en balken, en planken vol boeken die drie wanden van vloer tot plafond bedekten. Er was een ouderwetse bibliotheekkruk die hij met zijn voet voortduwde. Ze zag hem voor zich, met de bril die hij met lijm had gerepareerd op het puntje van zijn neus terwijl hij naar de banden van de boeken keek.

Omdat ze dat die morgen allemaal in haar hoofd had, was ze voorbereid op wat er gebeurde toen ze de sleutel in het slot stak en hem omdraaide. Ze was erop voorbereid dat ze bij haar nekvel gegrepen zou worden en teruggeworpen in haar kindertijd. Het was de lucht: warm en zweterig, met tonen terpentijn en hars, pijptabak en hei vanuit de boeken, zoals pa altijd rook als hij op een herfstdag uit de tuin kwam. Het was alsof ze de laatste adem van haar vader inhaleerde. Toen zag ze de bibliotheekkruk tegen de onderste plank en de gehavende leunstoel iets weggeschoven van het bureau staan, alsof hij zojuist was opgestaan, en ze leunde tegen het kozijn en klemde haar tanden op elkaar tot ze knarsten om haar tranen te bedwingen.

Uiteindelijk duwde ze zichzelf weg van de deur en liep naar het bureau, waarbij ze even aarzelde, alsof pa daar zat en zei: *Niet als ik aan het werk ben, Flea. Ga je moeder helpen.* De zon kwam door de kieren in de luiken en het licht viel op de achterkant van de stoel, en toen ze haar handen op die plek legde, was het leer een beetje vettig en warm, net als de huid van haar handen. Het oude schaakspel met goedkope stukken van balsahout, die zo waren bewerkt dat ze van marmer leken, stond midden op het bureau. Pa speelde altijd tot diep in de nacht tegen zichzelf.

Ze was van nature niet methodisch aangelegd – daar kwam haar bijnaam vandaan, omdat ze altijd van de hak op de tak sprong – maar de training die ze voor haar werk had ondergaan had geholpen en toen ze pa's studeerkamer begon te doorzoeken, deed ze dat zoals ze een zoekactie met de eenheid zou afwerken: systematisch en in stilte. Ze zat in kleermakerszit op de vloer terwijl de staande klok in de gang buiten tikte en de paarden van de buren hinnikten in de velden. In elke hoek van de kamer stonden dozen vol dagboeken, aantekeningen, dia's en faculteitsfoto's van pa, uilachtig in een corduroy jasje. Er waren ook vier verzegelde dozen met boeken met de naam van zijn beste vriend, Kaiser Nduka, erop. Toen ze alles bekeken had, was bijna alles wat ze gezien had precies wat ze verwacht had van pa.

Bijna alles.

Want tussen de stoffige spullen bevonden zich twee dingen die ze niet had verwacht. Twee dingen die ze niet kon verklaren.

Het eerste was een kleine kluis. Hij was onder het bureau tegen de muur geschoven, een ouderwets model met een koperen draaislot van Yale. Niet open te krijgen. Ze probeerde elke cijfercombinatie die ze kon bedenken; ma's verjaardag, pa's verjaardag, haar verjaardag, die van Thom, de trouwdag van haar ouders. Ze haalde zelfs een oud wiskundeboek van de planken, bladerde langs de wiskundige rijen en probeerde er zomaar een paar: de matrix van Wythoff, de rij van Fibonacci. Maar de kluis ging niet open, en uiteindelijk duwde ze hem opzij en wijdde ze zich weer aan het andere voorwerp dat ze had gevonden: een juwelenetui van paars brokaat van haar moeder, dat ver achter in de bureaula was geduwd.

In het etui zat een afsluitbaar diepvrieszakje, en zodra ze het uitpakte, wist ze wat erin zat – ze herkende ze van de drugszaken waar ze in de loop der jaren bij betrokken was geweest. Paddenstoelen, verschrompelde sliertjes op een hoopje, als piepkleine, droge spookjes. Er moesten er honderden zijn, genoeg om het juwelenetui gewicht te verlenen. Ze deed het zakje open en gooide het leeg op haar schoot. Ze lagen als een hoopje vezeltjes op de stof van haar rok en er kwam een herinnering bij haar boven.

Het was een beeld van pa die op zijn rug op de bank lag, met zijn handen op zijn borst en een kussen op zijn gezicht om het licht buiten te sluiten. Zo lag hij soms urenlang zonder iets te zeggen of zich te verroeren, alsof hij sliep. Maar hij sliep niet. Hij leek net te onrustig om te slapen. Het was iets anders. Nu ze met haar vinger tegen de paddenstoelen duwde, vroeg ze zich af of ze het begon te begrijpen. Zo, pa, dacht ze. Was dit het elke keer. Dat zou ik nou nooit geraden hebben.

Ze bleef een hele tijd naar de paddenstoelen zitten kijken. Maar toen de staande klok elf uur sloeg, schoof er iets groots op zijn plaats in haar achterhoofd. Ze kwam overeind, schoof de paddenstoelen weer in het zakje, deed dat in het juwelenetui en kwam overeind. Ze pakte de kluis op en nam hem mee naar de keuken, waar ze alles op de plank zette, en toen bleef ze even uit het raam staan staren. Haar mond was droog en haar hart bonsde, omdat ze wist, net zo zeker als ze wist hoe haar eigen vader had geroken, dat zij de paddenstoelen ook zou nemen.

Nu ze naast het Mercedes-busje van het duikteam boven aan de helling stond, waar de booglampen suisden en tikten en het team om haar heen liep, voelde Flea nog steeds de ziekelijke psilocybine in haar lichaam rondwaren. En toen ze om acht uur stopten voor die dag omdat iedereen te moe was en de jongens van Gezondheid en Veiligheid haar op de vingers zouden tikken als ze er lucht van kregen dat ze de mannen zo lang had laten doorwerken, vond ze het nog moeilijk om zich af te wenden van de haven, van de betoverende aantrekkingskracht van het water en het akelige gevoel dat er iets vreselijks uit zou komen.

Het team had zich verzameld bij het busje, rolde de gele en blauwe lijnen op en pakte het oppervlaktepaneel in. Inspecteur Caffery stond iets verderop in de schaduw te praten in zijn mobiel. Ze kon het grootste gedeelte van het gesprek volgen; hij had de onderzoeksleider aan de lijn, die nijdig was dat hij het duikteam extra aan het werk had gezet zonder te wachten tot de patholoog had bevestigd dat de hand was afgesneden.

Ze wendde zich moe en een beetje geïrriteerd af. Haar team had zich kapotgewerkt. Ze hadden heel Welshback doorzocht, tot onder de woonboten en zelfs de gewelfde funderingen van de entrepots aan de overkant toe, en ze hadden van alles gevonden daarbeneden, van mobiele telefoons, ondergoed, tafels en stoelen van de bars op de kade tot aan een onklaar gemaakt vuurwapen. Vier duikers hadden elk negentig minuten op de teller staan en ze hadden een stuk van zestig meter van de haven afgewerkt. Maar, en ze wist dat zij de enige was die het gemerkt had, het was niet genoeg voor inspecteur Caffery. Ze kon zien dat ze hem had teleurgesteld, dat hij zich in de steek gelaten voelde omdat ze geen wonderen kon verrichten, terwijl haar team hem had verleid tot deze lukrake zoektocht. Toen ze eindelijk de portieren van de Mercedes had gesloten en het team had weggestuurd, kon ze het niet over haar hart verkrijgen om hem weg te laten gaan met het idee dat ze gefaald had; ze liep achter hem aan toen hij terugliep naar zijn auto.

'Hoor eens,' zei ze, en haar stem klonk verontschuldigender dan haar bedoeling was geweest, 'het zou natuurlijk kunnen dat de rest van het lijk verplaatst is.'

'O, ja?' zei hij. Ze moest snel lopen en door de stinkende plassen voor het restaurant spetteren om hem bij te houden, want hij vertraagde zijn pas niet. 'Wat bedoel je daarmee?'

'Eh, ik bedoel dat hier vandaag stroming heeft gestaan, ze hadden de sluisdeuren opengezet, dus theoretisch zou het mogelijk zijn dat het naar de bovenkant van de haven is verplaatst.' Terwijl ze het zei, wist ze dat het onzin was. In de zes jaar dat ze in het team zat, had ze nog nooit meegemaakt dat zoiets gebeurde met een lijk. Het was eigenlijk zo goed als onmogelijk. 'Het is een heel kleine kans, dat geef ik toe, maar als je echt wilt volhouden, zouden we hier morgenochtend terug kunnen komen.'

'Oké,' zei hij, zonder de tijd te nemen erover na te denken. Hij stapte in zijn oude auto, die scheef geparkeerd stond voor de ingang van het restaurant, en stak de sleutel in het contact. 'Dat is goed,' zei hij door het open raampje. 'Dan zie ik jullie zodra het licht wordt.'

Hij startte de motor en reed weg. Geen afscheid, alleen een snelle aftocht over de verlaten weg. De koplampen verdwenen en toen stond ze in haar eentje op de kade, op de twee geüniformeerde agenten uit Broadbury na die in de verte het afgezette terrein bewaakten. Ze bleef even zwijgend staan en besefte toen dat haar voeten nat en modderig waren van de plas, dat ze huiverde van vermoeidheid en vooral dat ze enorm nijdig was. Niet zozeer op inspecteur Caffery, maar op zichzelf. Een lijk dat over de bodem van de haven verplaatst werd? Ja, hoor. Jezus, wat een gelul.

De dag daarvoor waren de hallucinaties komen opzetten als een donderbui. Aanvankelijk was er niets gebeurd. Zelfs niet de verhoogde hartslag die ze had verwacht. Flea had de paddenstoelen om halftwaalf ingenomen. Er was een vol uur voorbijgegaan en ze wilde net opstaan van de bank om in de keuken brood te gaan maken toen ze ergens van schrok. Ze had de indruk dat ze vuurwerk zag door het raam, ergens in de blauwe hemel hoog boven de torenspitsen van Bath.

Ze ging overeind zitten en keek naar het raam en toen ze dat deed, zag ze iets anders, een beweging achter haar in de schaduw, een vage kleurveeg, alsof iets in de studeerkamer zijn hand uitstak naar haar nek. Toen ze zich omdraaide, was er niets dan de vlekken zonlicht die dansten op de muur. Ze bleef er even stom naar zitten kijken. En toen lachte ze plotseling. Ze leunde achterover met een enorme lach in haar mond, groter dan haar tong, groter dan haar keel. En zo was het begonnen.

Ze kon niet zeggen wanneer de hallucinaties hun hoogtepunt hadden bereikt, hoe lang nadat ze waren begonnen, maar op een gegeven moment wist ze weer wie ze was en waar ze was en dat ze drugs had genomen en dat er dingen gebeurden, en het volgende moment lag ze met haar gezicht tegen de bank en werd de stof, zo dicht bij haar ogen, wel honderd keer vergroot, zodat het weefsel eruitzag als boomstammen. Ze rook mottenballen en zag een wit vlekje, waarschijnlijk een losse draad in de bank, maar opeens was dat vlekje heel groot en zag ze dat het geen losse draad was, maar haar moeder tussen de bomen, in een spijkerbroek en een T-shirt en met een gebloemde sjaal om haar hoofd, die op haar hurken een polletje bosviooltjes bekeek.

Flea's mond bewoog tegen de ruwe stof en er kwam een woord uit: '*Mam?*' Hij klonk zo ver weg, haar eigen stem, alsof hij van een verre heuvel kwam, maar Jill Marley hoorde hem. Ze keek vragend tussen de bomen door, maar zag haar dochter niet helemaal. Haar gezicht stond onmiskenbaar triest, dat zag Flea aan de rechte streep van haar mond, de weerspiegeling in haar ogen.

'O, mam.' Ze kreeg een brok in haar keel. Ze bracht een hand omhoog om het beeld aan te raken. 'Mam? Wat is er?'

Jill staarde naar de bomen. Toen begon ze langzaam en voorzichtig, omdat ze haar dochter nog steeds niet kon zien, te praten. Flea wist dat wat ze zei heel belangrijk was en ze boog zich naar voren om te luisteren, maar op dat moment vervaagde het beeld en bevond Flea zich weer waar ze zich herinnerde dat ze geweest was, op de bank, met de stof tegen haar wang. Er was niets over van de hallucinatie dan het idee, zo duidelijk als de wind of de deining van de zee, dat haar moeder op het punt had gestaan te zeggen: 'Je hebt op de verkeerde plek gezocht. We zijn de andere kant uit gegaan.'

We zijn de andere kant uit gegaan.

Daar op de bank, met de late zon door de kieren tussen de luiken op haar rode oogleden, wist ze zonder enige twijfel dat haar moeder het maar over één ding gehad kon hebben.

Ze had het over het ongeluk.

6

25 NOVEMBER

Skinny blijkt toch niet gepijpt te willen worden. Hij blijkt iets anders in gedachten te hebben. Hij neemt Mossy mee naar een kleine parkeerplaats naast een rij garages en ze stappen in een gehavende oude Peugeot, waar Skinny hem een shot geeft, en dat voelt zo lekker dat hij wel kan huilen.

'Zal ik deze even omdoen?' vraagt Skinny na een tijdje, als hij ziet dat de heroïne zijn uitwerking heeft op Mossy. Hij houdt een oogmasker omhoog, het soort dat je mensen ziet dragen in advertenties voor lange vliegreizen. 'Ik breng je ergens heen. Naar iemand die je kan helpen. Maar hij wil dat je dit ding draagt. Hij wil niet dat je ziet waar hij woont. Wat wil je? Wil je het om of niet?'

Mossy neemt het van Skinny aan, laat het ding aan zijn vinger bungelen en lacht ertegen. Je kunt van alles zeggen over Mossy, maar hij is niet bang om een gokje te wagen. 'Dus iemand gaat me "helpen"?'

'Ja. Wat wil je? Geld? Of nog meer drugs? Goed shot, hè?'

Mossy ziet plotseling voor zich hoe hij naar een braakliggend terrein wordt gereden en een kogel in zijn achterhoofd krijgt.

Dan denkt hij aan geld en iets suïcidaals in hem denkt: wat kan het mij ook verdommen? Hij zet het masker op zijn hoofd en leunt achterover. 'Vooruit dan maar,' zegt hij, nog steeds lachend. 'De show kan beginnen.'

Er valt een korte stilte en hij vraagt zich af of hij het masker af moet doen, maar dan beweegt de auto, gaat het portier open en weer dicht en wordt het andere portier geopend, en hij beseft dat Skinny is uitgestapt en naast hem op de achterbank is komen zitten. 'Hé, wat doe je?' Maar hij voelt Skinny's handen op zijn gezicht, hij voelt vingertoppen die zo eeltig zijn dat ze wel van henneptouw gemaakt lijken, en die vingers strijken het masker glad en houden het vast. Hij doet er niets tegen. Hij wacht in stilte af en ze blijven zitten tot hij voetstappen hoort en iemand anders in de auto stapt. Het chassis beweegt en kreunt en iemand stelt de voorstoel bij, maar niemand zegt iets. Dan slaat de motor aan en Mossy likt langs zijn lippen. Het avontuur staat op het punt te beginnen.

'Kom maar op,' zegt hij lachend. 'Kom maar op.'

Het is net als in een van die gangsterfilms uit New York, zo'n film waar Ray Liotta in zou kunnen spelen, en Mossy vraagt zich een paar keer serieus af of het met hem gedaan is. Zelfs met de heroïne in zijn lijf blijft hij scherp genoeg om kleine details op te merken. De geur van aftershave komt van de chauffeur, niet van het zwarte mannetje dat naast hem zit en zijn masker op zijn plaats houdt en dat naar iets anders ruikt, iets bitters, als wortels of aarde.

Ze hotsen verder en hij hoort andere auto's, bussen en motoren die hen in beide richtingen passeren. Hij hoort de richtingaanwijzer klikken, maar nog steeds zegt niemand iets. Hij kan niet meer bijhouden waar ze heen gaan, en als ze stoppen en hem zachtjes uit de auto en met zijn voeten op de koude grond duwen, begint zijn hart te bonzen. Is dit het dan? Het einde?

Maar dat is het niet. Ze lopen een eindje en ergens klinkt een stem. Het is een man, maar hij kan niet echt horen wat hij zegt, want het accent is niet van hier. Dan hoort Mossy een sleutel in een deur en wordt hij een gebouw binnengeleid – hij voelt de verandering van temperatuur. Het is warm hier en hij voelt vloerbedekking onder zijn voeten, en het ruikt er nog erger dan in de auto. Het ruikt er als in het oude junkpand vorig jaar in de wijk. Dat was een helse tent en de mensen waren er halfdood. Op een keer was er zelfs een helemaal dood en die lag in een vreemde houding over de tafel met zijn broek naar beneden, en iedereen had het erover dat hij genaaid werd toen zijn hart er plotseling mee ophield, en iedereen wedde dat er ergens een bange ouwe kerel zat te wachten tot de smerissen op zijn deur kwamen kloppen. Ergens staat een tv aan. Mossy wordt om meubels heen geleid en dan volgt er een lange gang. Skinny houdt hem nog steeds op het goede pad en de chauffeur loopt voor hen uit. Er wordt een deur geopend en een gordijn weggetrokken en dan hoort hij sleutels, zwaar en metalig als die van een gevangenbewaarder, en het roestige gepiep van een hek dat opengaat. Maar dit keer blijft Mossy staan.

Plotseling onzeker gaat hij iets achteruit. 'Nee. Dit staat me niet aan.'

'Niets aan de hand, jongen,' zegt een stem die hij niet eerder heeft gehoord. De chauffeur? 'Wil je dat we je terugbrengen?'

Mossy voelt dat zijn trip het hoogtepunt nadert. Ergens in zijn achterhoofd heeft hij een vaag, ontmoedigd gevoel dat hem vertelt dat het keerpunt niet ver meer is. Dat hij over een paar uur weer één bonk pijn zal zijn en dood zal willen.

'Heb je iets voor me? Er moet wel iets voor me zijn.'

'Kom binnen,' zegt de stem. 'Dan kun je het zien. Zodra je binnen bent.'

Hij heeft een bittere smaak in zijn mond, maar hij loopt toch door. Hij moet zijn voeten optillen omdat de opening kleiner is dan van een normale deur en hij vraagt zich af waar hij zich in godsnaam bevindt. Hij hoort dat de deur achter hem op slot wordt gedaan en weer aarzelt hij even, maar hij voelt Skinny's kleine, krabbende handen op zijn armen, die hem naar voren duwen. Het stinkt hier niet meer zo erg, een beetje naar vocht en iets wat brandt, maar veel minder dan op die andere plek.

'Nou,' zegt Skinny. 'We zijn er.' En hij duwt hem op een stoel.

Mossy graait naar het masker en trekt het van zijn hoofd. Hij knippert met zijn ogen. Ze zijn alleen, zonder chauffeur, in een kamer waar geen daglicht doordringt. Het enige licht komt van een scheve staande lamp naast de bank. Een elektrisch kacheltje met drie verwarmingsstaven is aangesloten op een verlengsnoer dat verdwijnt in de duisternis. Op de muren zit oud behang, maar er is op getekend alsof hier kinderen hebben gewoond en iemand heeft posters opgehangen uit tienertijdschriften: Russell Crowe in *Gladiator*, Brad Pitt in *Troy* en nog een van Will Smith en Tommy Lee Jones met zonnebrillen op en de woorden *Protecting the Earth From the Scum of the Universe* erboven. Mossy schuifelt met zijn voeten. Het ziekelijk paarse vloerkleed is versleten, hier en daar kun je de schuimrubber onderkant zien, en in een hoek staan een draagbare radio, een ketel, een doos theezakjes en een pakje suiker.

'Waar zitten we in godsnaam?' Hij kijkt over zijn schouder. Achter hen is een gangetje met een raam, maar het glas is gebroken en er zit een traliewerk voor, en het raam is afgeplakt met hetzelfde spul als waarmee de gemeente die in het junkpand heeft afgedekt na het lijk op de tafel. Het ziet eruit alsof iemand iets van deze ruimte wilde maken en het toen heeft opgegeven, want hier en daar steekt bedrading uit het pleisterwerk en er zijn gaten in de muren geslagen en Mossy weet dat het hek waar ze net door zijn gekomen de enige uitweg is. 'Woon jij hier?'

'Jawel,' zegt Skinny. Hij staat bij een houten kastje dat uit een naamloze keuken is verwijderd en hier op deze afschuwelijke plek is beland. 'Ik woon hier. Dit is mijn huis.' Hij haalt iets uit de la en neemt het mee naar Mossy, wiens hart overslaat. Hij weet wat erin zit voordat Skinny het zakje opendoet. Hij voelt zijn knieën knikken en zijn maag omdraaien.

'Nou?' zegt hij. 'Wat moet ik ervoor doen?'

Skinny geeft geen antwoord. Hij wrijft met zijn bruine vinger over zijn bovenlip en mijdt Mossy's blik. Mossy grijpt naar het zakje, maar mist net. Skinny doet een stap achteruit en blijft buiten bereik staan. Zijn blik is gesloten en ontwijkend geworden.

Mossy gaat weer op de bank zitten en haalt zwaar adem. 'Kom op, voor de dag ermee. Wat moet je van me? Geen al te gekke dingen, geen bloed of zo. Maar een vuist is oké en je hoeft niets om.' Hij wrijft even in zijn kruis en werpt Skinny een sluwe blik toe. 'En ik heb genoeg in huis als jij genaaid wilt worden. Ik spies je gewoon, zo'n klein ventje als jij.'

Skinny gaat naast Mossy op de bank zitten en kijkt hem zo triest aan dat Mossy weer het idee krijgt dat ze hem gaan vermoorden.

'Wat?' zegt hij, en hij probeert luchtig te doen. 'Wat kijk je nou?'

'Bloed,' zegt Skinny. 'Alleen een beetje bloed. Een beetje bloed en je krijgt een heleboel heroïne. En geld ook nog.'

'Bloed? Ik zei toch dat ik geen gekke dingen doe. Geen bloed. Ik laat me niet slaan, jochie, hoeveel heroïne je me ook geeft.'

'Een naald.' Skinny tikt tegen de binnenkant van Mossy's arm, precies op de plek waar de shot is gezet. 'Ik steek er een naald in en neem wat van je bloed.'

Er valt een lange stilte. Mossy staart naar zijn arm en kijkt dan in de vochtige ogen van Skinny. Hij ziet bloed in het wit, alsof Skinny ziek is. Maar Mossy wordt niet bedreigd en het ventje is niet groot genoeg om hem aan te kunnen, hoewel hij pezig is en er niet uitziet als een junk, dus is hij in het voordeel als er wel iets gebeurt.

'Ben jij een vampier of zo?' Hij lacht schor, een beetje nerveus. Skinny blijft hem heel ernstig aankijken. Dus houdt Mossy op met lachen. Hij slikt. Dit is behoorlijk eng. Hij duwt Skinny's vingers van zijn arm.

'Wat ga je dan met mijn bloed doen?' vraagt hij gespannen, omdat iets aan de hele situatie hem een ziek gevoel geeft. 'Wat ga je ermee doen? Opdrinken?'

7

13 MEI

Caffery kwam sneller dan de bedoeling was. Misschien lag het aan de stress van die dag, de lange uren of misschien was het iets anders, maar het was al bijna voorbij zodra hij bij Keelie was binnengedrongen, met haar benen over zijn schouders. Ze lag op de achterbank van de auto met haar rok omhoog, hield zijn achterhoofd met beide handen vast en trok zijn gezicht naar beneden zodat het tegen dat van haar aan lag, en misschien vond ze het jammer dat hij zo snel was, want het duurde een minuut of twee voordat haar greep op hem losser werd, ze haar vingers uit zijn haar losmaakte en haar schouders naar achteren bewoog. Hij kwam op zijn knieën overeind tussen de voor- en achterbank, schoof haar benen opzij en liet zich zijdelings op de zitting vallen. Zijn ene hand maakte de kraag van zijn overhemd los en de andere lag op zijn borst.

Zij zei niets, dus zweeg hij ook. Hij staarde zonder iets te zien naar buiten en voelde zijn hart bonzen onder zijn ribbenkast. Zijn hartslag maakte hem vaag bewust van een gesprek dat hij drie maanden eerder had gehad. Het was op de dag geweest dat hij uit Londen vertrok, en een van zijn collega's had hem gevraagd:

'Wat denk je dat je daar verdomme gaat doen, in zo'n gat met alleen maar schapen?' Hij had zonder een spoor van een glimlach gezegd: 'Geen idee. Waarschijnlijk neuken tot ik erbij neerval.'

Het was natuurlijk een grapje geweest, maar nu kwamen de woorden bij hem terug, omdat hij niet wist hoe hij anders moest verklaren wat hij aan het doen was, waarom hij week na week afsprak met meisjes als Keelie. Hij had de waarheid niet willen vertellen: dat hij wegging uit Londen, de stad waar hij het grootste deel van zijn leven gewoond had, omdat hij op een dag wakker was geworden met het besef dat de enige band die hij met de stad had was verdwenen: de verdwijning van zijn broer Ewan op negenjarige leeftijd, dertig jaar geleden. De vraag wat er met Ewan was gebeurd was de enige in Caffery's leven. Zover hij zich kon herinneren had het alles wat hij deed gekleurd, en hij was er lang zeker van geweest dat het antwoord in Londen te vinden was, aan de overkant van het spoor dat achter de tuin van zijn ouderlijk huis langs liep, in het huis van de ouder wordende pedofiel Penderecki. Caffery was jaren geobsedeerd geweest door dat huis, de plaats waar volgens zijn vaste overtuiging Ewan was gestorven. Maar plotseling was het weg geweest. In het niets verdwenen. Ja, hij droomde nog steeds over zijn broer en dacht vaak aan hem. Ja, hij wilde nog steeds zijn lijk vinden, maar hij voelde geen band meer met Londen. Hij wilde niet meer door het raam naar Penderecki's huis kijken en hij kon zich niet meer herinneren waarom hij eens had gedacht dat dat vervloekte huis antwoord zou kunnen geven op zijn vragen.

Maar hij wilde wel zijn werk behouden. Hij was bij de politie gegaan omdat hij bij elke zaak die hij oploste het gevoel kreeg dat hij tegenwicht bood aan wat er met Ewan was gebeurd. En hoewel hij geen carrièremaker was – hij was hoog binnengekomen bij de politie, maar moest er op zijn zevenendertigste niet aan denken om de examens af te leggen om hoofdinspecteur te kunnen worden – hielp elke veroordeling dat ding in zijn borst te bedwingen dat hem 's nachts uit zijn slaap hield. De band met Londen werd zwakker, maar de band met zijn werk bleef overeind. Hij kon dit werk overal doen, zelfs hier in Bristol. En bovendien hoopte hij hier in het westen iets te vinden wat hem zou kunnen helpen beter om te gaan met het probleem Ewan.

Keelie naast hem hoestte, bracht haar vingers naar haar keel en wreef er even over, alsof hij pijn deed. Daarna zette ze haar wijsvingers tegen haar ooghoeken en wreef erin om de opgehoopte make-up te verwijderen. Ze trok haar rok, die rond haar middel zat, naar beneden, boog zich over de voorstoel en deed de zonneklep aan de passagierskant naar beneden om haar gezicht te bekijken in het spiegeltje. De rok spande strak om haar billen, zodat de inkepingen van haar slipje en haar jarretel te zien waren.

Plotseling voelde Caffery zijn keel dichtknijpen en zijn ogen prikken. Hij kwam iets overeind, legde zijn hand op haar kuit en wilde iets tegen haar zeggen, vragen of ze kinderen had, vragen om een menselijk woord. Maar Keelie nam de aanraking verkeerd op. Ze trok haar wenkbrauwen op in het spiegeltje en glimlachte even. 'Wat moet dat betekenen?' zei ze, en ze wilde nog iets zeggen toen de auto heftig schokte. Er klonk een metalige klap en Caffery zag uit zijn ooghoek iets donkers langs de voorruit schieten.

'*Tering!*' Keelie greep de achterkant van de voorstoel en klampte zich eraan vast toen het voertuig terug wipte. '*Wat was dat?*'

Caffery deed haastig zijn gulp dicht, duwde met zijn schouder het portier open en sprong de verlaten steeg in. 'Hé!' riep hij in het donker. Hij keek achter zich, met zijn rug naar de auto, en tuurde in de schaduwen. 'Wat moet dat voorstellen?'

Hé, klonk de echo, *dat voorstellen...*

Stilte. Het enige geluid kwam van het verkeer en het verre gelach van een vrouw op City Road. Er was niets te zien, alleen een plastic zak waaruit afval op de stoep viel en de weerspiegeling van een paar neonlampen op de stenen stoeprand. Hij liep de hele steeg door naar de weg en keek in elk portiek en elke oneffenheid in de contouren van de oude stenen muren. Hij draaide zich weer om naar de auto. Keelie had de binnenlamp aan gedaan en staarde hem met een wit en bang gezicht aan. Hij wist wat ze dacht, dat het was alsof er iemand langs was gevlogen, die op de motorkap was geland en daarna in de lucht was verdwenen. Of – omdat het idee van iemand die vloog absurd was – het was alsof iemand de hele tijd op de motorkap had gezeten en eraf was gesprongen en weg was gerend toen het was gedaan met de seks, waarna hij zich verstopt had op een plek waar ze hem niet konden zien.

Er kwam een gedachte bij Caffery op. Hij maakte met voorzichtige gebaren zijn riem dicht. *Ga nooit ten strijde met je broek open.* Hij rolde zijn mouwen op, ging op de koude weg liggen en draaide op zijn zij, zodat hij dicht genoeg bij de wielen van de auto lag om onder het voertuig te kijken, maar niet zo dicht erbij dat hij niet weg kon als er iets op hem afkwam. Hij liet zijn gezicht naar de straat zakken en keek onder de auto. Er was niets te zien, alleen de vage glans van de oranje lantaarnpalen op de weg. Hij rook benzine. Met zijn hak duwde hij zich verder onder de auto, zodat hij achter de wielen kon kijken, maar weer zag hij niets. Hij rolde terug en draaide zijn gezicht naar de hemel. De wolken werden oranje verlicht door de stad en daarachter stonden de sterren. Hij bestudeerde de daken en dacht hard na over het gevoel dat er iemand naar hem keek. Dat gevoel had hij nu nog.

Na een tijdje kwam hij overeind. Hij veegde zijn kleren af en dacht aan veringen en of die vast konden komen te zitten. Misschien kon een auto zo een tijdje blijven staan tot een beweging in het voertuig de veer met een schok liet losspringen.

Keelie keek nog steeds naar hem en hij hief zijn hand. De behoefte om nog eens seks met haar te hebben was verdwenen, maar hij wist dat hij met haar zou moeten praten, en de gedachte maakte hem moe. Er had meer achter de verhuizing naar Bristol gezeten dan alleen de wens om uit Londen weg te gaan. Het was een kwestie geweest van opgeven, van aanvaarden dat hij nooit een mens zou ontmoeten die zou begrijpen hoe schuldgevoelens en gemis het leven uit iemand kunnen wringen. Hij was er al lang geleden mee opgehouden naar vrouwen te kijken met de gedachte dat een van hen het hem terug zou kunnen geven.

Ja, dacht hij nu, terwijl hij in zijn zak naar een sigaret voelde en de muren bekeek om te zien of hij soms iets gemist had, hij was daar allang overheen. En het leven was er alleen maar beter op geworden.

8

13 MEI

Na de duik in de haven voelden Flea's benen aan alsof ze van lood waren. Elke seconde van haar negenentwintig jaar drukte zwaar op haar schouders. Toen ze Bristol uit was, haalde ze haar voet van het gaspedaal. Ze reed een parkeerhaventje op, zette de motor uit en haalde de zak met paddenstoelen uit het handschoenenkastje. Ze bleef ze even zitten bekijken en voelde de laatste uitgeputte overblijfselen van haar waandenkbeelden rondstoeien in haar achterhoofd. We zijn de andere kant uit gegaan. Ze wilde de zak opendoen en de hele inhoud in haar mond stoppen. Ze wilde niets liever dan terug te zijn in dat bos en over het pad te lopen waar ze wist dat haar moeder nog steeds op haar hurken de bosviooltjes zat te bekijken.

Maar ze deed het niet. Ze legde de paddenstoelen weer in het handschoenenkastje en pakte haar telefoon. Eerder op de avond had ze gekeken of ze berichten had en er was er een geweest van Tig. Dat was wel ironisch; Tig, een van de weinige mensen in haar leven die haar verlangen naar de paddenstoelen helemaal zouden begrijpen, letterlijk helemaal, en na drie maanden stilte had hij juist deze avond uitgekozen om haar een sms te sturen.

Alsof hij haar gedachten kon lezen. Hij woonde in Hopewell, niet ver weg; nu het zo rustig was op straat, zou ze er in twintig minuten kunnen zijn. Het zou zo gemakkelijk en vertrouwd zijn om hem alles te vertellen over pa en de drugs, en over de trip en over het feit dat ze de drugs nog eens wilde nemen om terug te komen in dat bos waar haar moeder op haar wachtte. Maar toen dacht ze eraan hoe zorgvuldig de paddenstoelen waren weggeborgen in het juwelenetui en hoe haar vader op de bank had gelegen met een kussen op zijn gezicht, en ze wist meteen dat er iemand anders was die dit mysterie nog beter voor haar kon oplossen dan Tig. Iemand die haar echt alles kon vertellen.

Ze duwde het mobieltje weer in haar zak, startte en draaide de auto de weg op naar het zuiden. De huizen aan weerskanten van de weg werden al snel schaarser. Het duurde niet lang voor ze de laatste straatlantaarn achter zich had gelaten en zich op de donkere wegen bevond die haar naar de verlaten Mendip Hills zouden brengen.

Kaiser Nduka.

Als pa ooit een goede vriend had gehad, was het Kaiser Nduka. Ze hadden samen gestudeerd op het Corpus Christi College en op het eerste gezicht kon je je geen twee mensen voorstellen die minder met elkaar gemeen hadden: pa met zijn Zweedse achtergrond, zijn papierachtige, kwetsbare huid en tengere handen als die van een kind, en Kaiser, de oudste zoon van een stamhoofd van de Ibo, een lange magere man met kuiten die dunner waren dan wandelstokken, een grijzende krans krulhaar en een gezicht dat zo zwaar was dat het zijn lichaam uit balans leek te brengen. Kaiser was in de jaren 1970 door zijn door olie rijk geworden familie van Nigeria naar Engeland gestuurd om daar te studeren en was er gearriveerd met een *abeti-aja*-muts met oorflappen op en een westers pak aan. Op de een of andere manier hadden de twee buitenbeentjes, Kaiser en pa, elkaar gevonden in hun studie, de toepassing van filosofie en psychologie op de wereldreligies. Kaiser was professor in de vergelijkende religie en zijn specialiteit waren de hallucinogene ervaringen in het sjamanistische ritueel. Zijn carrière was soepel verlopen tot hij een leerstoel had aan de Nigeriaanse universiteit en betrokken was geraakt bij een onderzoeksproject dat rampzalige gevolgen had gehad, waarna hij was geschorst van de faculteit. In diezelfde tijd had zijn verloofde met hem gebroken.

Ze zijn er waarschijnlijk achter gekomen... had mam duister gezegd. *Zijn vriendin en de universiteit zijn er waarschijnlijk achter gekomen dat hij maar half menselijk is...*

Mam was altijd zenuwachtig geworden van Kaiser. Ze had nooit gezegd waarom, maar ze verzon altijd smoesjes om thuis te blijven als pa naar de Mendips ging. Thom was ook bang voor Kaiser. Hij zei dat hij eruitzag als de duivel en dat hij nachtmerries had gehad waarin Kaiser mensen najoeg in de straten. Flea probeerde zich voor te stellen waar hij dat idee vandaan had en wat hij had gezien in die koortsachtige kinderdromen: de vuile, halfverlichte straten van Ibadan, de venters en het altijd drukke verkeer, een stille gestalte die door de stegen glipte: Kaiser. Ze vond het bijna lachwekkend om zich Kaiser voor te stellen met zijn grote hoofd onder een kap, die de straten afzocht naar menselijke wezens. Ze lachte om het idee, maar Thom was er niet van af te brengen. Hij was bang voor het huis, waar altijd aan gewerkt was en dat altijd deels was dichtgetimmerd en met zeildoek afgedekt, waarbij soms onverwachts delen opengingen en blootstonden aan de elementen.

Nu ze het lange, donkere pad op reed, alleen verlicht door de maan, die een scherpe cirkel vormde tegen de hemel voor haar, begreep Flea een beetje wat Thom bedoelde. Er hing een afgelegen en vergeten sfeer om het huis die je spookachtig kon vinden, en het stond heel alleen in de regenachtige bossen op het kalksteen van de Mendips. Er slierde nat onkruid over haar auto terwijl ze verder reed en het ging met lange vingers over haar ramen, zodat ze de ruitenwissers moest aanzetten om het weg te halen. Omhoog en omhoog, bijna anderhalve kilometer lang, bij het heen en weer schietende licht van haar koplampen, tot de oprit uitkwam op een veld vol kuilen, dat zich zilverachtig uitstrekte onder de open hemel. Op het verste punt viel het land weg – de verste rand van het dal was drie kilometer verderop en daar stond het, aan de rand van de afgrond alsof het er elk moment in kon vallen: Kaisers huis, gebouwd van de plaatselijke blauwe liaskalk, eens mooi maar nu getekend door zijn voortdurende renovaties en veranderingen. In de woonkamer scheen een enkel licht, vaag en amper zichtbaar achter de vastgeniete deken. Hij zou daar op zijn vaste plek zitten, onderuitgezakt in zijn leunstoel in de hoek.

Ze parkeerde, duwde het etui met paddenstoelen in de zak van haar fleecetrui en liep naar de achterdeur. Ze had haar armen over elkaar geslagen en rilde, omdat het plotseling zo laat leek. Ze ging de keuken binnen, deed de deur zorgvuldig achter zich dicht en snoof de warmte en de goede, kruidige geuren op.

Het was een bende in Kaisers huis. Elk oppervlak in de keuken lag vol stoffige stapels tijdschriften en brieven en curiosa die hij in de hele wereld had verzameld. Net als de studeerkamer van pa. Dus leek het altijd volkomen onwaarschijnlijk dat Kaisers grootste hobby koken was. In de loop der jaren had hij zijn aandacht op Flea gericht. Zij was altijd degene die hij apart nam om haar verhalen te vertellen, om haar de geheime plekjes in de tuin te laten zien en om haar haar vingers door de ooggaten van de traditionele maskers van zijn familie te laten steken. Maar hij toonde zijn genegenheid vooral door te koken. Zijn recepten kwamen uit elk land en elke traditie. Soms was het kokosnoottaart, soms couscous met gecondenseerde melk, geserveerd in gehavende kommetjes van Woolworth. Vanavond waren het kleverige dadelbroden; er stonden er twee af te koelen op een rek. Flea sneed er een, legde de plakken op een bord en nam dat mee door de tochtige gang.

'Ik ben het maar,' zei ze terwijl ze haar hoofd boog en zich door het stuk plastic duwde dat voor de deuropening van de woonkamer hing. 'Ik ben het maar.'

De kamer was zwak verlicht en chaotisch ingericht met de volle planken en lompe meubels. In een hoek stond een brandende lamp vol rafels. Kaiser bevond zich precies waar ze geweten had dat hij zich zou bevinden, in de stoel in de hoek, met zijn benen omhoog en licht gekruist en de vingertoppen van zijn handen peinzend tegen elkaar. Hij verroerde zich niet toen ze binnenkwam, keek niet verrast of blij. In plaats daarvan leek hij zich te concentreren op een plek op een paar centimeter voor zijn neus. Hij was gekleed in een pyjama die tot halverwege zijn kuiten kwam en had belachelijke, blauwe Turkse slippers aan zijn lange voeten.

Ze zette het dadelbrood op de salontafel. Hij bleef voor zich uit staren, zijn lange gele nagels net onder de punt van zijn brede neus, alsof die te zwaar was voor zijn gezicht en hij wilde voorkomen dat hij eraf viel. Naast zijn stoel, op een kastje, stond een computer aan met DiveNet op het scherm, het internationale forum voor sportduikers, en daarnaast stond een foto van zijn Afrikaanse verloofde, Maya. Hij was Maya dertig jaar geleden kwijtgeraakt, maar zei dat hij nog steeds van haar hield. Flea zag dat Maya's mond zich op precies dezelfde hoogte bevond als Kaisers rechteroor.

'Kaiser?' zei ze na een tijdje. 'Kaiser, de deur was open.'

Hij knikte.

'Kaiser? Hoor je me?'

Hij kwam tot zijn positieven en keek naar het computerscherm. 'Ja, Phoebe,' zei hij vermoeid. 'Ik hoor je wel. Maar ik ben zo verdrietig. Zo verdrietig over je ouders. Nog steeds. Na al die tijd.'

Normaal gesproken zou ze zijn gaan zitten, misschien aan zijn voeten, of anders had ze haar armen om hem heen geslagen. Maar ze moest serieus met hem praten. Ze ging in de stoel tegenover hem zitten, boog naar voren en zette haar ellebogen op haar knieën.

'Kaiser,' zei ze. 'Weet je nog dat pa je altijd een por gaf als je iets voor ons kookte? Weet je dat nog? Dan gaf hij je een por en dan zei hij: "Kaiser, jongen, weet je zeker dat er niets in deze cake zit waar we vanaf zouden moeten weten?"'

Kaiser glimlachte. Zijn kin ging omlaag en hij lachte bij de herinnering.

'Alleen,' zei ze ernstig, 'is het dit keer geen grapje.'

Zijn glimlach vervaagde. 'Wat zeg je nou?'

'Deze keer is het bij lange na niet zo grappig als ik vroeger dacht, Kaiser.' Ze keek hem lang en effen aan. Zijn ogen hadden de kleur van pus en waren een beetje bloeddoorlopen. Iets aan zijn grove gezicht deed haar altijd denken aan een geit zonder haar. 'Zie je, ik besef nu pas dat het eigenlijk nooit een grap is geweest. Niet voor de mensen die ertoe deden.'

'Wat bedoel je in godsnaam?'

Ze keek naar de kastjes in de nissen aan weerszijden van de open haard. Ze zaten op slot en nu ze erover nadacht, waren er altijd dingen op slot geweest in Kaisers huis, plekken waar zij en Thom niet mochten komen. De mensen vroegen Kaiser altijd naar zijn sjamanistische kennis en daar moest hij onveranderlijk om lachen: 'Ik ben toch geen sjamaan. Alleen een stoffige oude professor.' Maar Kaiser had iets geheimzinnigs, iets in zijn pezige lichaam dat behoorlijk sterk was voor iemand van zijn leeftijd en zijn broosheid, iets in de manier waarop hij iemand strak kon aanstaren. Pa had altijd gezegd dat Kaiser wist 'waarover hij sprak' en dat hij in de kastjes de rituele drugs bewaarde. Flea had altijd gedacht dat dat een van pa's grapjes was. Ze dacht niet dat ze het ooit echt had geloofd of er werkelijk bij had stilgestaan. Tot nu.

'Phoebe? Ik vroeg je iets.'

Ze zuchtte. Ze pakte een stuk dadelbrood, leunde achterover in de stoel, stak haar benen vooruit en keek met haar handen op haar buik somber naar de cake tussen haar vingers. 'Ik ben pa's studeerkamer in gegaan, Kaiser. De plek waar hij al zijn boeken bewaart. Er staan nog dingen van jou.'

'O, ja?'

'Ja, en er is ook een kluis. Ik kon hem niet open krijgen. De code ligt niet in de studeerkamer.' Ze speelde met de cake en gaf niet toe aan de verleiding om Kaiser aan te kijken. 'Ik heb overal gezocht, maar ik kon hem niet vinden, dus ik vroeg me af of jij weet wat de combinatie is. Of misschien weet je waar hij hem bewaart.'

'Kwam je daarover praten?'

'Weet jij waar hij de combinatie bewaard zou hebben?'

Kaiser haalde diep en ongeduldig adem en liet de lucht langzaam door zijn neus ontsnappen. 'Ik weet niets over een kluis of een code. En ik herhaal, kwam je daarover praten?'

Flea legde het brood weer op het bord en draaide haar hoofd alsof ze pijn in haar nek had. 'Kaiser,' zei ze na een tijdje. 'Kaiser, weet jij waarom pa zich soms dagen achtereen in de studeerkamer opsloot?'

Kaiser liet de voetensteun met een bons terugkantelen, zodat hij voorover kwam te zitten. Het bleef even stil. 'Laat mij jou eens iets vragen, Phoebe. Weet jij waarom? Weet je waarom je vader dat deed?'

'Ik denk van wel. Ja, ik denk dat ik het wel weet.'

'Ik heb nog nooit iemand ontmoet die er zo naar verlangde dingen te begrijpen als je vader. Hij moet met je gepraat hebben over het secundaire bewustzijn.'

'Plaatsen in je hoofd, plaatsen waar we niet altijd kunnen komen, behalve als we dromen of flauwvallen. Of misschien als we gehypnotiseerd worden. Daar had hij het altijd over. Een plaats die de sleutel bevat tot dingen die we verdrongen hebben. En zijn manier om daar te komen...' Ze keek op en blikte recht in zijn ogen. 'Was om drugs te gebruiken?'

'Je vader had vele verschillende manieren. Soms door meditatie, maar vaak deed hij het inderdaad via drugs.'

'Ik wist het.'

'Je moet niet te snel oordelen. David heeft altijd de behoefte gevoeld om dingen bloot te leggen die in zijn hoofd zaten, om ze aan het daglicht te brengen.'

Flea wachtte even. Toen haalde ze het etui met paddenstoelen uit de zak van haar fleecetrui en liet het tussen hun voeten op de grond vallen. 'Psilocyben,' zei ze. 'Ik heb het opgezocht. Psilocybe betekent "kaalkop". De Azteken noemden ze *teonancatls*, vlees van de goden.' Ze zweeg even en keek op de zak neer. 'Dit kan me mijn baan kosten.'

Kaiser maakte een klikkend geluid in zijn keel. Het was een geluid dat ze hem jaren geleden had horen maken en waarvan ze altijd gedacht had dat je het zou kunnen horen op de plateaus van Nigeria, als een herder zijn korthoornrunderen bij zich riep. Maar nu begreep ze dat het zijn manier was om het moment aan te geven waarop er een idee bij hem opkwam. 'En je hebt ze gebruikt. Ik ken je, Phoebe, ik hoor het aan je stem. Je hebt er wat van genomen. Zonder mij te raadplegen.'

'Ja,' zei ze langzaam. 'En ik wil het nog eens doen.'

Hij snoof. 'Doe niet zo idioot.'

'Je zei dat pa ze gebruikte om dingen in zijn hoofd naar boven te halen?'

'Ja.'

'Je moet hier niet om lachen, Kaiser, maar heb jij bij al je onderzoek ooit...' Ze liet haar stem dalen tot een gefluister. 'Heb je ooit iemand horen zeggen dat hij door drugs kon communiceren met overleden mensen?'

Kaiser zuchtte. 'Je bedoelt je ouders?'

'Mam.'

Hij schudde zijn hoofd, stond op en bleef naar de gesloten kastjes staan kijken. Hij legde een hand tegen zijn onderrug.

Die broosheid, dat was een leugen, dacht ze niet voor de eerste keer die avond. Zijn lange spieren en handen als klauwen hadden iets sterks. 'Phoebe,' zei hij zacht, 'er zijn dingen die je beter kunt laten rusten. Je moet ze niet steeds opnieuw oprakelen.'

'Zou pa het hebben laten rusten?'

'Nee.'

'Dan weet je dat ik dat ook nooit zal doen.' Ze boog wat naar voren. 'Het kan me mijn baan kosten, maar dat verandert er niets aan. Ik wil teruggaan naar de plek waar ik gisteravond was.' Ze zweeg even. Haar stem was steeds rustiger geworden. 'Ik heb haar gezien, Kaiser, ik heb haar gezien. Ze probeerde me iets te zeggen over het ongeluk.' Ze schudde haar hoofd en balde haar vuist. 'Maar ik kon niet precies... ik begreep niet precies wat ze bedoelde.'

Kaisers gezicht stond ernstig. 'Wat zei je?'

'Ik zei dat iets aan het ongeluk, iets in de manier waarop wij het zien, helemaal verkeerd is. We hebben op de verkeerde plek gezocht.' Ze keek hem recht aan. 'Kaiser, ik ga het doen, ik ga ze weer nemen. Ik moet weten wat ze bedoelde.'

Er viel een lange, lange stilte tussen hen. Er gebeurde iets achter zijn ogen, ze zag bijna hoe hij aan het wikken en wegen was. Maar op het moment dat het ernaar uit ging zien dat ze elkaar nog een eeuwigheid konden blijven aanstaren, verbrak Kaiser het oogcontact en ging hij terug naar zijn stoel. Hij bleef even met zijn handen op de armleuningen en zijn hoofd opzij gedraaid naar het gezicht van zijn verloofde zitten kijken. 'Als je wilt communiceren met mensen die er niet meer zijn,' zei hij rustig, 'heb ik wel iets voor je. Een hallucinogeen middel dat je in de hand kunt houden, een legale drug. Je vader heeft me er kennis mee laten maken.'

'Maar jij gelooft er niet in, of wel soms? Jij gelooft niet echt dat het kan?'

'Er zal wel wat literatuur over zijn in de studeerkamer van je vader.' Kaiser deed alsof hij de vraag niet gehoord had. 'Lees dat alsjeblieft en kom dan bij me terug. Gooi die kaalkopjes weg, ze zullen je niet verder brengen. Maar dit wel.'

'Dit?' Ze boog voorover, bang en opgewonden tegelijk, alsof iemand haar tegen de haren in had gestreken. 'Wat is "dit", Kaiser?'

'Wat "dit" is?' Hij glimlachte in zichzelf, een beetje triest alsof hij had geweten dat hij dit geheim op een dag met iemand zou moeten delen, dat hij er grootmoedig mee om zou moeten gaan. '"Dit" heet ibogaïne.'

'Ibogaïne?' Ze fluisterde het woord. Het bracht beelden bij haar naar boven van kampvuren en mensen die oude dansen dansten in het donker.

'Ibogaïne,' zei Kaiser. 'En als je echt je moeder nog eens wilt spreken...'

'Ja?'

'... dan is dit de enige manier.'

9

14 MEI

Op de ochtend van de tweede dag van het onderzoek, terwijl hij koffiedronk in de haven van Bristol en toekeek hoe het duikteam zijn spullen in orde maakte, dacht Jack Caffery aan een windstreek; hij dacht aan het westen. Het was lange tijd niet de bedoeling geweest dat hij naar het westen zou gaan als hij Londen verliet. Hij wilde naar het oosten, de windstreek die voor een Engelsman koude winters en invasies betekende. Omstreeks de tijd dat zijn gevoel van verbondenheid met Ewan was verdwenen, had hij een zaak gehad in Norfolk en misschien had hij daarom het gevoel gehad dat iets van hem daar was achtergebleven. Na het abrupte verbreken van zijn band met Ewan had hij een tijdje uitgekeken naar een baan in East Anglia als hij op het internet de vacatures onder de loep nam. Maar toen er maanden voorbij waren gegaan zonder dat zich iets voordeed, had hij zijn aandacht op het westen gericht, waar interessantere dingen gebeurden.

Er was een man vrijgelaten uit een open gevangenis. Een man die verstand had van een bepaald soort geweld. Hoe meer Caffery erover nadacht, hoe meer hij wist dat hij die man moest spreken. Toen kwam er, bijna als een voorteken, een baan vrij bij de afdeling Zware Misdrijven in Bristol. Norfolk verdween in de ijskast en Caffery kwam naar het westen, naar smokkelaars en appelboomgaarden en Somerset, het land van het zomervolk.

Het was vreemd hoe alles gelopen was, want het werk in het westen beviel hem wel: alles was hier rechttoe rechtaan, in tegenstelling tot in Londen, waar alles wat je deed enigszins verwrongen raakte. Nu hij het zonlicht zag schitteren op de boten en in de ramen van het restaurant en de zwanen in de haven hartvormen zag maken met hun halzen, zei hij bij zichzelf dat het hem wel beviel in het westen. Ja, dacht hij, terwijl hij neerkeek op de boot die door het duikteam was uitgeladen en waar Flea in de boeg haar droogpak stond dicht te ritsen, als hij zichzelf niet een aantal beloften had gedaan en als hij vanbinnen niet zo'n rotgevoel had over vrouwen, had hij van deze plek kunnen gaan houden.

Ze bevond zich maar een halve meter onder hem, met haar haren wild opgestoken rond haar gebruinde gezichtje en haar voeten wijd uit elkaar tegen het schommelen van de boot. Nu hij eens goed keek zag hij dat de hand even stilviel bij haar sleutelbeen. Ze keek niet naar de haven, naar de plek waar ze die morgen zouden duiken, maar naar de andere kant, waar de kade was, naar het punt waar de ponton een halve meter onder zijn voeten tegen de muur aan lag. Het was precies de plek waar de serveerster naar had gewezen toen ze het vreemde wezen had beschreven dat uit het water was gekomen.

Het duurde een paar tellen voor iemand zag hoe ze keek, maar toen wierp agent Dundas, die op het punt stond gas te geven, een blik op haar en zag hij dat er iets mis was. Hij liet het roer los. 'Hoofdagent?'

'Ja, wacht even.' Ze stak een hand op. 'Wacht even.'

Ze staarde naar de havenmuur alsof ze grote moeite deed zich iets belangrijks te herinneren, iets wat haar net ontglipte. Caffery herinnerde zich een stukje tekst in een toeristenboekje dat hij had gelezen: de haven en de Cut waren aangelegd door mensen die in de napoleontische oorlogen krijgsgevangen waren gemaakt en bestonden bijna tweehonderd jaar later nog steeds, vol mos en slijm en zwart van de motorolie en de vervuiling van tientallen jaren. Voor hem waren ze onbekend en vreemd, als kerkers, maar Flea moest ze kennen als haar broekzak, dus sloeg haar plotselinge belangstelling nergens op.

'Hoofdagent?' zei Dundas fronsend. 'Hoofdagent? Alles goed?'

Ze draaide zich niet naar hem om. In plaats daarvan hief ze haar hoofd om Caffery aan te kijken. 'Het regende gistermorgen,' zei ze. 'Ja, toch?'

Hij schrok op, enigszins onvoorbereid op haar directe blik. Hij zette zijn elleboog op de reling en boog zich naar haar toe. 'Ja. Ja, inderdaad. Hoezo?'

Ze staarde hem nog even aan, maar het was alsof ze hem niet zag, alsof ze nog steeds probeerde een idee uit te werken in een onhandig hoekje van haar brein. Toen veroorzaakte een passerende boot een deining die de kleine motorsloep deed schommelen en was haar concentratie verdwenen. Ze schudde haar hoofd en trok de rits van het droogpak verder dicht. Toen trok ze haar trimvest en haar zwemvliezen aan. 'Kom op,' riep ze, en ze gaf Dundas een teken de motor te starten. 'Laten we gaan.'

Caffery keek de vertrekkende boot na, die een schuimspoor in het modderige water trok. Flea stond voorovergebogen haar zuurstofflessen te controleren; ze tikte tegen de metertjes en maakte een lijn vast aan haar harnas met een D-sluiting. Op een bepaalde manier was hij blij dat ze vertrok; ze keek hem af en toe aan alsof ze al zijn geheimen kende, niet alleen de gewone, maar ook de smerige. Alsof ze wist waar hij gisteravond heen was gegaan nadat hij uit de haven was vertrokken. Hij wist niet of de vieze smaak in zijn mond te wijten was aan de fles wijn die hij had leeggedronken of aan de herinnering aan wat hij achter in zijn auto had gedaan, geparkeerd in een steegje naast een stel vuilniscontainers.

Hij bleef kijken tot de boot om de hoek verdwenen was en dronk toen zijn koffie op, de derde kop, want wat er ook gebeurde, hij kon zich vandaag geen kater veroorloven. De vingerafdrukken van de hand waren niet geïdentificeerd. De IDENTI-computer was niet zo erg als het oude NAFIS-systeem, maar hij was soms wel langzaam en hij had die nacht slechts een van de vijf afdrukken die nodig waren voor een vergelijking verwerkt. Maar het rapport van de patholoog was klaar en bood verontrustend nieuws. Ze had wat vezels van de hand gehaald, paarsig blauwe vezels die ze naar het lab op het hoofdbureau had gestuurd, en ze was het ermee eens dat de afdrukken op de botten waren gemaakt door een zaag. Ze vermeldde ook dat de hand waarschijnlijk verwijderd was toen het slachtoffer nog leefde.

Dit alles had de woede van de hoofdinspecteur ietwat getemperd. Hij had de zaak prioriteit gegeven en de Eenheid Zware Misdrijven had een HOLMES-team van drie man vrijgemaakt voor het kantoorwerk, nog twee agenten, een hoofdagent en een burgerrechercheur – een gepensioneerd officier – plus een leider plaats delict en een verbindingsman. Het deed Caffery goed om een behoorlijk team te hebben en er zouden om acht uur nog vier mannen op de kade verschijnen om iedereen die daar werkte of die er vaak kwam te ondervragen. Het zou vandaag wemelen van de politie in de haven.

Hij frommelde zijn koffiebeker in elkaar en wilde net weer naar de weg lopen om zijn team tegemoet te gaan toen het geluid van de motorsloep hem tot stilstand bracht. Het vaartuig was snel weer op de terugweg naar de ponton en Flea stond in de boeg met haar duikkap op, maar zonder duikbril naar hetzelfde gedeelte van de havenmuur te staren dat haar vijf minuten eerder ook al zo geïnteresseerd had. Toen de boot dichterbij kwam en Dundas de motor uitzette, kwam de achterspiegel naar voren, zodat de boot langs de muur kwam te liggen. Ze boog zich voorover, greep de takken van de vlinderstruik die uit de bemoste havenmuur groeide en trok de boot opzij, waarbij ze elke paar centimeter stopte om haar handen tegen de stenen te drukken en met een frons de muur te inspecteren.

'Wat is er aan de hand?' Caffery keek naar haar hoofd, glanzend en donker als de kop van een kleine zeehond. 'Heb je iets gevonden?'

'Nee. Ik heb iets bedacht.'

'Wat dan?'

'De getuigenverklaring,' zei ze, en ze ademde zwaar. 'Heb je die gelezen?'

'Vluchtig. Ze hebben hem afgenomen in New Bridewell. Hoezo?'

'Ik heb het meeste ervan meegekregen bij de briefing van jullie hoofdinspecteur. En er zat me meteen al iets dwars.' Ze tuurde langs de kademuur. Ze veegde wat algen opzij, keek nog eens en schudde toen haar hoofd om dat wat haar aandacht had getrokken te verwerpen. 'Het zat me dwars dat hij die hand überhaupt gezien had. Het zat ons allemaal dwars.'

Ze legde haar handen verderop tegen de muur en zette haar nagels erin. Caffery deed een paar passen om haar bij te houden. 'En daar zit je nog steeds mee?'

'Het zicht was gisteren nihil in het water. Ik kon er gewoon niet bij hoe hij dat verdomde ding gezien kon hebben.'

Iets trok haar blik en ze stopte weer. Ze zwaaide haar benen naar voren zodat ze op het achterschip van de boot zat, met haar vingers tegen een van de bemoste oude stenen van de havenmuur en haar voeten tegen de ponton, zodat ze het vaartuig naar de muur kon duwen en haar gezicht er dichtbij kon brengen. Dundas had een bolder gevonden en hield zich eraan vast om de boot stil te houden. Ze stootte een zacht, tevreden geluidje uit en duwde met haar rechterhand tegen de muur. Caffery boog zich zo ver mogelijk voorover, maar hij zag niet meer dan haar hoofd, haar schouders en haar gezicht, dat ze opzij had gedraaid. Ze fronste van concentratie en haar arm verdween diep in de muur.

'Ik vroeg of je er nog steeds mee zat.'

Ze knikte. Haar ogen vertoonden de afwezige blik van iemand die op de tast werkt. 'Ja. En hij zei dat er...' ze duwde haar arm nog wat verder naar binnen. 'Hij zei dat er verder niemand op de kade was. Waar of niet?'

'Voor zover ik weet. Misschien dreef de hand.'

Ze keek naar hem op met blauwe ogen die hem een schok gaven omdat hij niet eerder had gezien dat er iets wilds in lag. Toen sloeg ze haar ogen weer neer en kon hij alleen nog de bovenkant van haar duikkap zien, en een stukje van haar arm die grotendeels in de muur stak.

'Een hand alleen drijft niet,' zei ze. 'Dat gebeurt gewoon niet. Hij is te zwaar en zelfs als hij was gaan rotten...'

Ze brak haar zin af. Ze trok haar arm uit het gat en keek naar wat ze in haar hand hield. Een klomp dik, zwart slijm met stukjes blad en stokjes erin. Ze rolde iets naar achteren, zodat haar rechterbeen de lucht in kwam, en liet de viezigheid op de ponton vallen, waarna ze het hoopje vluchtig onderzocht met een vinger, haar gezicht strak van de moeite om zichzelf omhoog te houden.

Toen keek ze naar Caffery, weer met die blauwe lichtflits in haar ogen. 'Zelfs als hij aan het rotten was, wat bij deze hand niet het geval was, dan zou hij nog steeds niet drijven.'

'Waarom niet?'

'Omdat hij te zwaar is met al dat bot en zo weinig zacht weefsel. En zelfs als er genoeg gas was, was de huid kapot, zodat de gassen gewoon ontsnapt zouden zijn. Zonder gas drijft er niets.' Ze stak haar hand weer in het gat dat ze had gevonden. Hij kon het ruiken, de smerige geur van afvoeren en donkere plekken. Dit keer ging haar arm helemaal tot de schouder in het gat. Haar gezicht was tegen de muur gedrukt, zodat haar wang naar voren werd geduwd. 'Dat betekent dat hij loog, of dat...'

'Ja?'

'Of dat de hand door een stroming in het water werd gespoeld en hij hem toevallig zag zinken. Het regende gistermorgen. Dus kan hij bijvoorbeeld uit een regenwaterafvoer zijn gekomen.' Ze trok een gezicht en probeerde ergens greep op te krijgen. Met een grommetje zette ze haar vrije hand tegen de muur en duwde zich achteruit, terwijl ze haar rechterhand uit het gat trok en nog een handvol nat slijm op de ponton deponeerde. Daarna zette ze beide handen aan weerszijden van het gat en keek erin. De mouwen van haar droogpak zaten vol groen mos en slijm. 'Een regenwaterafvoer. Zoals deze.'

10

25 NOVEMBER

Het duurt even en er is enige wanhoop van de kant van Mossy voor nodig, maar uiteindelijk besluit hij dat ze niet te veel van hem vragen.

Dit is de afspraak: ze nemen wat bloed af, laten hem een beetje bloeden. Het is niet wat hij vreesde, ze zullen hem niet neuken tot hij bloedt, ze gaan het met een naald doen. Skinny heeft alles klaarstaan, een naald en een buis die uitkomt in iets wat eruitziet als een katheterzak. Ze halen het uit een van de aderen die nog niet kapotgespoten is, vullen de zak, wat ongeveer twintig minuten zal duren, en dan kan hij rustig gaan liggen, nog een shot krijgen en een kop thee of een biertje als hij wil. In ieder geval is hij dan vrij om te gaan. Hij verdient er tweehonderd ballen mee en de hele zak heroïne waarmee Skinny heeft lopen zwaaien. Hij moet geblinddoekt het gebouw uit gebracht worden en dan zetten ze hem af waar hij maar wil. En waarom zou hij ze niet op hun woord geloven, vraagt hij zich steeds af. Mensen geven gratis bloed, of niet soms? En wat stelt het nou helemaal voor? Hij verkoopt iets van zichzelf dat hij niet nodig heeft en hij verkoopt zijn gat verdomme toch al lang genoeg. Zie het als een variatie op een thema, al is het een beetje idioot. Het is hier trouwens warm en je ruikt dat er ergens eten wordt gekookt, en plotseling herinnert hij zich dat hij sinds de vorige avond niets meer gegeten heeft.

Hij ligt op de bank en rookt een dunne joint terwijl Skinny de naald inbrengt. Er zijn twee pogingen voor nodig en als hij controleert of er bloed omhoogkomt, verknoeit hij alles door de zuiger te snel omhoog te trekken, zodat Mossy vloekt.

'Jij bent de expert,' zegt Mossy terwijl hij toekijkt hoe Skinny de naald vastzet met plakband en een buisje aan de spuit bevestigt. 'Ja, toch?'

Er zit een plastic kraantje aan het buisje en Skinny wil het net opendraaien als het lijkt of er iets bij hem opkomt. Hij werpt een blik over zijn schouder in de duisternis, zodat Mossy zich onwillekeurig afvraagt of er iemand toekijkt. Hij tilt zijn hoofd van de bank en probeert iets te zien in het donker. Er is nog zo'n hek, op slot, en daarachter ligt een donkere kamer.

Skinny maakt een geluidje achter in zijn keel. Hij laat het buisje los en gaat met een sierlijk gebaar naast Mossy op de bank liggen, met zijn hand op Mossy's magere ribbenkast. Verrast tilt Mossy zijn kin op en kijkt neer op Skinny's kruin, op de krullen en knopen en de pluisjes die erin vastzitten, en hij voelt een onverwachte tederheid. Het is alsof het ventje hem wil troosten of verwarmen. Net zoals een kind bij een van zijn ouders kruipt.

'Wat is er?' zegt hij. Zijn stem is een beetje hees, omdat hij plotseling Skinny's haar wil strelen. 'Wat moet dat?'

'Het spijt me. Heel erg.'

'Waar heb je het over?'

Hij voelt dat Skinny slikt. Hij voelt echt hoe het kraakbeen in zijn keel op en neer beweegt tegen zijn arm.

'Ze willen dat je gilt.'

Mossy voelt de warme klop van de drugs door zijn aderen en even staat hij op het punt in lachen uit te barsten. 'Gillen?' zegt hij met een glimlach. 'Maak je een geintje of zo? Waarom moet ik gillen?'

'Meer vragen ze niet. Als ik je bloed aftap, moet je gillen. Oké?'

Mossy rekt zijn hals uit en probeert de naastgelegen kamer in te kijken, op zoek naar een stel ogen in het donker, in een poging degene die daar staat te kijken te betrappen, wie het ook mag zijn. Hij ziet niets, alleen de glans van het metalen hek, dat heel beslist op slot zit. Hij lacht, diep en begrijpend. Nu snapt hij het.

'Hé, liefje,' roept hij, en zijn stem weergalmt in de donkere ruimte. 'Ik weet dat je daar bent. Ik kan je wel niet zien, maar ik weet dat je er bent. En ik zal je maar vertellen, ik ben gek op perverse mensen. Echt. Ik hou van jullie allemaal. Ik geef je de beste show die je ooit hebt gezien. Je video loopt zeker al?'

Als antwoord komt er een klik en een gezoem uit het donker, en een rood lampje gaat aan en uit. Mossy legt zijn hoofd weer neer en lacht. Dit is vertrouwd terrein. Hij is door iedereen gefilmd, door degenen die zichzelf willen zien en degenen die zich schamen om wat ze doen of weten dat het formaat van hun lul vernederend is, zodat ze hem wel moeten filmen om zich later, als hij weg is en hij ze niet meer uit kan lachen, af te kunnen trekken. Nu snapt hij waarom hij hier zoveel geld voor krijgt en het is iets wat hem niet kan schelen. Hij kan zich ontspannen.

Skinny beweegt zich. Hij gaat overeind zitten en draait het kraantje open. Zijn gezicht bevindt zich vlak bij dat van Mossy en Mossy vraagt zich af of ze vrienden kunnen worden. 'Gillen,' fluistert Skinny. 'Nu. Gillen.'

En Mossy doet het. Hij laat zijn hoofd weer op de ruwe stof van de bank vallen en gilt.

11

14 MEI

'Ik hoef niet te vragen wat we hier komen doen.' De mannen van de aannemer, drie stuks in felrode jasjes met het opschrift SITA, manoeuvreerden hun opblaasbare vlot tegen de rand van de ponton, terwijl een van hen een hogedrukspuit in elkaar zette door de spuitkop op de flexibele oranje slang te bevestigen. Een van de mannen hield zijn vinger onder de afvoer en keek hoe het water er gestaag op druppelde, en zijn collega beproefde de spuit. 'De enige vraag is, hoe ver omhoog.'

Caffery stond op de ponton en keek bedachtzaam naar de handenvol slijm die Flea uit de afvoer had gehaald. 'Wat?'

De aannemer was een grote man met een rood gezicht, een kaalgeschoren hoofd en drie piercings in zijn rechteroor. 'Hij zit verstopt, toch? De afvoer. Als het zo druppelt op een zonnige dag, betekent dat dat hij ergens verstopt zit.'

'Hoe ver omhoog?'

'Wales?' Hij lachte. 'Cardiff? Maak je geen zorgen. Als we het vinden, ben jij de eerste die het weet.'

Toen ze de spuit inbrachten, bestudeerde Caffery de opening van de afvoer en de lange sliert slijm eronder. Toen wierp hij een blik op het spul op de ponton, tussen zijn voeten. Het was zwart, maar sinds het uit de afvoer was gehaald, moest hij steeds denken aan het vettige, witte residu dat in de jaren 1980 de afvoeren van Dennis Nilsen had verstopt. Iedereen bij de Londense politie kende dat verhaal, het verhaal over wat de loodgieters hadden gevonden. Het bleek menselijk vet te zijn, afkomstig van de zestien lijken die Nilsen in zijn zit-/slaapkamer in stukken had gesneden, had gekookt en door het toilet had gespoeld.

'Ben je er al achter waar die afvoer heen loopt?' vroeg hij aan Flea. Ze had zich in The Station gedoucht en knielde in een marineblauwe fleecetrui en een werkbroek op de ponton om de blauwdruk te bestuderen die ze door een fietskoerier van de Milieudienst hierheen hadden laten brengen. Hij hurkte naast haar en probeerde niet te letten op de verandering in de lucht en hoe de geur van de afvoer werd vervangen door die van babylotion en tandpasta.

'Waar leiden die dingen heen?'

'Sommige van de afvoeren komen uit in de haven, andere in ondergrondse rivieren, de Frome of de gracht, maar om de dingen wat ingewikkelder te maken, lopen er ook een paar terug naar het rioleringssysteem.' Ze wees stroomafwaarts, waar de Clifton Suspension Bridge koud en ver het donkere ravijn overspande. De werklui zetten de kraan open en er gutste vuil water uit de opening van de afvoer, dat in de haven plonsde en door zijn kracht de boot wegduwde. Ze verhief haar stem om boven het lawaai uit te komen. 'Het pompstation voor het noordelijke systeem is daar. Onder de brug.'

'Het noordelijke systeem?'

'Een van de rioleringssystemen. We hebben er twee in Bristol. De zuidring en nog een in het noorden. Hier zitten we op het noordelijke systeem. Maar dat betekent niets, want het grootste deel van het hemelwater wordt via een gescheiden systeem afgevoerd, zoals in de meeste steden. Deze...' Ze liet haar vinger langs de getoonde route gaan. De afvoer leidde van de haven langs de ingang van het restaurant en stopte ongeveer drie meter verderop bij de weg. Daar stond een open putdeksel aangegeven. 'Deze afvoer is ondergronds niet verbonden met andere systemen.' Ze tikte tegen het punt waar de open put stond aangegeven. 'Dat lijkt alleen maar zo, omdat hij die richting uit gaat.'

'We zijn er,' riep een man op de boot. 'We hebben het gevonden.' Caffery en Flea keken op. De man met de oorring hield de spuit met beide handen boven zijn hoofd. Hij had zijn gezicht afgewend en zijn ogen half dichtgeknepen tegen het water dat naar buiten spoot en alles natmaakte. 'We hebben het.'

'Wat heb je?' Caffery ging naar voren en schreeuwde boven het geraas van het water uit. 'Weet je wat het is?'

'Nee,' riep hij terug. 'Het zit een heel eind verder, minstens tien meter. We zullen in de buis moeten kijken.'

Caffery keek toe terwijl Dundas de gyroscopisch gemonteerde camera van het zoekteam op een sonde met wieltjes zette. De camera zat via een kabel van vijftig meter vast aan een draagbaar scherm in een gele waterdichte behuizing en toen de werklui hun boot hadden weggehaald en het duikteam de motorsloep in positie had gebracht, bracht Flea de camera voorzichtig in het gat.

Ze zette de afstandsbediening aan en de camera begon op de wieltjes aan de lange tocht door de afvoerbuis. Het was stil toen iedereen naar het scherm keek, en het enige geluid kwam van de kabel die langzaam van de spoel rolde. Op de camera waren twee lampen gemonteerd en het beeld was in kleur en liet een vreemde, kronkelige tocht in de aarde zien, langs hangende bundels plantenwortels, door het verblindend witte zonlicht dat door een rooster boven de camera viel en door het water dat over de lens spoelde. In het talud van de spoorweg achter Caffery's huis zaten ook afvoerbuizen en de politie had er naar Ewans lichaam gezocht, waardoor Caffery tot op de dag van vandaag moeite had met afvoeren.

'Moet je zien,' mompelde een van de werklui, die de binnenkant van de afvoerbuis bekeek. 'Dat verdomde ding is helemaal gebarsten. Overal uitwaaierende scheuren.'

Flea werkte langzaam en keek steeds van de kaarten en het scherm naar de ingang van de buis. 'Dat is vijf meter,' zei ze met een blik op een metertje. 'En jullie hebben bij tien meter iets gevonden?'

'Tien en een halve meter.'

Ze zwegen weer en het team keek gebiologeerd naar het scherm in de verwachting dat de camera elk moment een hoek kon omgaan en de blokkade in beeld zou verschijnen. Misschien verwachtte iedereen iets anders, maar voor Caffery waren het ogen. Hij had zijn hele jeugd 's nachts in bed liggen denken aan het spoorwegtalud buiten en zich afgevraagd waar Penderecki Ewan had begraven. Hij had zich altijd voorgesteld dat Ewan op zijn rug lag, met zijn gezicht naar boven, dus verwachtte hij zelfs nu nog dat hij eerst ogen zou zien opdoemen in het donker, het licht amper gereflecteerd door vlakke, uitgedroogde hoornvliezen.

'Negen,' mompelde Flea. 'Negeneneenhalf. Tien. Tien en een...'

Ze bracht de camera tot stilstand. Er was een beeld op het scherm verschenen. Iedereen dromde er met ingehouden adem omheen.

'Wat is dat?' vroeg Caffery.

Het was niet het gehavende lichaamsdeel dat iedereen in zijn hoofd had. Het duurde even voor ze zagen wat het wel was: een hoop stenen, modder, wortels en aarde.

'Dat is de blokkade,' zei ze.

'Het ziet ernaar uit dat er iets is ingestort,' zei een van de werklui. 'De afvoer is ingestort.'

'Kun je erlangs?'

'Ik denk het wel.' Ze speelde met de bediening. Op het scherm schoot de camera naar de stenen, klom ertegen op en viel terug. 'Als ik nou...' Ze deed drie mislukte pogingen. De vierde keer klom de op afstand bediende camera tot boven op de hoop puin en reed hij aan de andere kant stilstaand water in. Onder water werd het beeld wazig, en de lampen pikten slierten modder op. Nu ging het verder en Flea stopte bij elke vreemde plek en liet de camera elke spleet en hobbel inspecteren. Na een minuut of vijf kwam hij bij een blinde muur tot stilstand.

'Wat is dat?'

Ze schudde haar hoofd. 'Het eind?' opperde ze. En toen zei ze met enige verbazing: 'Er is niets te zien.'

Er viel een korte, teleurgestelde stilte. Flea liet de camera tot tegen de muur rijden en liet hem draaien voor een laatste inspectie van het ingestorte gedeelte, van de andere kant. Niets te zien. Het stuk buis achter het ingestorte deel was leeg. Ze zette de camera uit en het beeld op het scherm verdween in een punt.

'Nou ja,' zei Dundas. Hij legde zijn hand op Flea's rug. 'Het was zo'n beetje de enige verklaring die iemand kon bedenken en die ook maar enigszins logisch leek.'

'Ja.' Ze haalde haar schouders op. 'Dat zal wel. Maar toch...' Ze beet op haar lip en liet de camera terugrijden, met de lampen uit.

De werklui begonnen zich te verspreiden, een beetje teleurgesteld omdat ze geen lijk in een afvoerbuis hadden gezien, een horrorverhaal dat ze hun makkers in de pub hadden kunnen vertellen. Alleen Caffery verroerde zich niet. Hij stond heel stil naar het lege scherm te kijken, terwijl de gedachten door zijn hoofd schoten. Er tikte iets, iets wat te maken had met richting en bedoeling, en met de plotselinge overtuiging dat degene die verantwoordelijk was voor het afhakken van de hand nooit had gedacht dat hij in de haven zou belanden. Hij draaide zich om naar de havenmuur en probeerde de afstand van het gat naar de bovenkant te schatten. Ongeveer anderhalve meter, dacht hij.

'Hé,' zei hij tegen Flea. 'De camera ging omhoog, nietwaar? Tegen een helling op?'

'Ja. De buis ligt schuin naar beneden. Hoezo?'

Hij pakte de kaart en bestudeerde hem. 'Hoe diep zit die buis? Kunnen we de route over de grond volgen?'

Ze hield op met het binnenhalen van de camera en keek weifelend naar de kaart in zijn handen. 'Het hangt ervan af hoe accuraat die kaart is. 'Je zou het verloop van de buis kunnen nagaan via een radarapparaat, maar dan moeten we eerst terug naar het hoofdkwartier.'

'Kom op, dan.' Hij stapte van de ponton. 'We proberen het eens met de kaart.'

‘Maar er zit niets in de afvoerbuis,’ riep ze hem na. Toch legde ze de afstandsbediening neer en liep achter hem aan. ‘Ik heb het hele ding bekeken. Ik heb niets gemist.’

‘Dat heb ik ook niet gezegd, hoofdagent. Dat heb ik ook niet gezegd.’

Caffery vouwde de kaart zo op dat hij de stippellijn kon zien en liep langs de kade en tussen de politieschermen door, waar een of twee mensen nieuwsgierig naast het busje van de eenheid stonden, dat met het opschrift van het Duik- en Reddingsteam een open uitnodiging was voor elke engerd in de stad.

‘Hé,’ zei Flea ademloos, en ze rende om hem bij te houden. ‘Je hoeft niet bang te zijn dat ik ga janken omdat ik het mis had, hoor.’

Hij stopte een metertje van het restaurant en zij kwam naast hem staan. Er viel een stilte. Toen keken ze tegelijkertijd instinctief naar beneden. Ze stonden aan weerszijden van een plas rond het afvoerrooster tussen hun voeten. Zwijgend keken ze naar de plas en vroegen zich af wat die te betekenen had.

‘Die lag hier gisteren ook al,’ zei ze, starend naar haar voeten en haar werklaarzen, die net de rand van het water raakten. ‘Ik heb er natte schoenen door gekregen.’

‘Omdat de afvoer verstopt zit. Het water kan niet weg.’ Caffery keek naar de kinderkopjes die naar de trap voor de ingang van het restaurant liepen. Als hij de kaart goed bekeken had, bevond dit rooster zich boven in de afvoer. Van hier liep de buis in een rechte lijn naar de haven. Ongeveer twee meter van waar ze stonden liep hij onder een stuk grond door dat was afgezet met een houten hek en waar de afvalcontainers stonden. Hij volgde de denkbeeldige lijn en liep om het hek heen tot hij bij de opening kwam.

‘Wat doe je?’

Hij stak zijn hand op om haar tot zwijgen te manen en stapte langs het hek het stuk grond op. Het stonk er en de vliegen verzamelden zich rond de opgestapelde vuilniszakken vol afval uit de keukens. Tegen de trap naar de branddeur, die toegang gaf tot de keuken, stonden een stuk of tien kratten met lege bierflessen.

Hij duwde een van de containers weg en schoof met zijn voet de vuilniszakken weg, zodat de grond voor de ingang vrijkwam. Bij de muur, waar de afvoer voor de ingang van het gebouw langs moest lopen, keek hij naar wat hij tussen zijn voeten zag.

'Wat ben je nou...' Flea zweeg abrupt toen ze zag waar hij naar keek. Het laatste kinderkopje voor de onderkant van de trap was weg. De andere eromheen waren ruw kapot gehakt, misschien met een pikhouweel. 'O,' zei ze zachtjes. 'Ik geloof dat ik weet wat je wilt zeggen.'

'Ja. Ik denk dat we hier recht boven het ingestorte gedeelte staan. Jij niet?'

12

14 MEI

En zo ontdekte het team dat er niet één, maar twee handen waren begraven onder de ingang van restaurant The Moat. Degene die het gedaan had, had iets te diep gegraven, zodat de aarde naar beneden was gevallen en een van de handen in de afvoerpijp eronder was beland, vanwaar hij naar de haven was gespoeld. De tweede, bedekt met aarde en afval, was blijven liggen op een smalle richel boven de instorting, met de vingers uitgestrekt boven het water. Net uit het zicht van Flea's camera.

Het was niet dat Caffery nooit een losse hand had gezien; als hij met één ding bekend was, was het wel de verminking van het menselijk lichaam en hij had verontrustender voorbeelden meegemaakt van hoe het vertrouwde onbekend kan worden, voorbeelden die hij zich liever niet wilde herinneren. Hij wist dus echt niet waarom het vinden van een tweede mensenhand onder de ingang van The Moat bij hem vage alarmbellen deed rinkelen.

Zijn gedachten waren die nacht steeds teruggegaan naar de serveerster van The Station, wier stem had geklonken alsof ze niet verwachtte geloofd te worden: gedempt en met een smekende klank erin, wetend dat wat ze zei vreemd en een beetje morbide was. Hij had gedroomd van schaduwen, van bewegende dingen die tot zijn middel reikten. Hij had iemand in Kingswood op het politienetwerk laten zoeken naar potloodventers in het gebied en hij had een lijst teruggekregen waarop geen tientallen, maar honderden mensen stonden. Die lijst bezorgde hem pijn in zijn maag. Het kon weken duren, en hij had niets om die naaktloper in verband te brengen met de zaak en zeker niet met wat er de vorige nacht was gebeurd toen hij met Keelie in de auto zat.

Toch wist hij genoeg over het systeem om de dingen in ieder geval op het oog methodisch aan te pakken. De eigenaar van het restaurant was in het buitenland op vakantie – Caffery had iemand opdracht gegeven hem op te sporen – maar de rest van het personeel arriveerde nu om te gaan werken en werd tot hun verbazing bij de ingang tegengehouden en naar The Station gebracht om te worden verhoord. Caffery had alle mannen die de deuren rond de jachthaven langsgingen teruggeroepen, dus nu had hij bijna al zijn mankracht hier aan de tafeltjes in het restaurant, waar ze bitter ruikende zwarte koffie dronken uit piepkleine kopjes. Het leek wel een uitzendbureau waar de mensen die tegenover elkaar aan de tafeltjes zaten elkaar indringend aankeken. Behalve de gebruikelijke vragen had hij alle rechercheurs gezegd te vragen of iemand laat in de avond, nadat het restaurant dicht was gegaan, iets ongewoons had gezien op de ponton.

Caffery stond opzij van het restaurant te wachten tot de technische recherche de hand had opgegraven; ze werkten zo langzaam als archeologen, om geen sporen verloren te laten gaan. De zon was de haven overgestoken en in de verte kon je haar zien schitteren op de masten in de jachthaven, maar de ponton lag er donker en koud bij. Op de een of andere manier kon Caffery zich niet voorstellen dat de zon er ooit op zou schijnen, op welk moment van de dag ook. De zoekadviseur van de politie had het zoekgebied bepaald en er waren met bussen teams uit Portishead aangevoerd om het restaurant uit te kammen en met radarapparatuur de kade rond The Moat te scannen, terwijl de werklui elke afvoerbuis in het gebied onderzochten. Maar niemand vond iets. De rest van het lijk bleef zoek.

De LPD vond het heel grappig dat ze allemaal zoveel moeite deden. 'En dat noemt zich rechercheur,' zei hij, terwijl hij de hand in een plastic zak deed en naar Caffery toe liep. Hij was een klein mannetje met een spitse neus en rode wallen onder zijn uitdrukkingsloze grijze ogen, en als Caffery ernaar moest raden, zou hij in hem geen stadsbewoner zien. Hij zag hem eerder uit een van die lintdorpen ten zuidwesten van Bristol komen, waar hij doorheen moest rijden om thuis te komen. Nailsea misschien.

'Neem me niet kwalijk?' zei Caffery, die neerkeek op het grauwe vlees in de zak. 'Wat zei je?'

De LPD keek hem met waterige oogjes aan. 'Ik zei: en dat noemt zich rechercheur. Ik dacht namelijk dat een rechercheur nooit dingen voor waar mocht aannemen.'

'Wat neem ik dan voor waar aan?'

'Dat er een lijk is.'

'Hoor eens, ik weet dat het stom klinkt, maar als er een hand is, twee handen zelfs, moet er ook een lijk zijn.'

De LPD sloot de zak en ging met zijn nagel over de bovenkant om hem te verzegelen. Vervolgens zette hij zijn initialen en de datum erop. 'Ik ben wel geen dokter, maar je pikt bepaalde dingen op bij mijn werk,' zei hij, en hij legde de zak in een polystyreen koelbox. 'De wetten van de natuurkunde en de biologie vertellen ons dat een afgesneden hand het menselijk lichaam niet noodzakelijk in een lijk verandert.'

'Bedoel je dat die vent nog zou kunnen leven?'

De LPD zocht in zijn koffertje en haalde er een bundel pennen uit met een stuk rood elastiek eromheen. Hij maakte de knoop los en liet de pennen weer in het koffertje kletteren. 'Zie je dit?' Hij hield het elastiek omhoog. 'Dit is een menselijke slagader.'

'Oké. Je zegt het maar,' zei Caffery geduldig.

De LPD pakte een stanleymes in een plastic hoesje. 'Je weet wat zelfmoordenaars altijd verkeerd doen.' Hij liet zijn hand dwars over het elastiek glijden. 'Ze snijden zo hun polsen door.'

'Ja. Dat werkt niet.'

'Als ze het in de lengte zouden doen...' Hij maakte een lange snee in het elastiek. Een paar stukjes knapten los, maar het elastiek bleef als geheel intact. '... zouden ze meer succes hebben. Als je een slagader zo doorsnijdt, blijft hij bloeden. Hij is nog intact, zo hij kan bloed blijven rondpompen. Maar als je hem zo doorsnijdt...' Hij legde het elastiek op de houten reling aan de rand van het terras, sneed het met enige moeite overdwars doormidden en hield het kronkelend omhoog. '... springt hij terug in de arm, zó.' Hij schudde met het elastiek en het sprong in de lucht als een levende paling. 'Het bloed wordt niet meer door de ader gepompt en de hele bloedsomloop wordt afgesneden. Eén blije patiënt. Of niet, als hij zelfmoord wilde plegen.'

In de verte, boven de zonbeschenen toppen van de gebouwen van Bristol, stegen stoffige zwermen vogels op in de blauwe lucht. Caffery keek ze bedachtzaam na. 'Je bedoelt,' zei hij, 'dat het slachtoffer nog rondloopt? Zonder handen?'

De LPD snoof. 'Nou, ik heb niet gezegd dat hij rond zou lopen, of wel soms? Maar ik heb ook niet gezegd dat hij een lijk was. In ieder geval...' Hij pakte het elastiek en schoof het weer in zijn koffertje. '... ik ben hier alleen maar om dat stomme ding naar Southmeads te brengen. Ik ben geen patholoog en zeker geen rechercheur. Ik zal je zelfs eens wat vertellen.'

'Wat dan?'

'Die rechercheur, weet je wel? Er gaat een gerucht dat jij dat bent, Caffery.'

13

7 MEI

Mossy heeft gehoord over een kliniek in Glastonbury waar je in een weekend kunt afkicken – op basis van kruiden en niet verslavend, je herinnert je er niets van – en hij vindt dat hij het geld dat Skinny hem heeft gegeven eigenlijk moet gebruiken om clean te worden. Maar wilskracht is niet dicht gezaaid in Mossy's wereld en het duurt niet lang voor het hele idee nog slechts een herinnering is en het geld weer verdwenen is in de zak van Bag Man.

De ene dag na de andere gaat voorbij, de winter komt en gaat, Mossy loopt een geïnfecteerde beenwond op en ligt een week in het ziekenhuis, waar hij een methadonbehandeling krijgt die geen enkele uitwerking heeft en hem alleen meer doet verlangen naar echte drugs zodra hij weer buiten staat. De lente is in aantocht en het leven op straat wordt gemakkelijker omdat de trieste gescheiden kerels en oude flikkers uit Gloucestershire de zon op hun hoofd voelen en tot de conclusie komen dat ze niet meer helder kunnen denken totdat ze naar Bristol zijn gereden en zich hebben laten afzuigen. Op de dagen dat er weinig te doen is, wandelt Mossy soms terug naar de plek waar Skinny hem heeft opgepikt. Dan blijft hij daar een tijdje rondhangen in de hoop hem weer te zien, want zoals hij BM heeft gezegd, zullen ze meer nodig hebben van wat hij hun heeft verschaft. Iemand daar kan niet zonder het spul, en het ging niet om een snelle beurt. Dit is iets meer en iets minder. Hij verkocht zijn lichaam, maar niet zijn ziel, om het zo maar eens te zeggen.

Maar het is al eind maart eer hij Skinny weer eens ziet. Het gaat net als de eerste keer; het ene moment schuifelt Mossy over het trottoir, schopt tegen de achtergelaten peuken en vraagt zich af of er genoeg is om een shagje samen te stellen, en voor hij het weet ziet hij Skinny naast hem met dat geoliede loopje van hem, met zijn handen in zijn zakken. Dit keer blijft Mossy staan en kijkt hij hem recht aan. Hij was vergeten hoe mooi die vent is. Echt mooi, met lange, donkere wimpers en haar dat over zijn elegante nek krult. En hij is nu schoner, alsof het stof van Afrika van hem afgewassen is.

'Hé,' zegt Mossy, die hem langzaam opneemt, van zijn sportschoenen naar het bruin leren jasje, dat te groot is omdat ze geen kleren maken voor zulke kleine mensen. Het zijn best mooie kleren – een nette, rechte spijkerbroek en een trui onder het jasje – maar ze hangen aan zijn lijf en de mouwen en pijpen zijn opgerold. 'Dat is een tijd geleden.'

Skinny geeft geen antwoord. Hij legt een hand op Mossy's pols en knijpt er zachtjes en geruststellend in met zijn duim en wijsvinger. Mossy voelt weer die plotselinge tederheid en het doet ergens pijn waar hij het niet kan verdragen. Hij trekt zijn hand weg.

'Hij wil meer, zeker? Hij wil me nog meer pijn doen?'

'Hij wil meer.'

Maar dit keer heeft Mossy een plan. Het is een goed plan en ook nog een dapper plan. Hij gaat met Skinny naar de kliniek om te vragen hoe duur de kruidenbehandeling is. Het is een dure kliniek en ze voelen allebei dat ze er niet thuishoren, vooral als ze horen hoeveel het gaat kosten. Maar dit is Mossy's plan. Hij zegt dat hij met Skinny mee zal gaan en hun zal geven wat ze willen als ze hem het geld voor de behandeling betalen. Skinny gaat naar buiten en belt wat mensen. Hij doet er erg geheimzinnig over en is zo te zien een beetje gespannen, maar iets wat hij zegt moet effect hebben, want uiteindelijk gaan ze terug naar Bristol en rijden ze weer de parkeerplaats op. Het is al avond als ze er arriveren en de smerige oude Peugeot staat te wachten.

Aanvankelijk gaat alles hetzelfde als de vorige keer; een shot achter in de auto, daarna de blinddoek en de hotsende autorit. De deuren die open- en dichtgaan en het krakende, zilte gevoel van de oude bank als hij gaat zitten. Er zit nu een kapotte veer in die in zijn benen steekt tot hij gaat verzitten. Maar als hij zijn blinddoek afdoet, ziet hij dat Skinny huilt.

'Wat nou weer?' Mossy voelt een brok van angst in zijn keel. 'Wat is er aan de hand?'

Skinny wendt zijn blik af. Hij gaat met zijn duim en wijsvinger langs zijn lange hals en Mossy herinnert zich hoe hij de laatste keer de spieren in die keel heeft zien bewegen. Er begint iets te kloppen in zijn buik.

'Wat is er?' zegt hij weer. 'Kom op, man, wat moet dat? Wat willen ze deze keer?'

Skinny kijkt hem met waterige ogen aan. 'Het spijt me,' zegt hij met een klein stemmetje. 'Het spijt me heel erg.'

14

14 MEI

Toen zij en het team die middag de motorsloep uitlaadden, de uitrusting afspoelden en de duikvlaggen opruimden, merkte Flea dat inspecteur Jack Caffery zich telkens in haar blikveld bevond als ze zich omdraaide. Een paar minuten dacht ze dat iemand een grap met haar uithaalde, dat Caffery en Dundas een soort vriendschap hadden gesloten en haar voor de gek hielden. Toen vroeg ze zich af of ze nog steeds onder invloed van de paddenstoelen was, zodat ze zich dingen verbeeldde. Maar toen de waarheid bij haar opkwam, was die nog erger: iets in haar was onverwachts en volledig onbewust afgestemd op iemand die ze niet kende, iemand die niets van haar begreep en die niets met haar leven te maken had, behalve dat hij toevallig de dienstdoende onderzoeksleider was bij een van haar zaken.

Op het moment dat ze besefte wat er gebeurde, liep ze weg van de haven, deed de deuren van het busje open, duwde alle zuurstofflessen erin, liep terug over het parkeerterrein en stapte in haar auto. Ze sloeg het portier dicht, haalde haar telefoon voor de dag en bekeek de sms'jes van die dag: een 'hallo' van Thom, een lijst roosterwijzigingen van personeelszaken, een weergave van haar beltegoed van de telefoonmaatschappij en nog een sms van Tig. Ze ondersteunde haar hoofd met haar handen en las het bericht.

HEB JE GISTEREN GESMST. MOET JE SPREKEN. FF BIJPRATEN. HIER ALLES KLOTE. HEB JE TIJD? IK BEN HELE AVOND THUIS. BEL & IK KOM NAAR JE TOE. GOED? TIG X

Ze wiste de boodschap en bleef nog even zitten denken over het feit dat ze zich nu zo anders voelde dan in de dagen dat ze in alle vrijheid en blijheid neukte met wie ze wilde. Voor het ongeluk, toen ze haar eigen flat had en alleen in de weekends thuiskwam, had ze genoten van wat ze kon doen door middel van seks, van de verandering in het gezicht van een man als hij haar in haar ondergoed zag, van de andere klank in zijn stem als hij haar naam zei. Maar sinds het ongeluk had ze het moeten doen met eenzame masturbatie en vage fantasieën over een of andere filmacteur. Ze hield zichzelf voor dat het kwam omdat ze nooit haar schoenen wilde uitdoen waar anderen bij waren, maar dat was niet de enige reden. Ze wist dat ze nooit meer openlijk over leven en dood zou praten en ze zou nooit een manier vinden om te praten over de andere dingen die in haar leven waren gekomen. De enige mannen met wie ze nog een band had, waren veel ouder, zoals Kaiser of Dundas, of homofiel. Zoals Tig.

Ze duwde de sleutel in het contactslot en toetste zijn nummer in. Ze kreeg het antwoordapparaat, dus schakelde ze en reed de straat op. Ze zou geen band moeten hebben met Tig, het was een van de onprofessionele dingen die ze deed, maar vanavond kon alleen Tig begrijpen wat er met haar gebeurde.

Tig, dus. Ze ging naar Tig.

De foto was het enige wat Caffery bezat waar een lijstje omheen zat, en hij vond eigenlijk dat het na twee maanden in het kleine huurhuisje tijd werd dat hij een gebaar maakte om het als zijn thuis te bestempelen door het ding op te hangen. De muren in het oude deel van het huis waren poreus en ongelijk, waarschijnlijk gemaakt van oude kalk en paardenhaar of zulke troep, dus koos hij er een in de aanbouw, waar de nieuwere muren gemakkelijk een klein lijstje als dit konden dragen. Maar op de een of andere manier wilde de foto niet aan de muur blijven hangen. Steeds weer trok de lijst de spijkers eruit, ook al was hij niet zwaar.

Na de ontdekking van de tweede hand had hij een hele tijd achter zijn bureau gezeten om losse eindjes aan elkaar te knopen en zijn voelhorens uit te steken. De vezels op de eerste hand waren naar Chepstow gestuurd voor tests die het lab in het hoofdkwartier in Portishead niet kon uitvoeren, en IDENTI was nog steeds op zoek naar de vingerafdrukken. Intussen had het team contact opgenomen met het personeel van The Moat dat vrij had gehad en het had de eigenaar opgespoord, die ermee ingestemd had zijn vakantie af te breken en overmorgen terug te komen. Maar verder kon hij niet veel doen, dus had hij bedacht dat het slim en normaal zou zijn om naar huis te gaan. Hij ging even langs bij een ijzerwinkel in Hartcliffe en kocht een set pluggen en schroeven.

'En dat,' zei hij tussen opeengeklemde tanden door, terwijl hij de schroef nog iets vaster aandraaide, 'is dat.'

Hij ging een stap achteruit en gebruikte het plafond en de plint om te zien of de foto recht hing. Hij zag er belachelijk uit op de kale muur, een klein rechthoekig lijstje dat er verloren uitzag. Het was een foto van de afzwaaiparade in Hendon in de jaren 1980 en hij had helemaal opzij en achteraan gestaan. Hij ging vlak voor de foto staan en keek naar de gezichten. In de loop der jaren was hij een paar van de jongens tegengekomen en hij had gezien hoe ze promotie kregen, trouwden, vader werden. Sommigen waren al opa. Hij had ze dik zien worden, hun haar zien verliezen, diabetes zien ontwikkelen door het politie-eten. Hij was de enige die niet was veranderd; hij woog nog ongeveer hetzelfde als toen en had al zijn haar nog. Hij mocht zich gelukkig prijzen. Dat zei iedereen altijd: je boft maar dat je al je haar nog hebt. Dan knikte hij en maakte er een grapje over, maar in zijn hart haatte hij wat hij in de spiegel zag. Hij haatte het omdat zijn spiegelbeeld hem één ding duidelijk maakte: het leven, het echte leven, was aan hem voorbijgegaan.

Hij legde zijn vinger op zijn gezicht op de foto en zag duidelijk in zwart en wit wat hem al die jaren tot een eenling had gemaakt. Zelfs in die tijd, toen hij nog maar twintig was, kon je in zijn ogen die eenzijdige vastberadenheid zien, de woede. Het waren nog niet de ogen van een moordenaar – dat moest nog komen – maar het waren de ogen van iemand die alleen aan wraak en geweld kon denken. Rebecca, zijn ex-vriendin, had hem eens een boek gegeven voor Kerstmis. Het was een citatenbundel en ze had er een voor hem gemarkeerd. Hij wist niet meer wie het geschreven had, maar hij zou nooit vergeten wat er gestaan had, ook al was hij het boek allang kwijt: 'Kleinzielige, boosaardige geesten zijn vervuld van woede en wraak en niet in staat tot het genot om hun vijanden te vergeven.'

'Kleinzielig en boosaardig,' mompelde hij nu, kijkend naar de foto. Kleinzielig en boosaardig omdat hij het concept van vergeving niet begreep, omdat het een woord was dat voor hem geen betekenis had. Hij ging naar het raam, legde zijn hand tegen het glas, keek naar buiten en dacht over wat er van hem was geworden. Het huisje stond in een karstgebied, op een eenzame helling die afliep naar een smalle landweg en vol zat met gaten en open groeves waaruit de Romeinen vroeger lood hadden gewonnen, en de holten en kuilen waren begroeid met moerasplanten als zegge en goudsbloemen. Nog geen kilometer verderop langs de weg was een varkensboerderij en een paar honderd meter van zijn terrein bevond zich de buitenrand van de Priddy Circles, vier neolithische kringen vol gaten waarvoor sommige mensen belangstelling hadden omdat er geheimzinnige geruchten gingen over oeroude rituelen. Een vreemde, afgelegen plek om te proberen het geweld in hem te begrijpen en alle dingen die al die jaren in hem hadden vastgezeten los te laten komen en uit zijn lichaam te laten verdwijnen.

Er bewoog iets in zijn ooghoek. Hij bleef stil staan en hoorde zijn hart bonzen. Toen draaide hij zich langzaam om naar de televisie. Die stond uit, maar de kamer werd erin weerspiegeld: de open deur met de gang die het huis in liep, zijn gezicht met de enigszins holle ogen, de ramen waarin de oranje bal van de zon onderging. Het was in die weerspiegeling moeilijk te zeggen of de beweging in de kamer of in de tuin had plaatsgevonden. Met gespannen zenuwen wachtte hij tot hij weer iets zou zien. Er ging ruim een minuut voorbij en net toen hij begon te denken dat het allemaal verbeelding was geweest, hoorde hij achter zich een geratel en toen een klap.

Hij draaide zich om. De foto lag op de grond. Overal lagen glasscherven en het lijstje was opengebarsten, zodat de schroefjes zichtbaar waren. Na al dat werk wilde het ding nog steeds niet aan de muur blijven hangen. Hij liep naar het gat in de muur en duwde zijn vinger erin. De plug was eruit gevallen en had een stuk pleisterwerk meegenomen. Hij keek de stille kamer door, naar de late zon die op de vloer viel, naar de tv en toen weer naar de foto. Hij ademde in en uit, in en uit, en hield zichzelf voor dat hij een idioot was. Een enorme idioot, omdat de gedachte die bij hem was opgekomen belachelijk was. De gedachte dat het huis, een zielloos en levenloos ding, een manier had gevonden om te laten zien dat het niets van hem moest hebben.

Tig woonde in een van de hoogste flats in Bristol, een door de wind geteisterde, vervallen, rood en wit geschilderde toren in de wijk Hopewell. Hij bood uitzicht over de hele stad, maar de helft van de appartementen was niet bewoond, dichtgetimmerd en vernield. Toen Flea uit haar auto stapte, voelde ze hoe verlaten de flat aandeed. Er passeerde een klein zwart mannetje met zijn handen in zijn zakken en afgewende blik, zoals iedereen die hier rondliep. Maar het was de enige persoon die ze zag toen ze de parkeerplaats overstak naar de torenflat.

Toen Tig de deur opendeed, zat de ketting erop, en hij leek een beetje van zijn stuk, alsof hij had liggen slapen of zo. Hij wreef met zijn knokkels in zijn ogen en zijn compacte lichaam zag er getraind uit in zijn gewichtheffersvestje.

'Hoi.'

'Hoi.'

'Sorry dat het zo lang duurde. Ik heb een paar zware dagen gehad op het werk. Alles goed met je?'

Toen Tig in de gevangenis zat, had zijn celgenoot een bleekmiddel in zijn ogen gegoten. Het linkeroog had zich hersteld, maar in het rechter had hij secundair glaucoom ontwikkeld, waardoor de oogbal was gezwollen en de pupil naar de zijkant was gedraaid. Dat was altijd het oog waarin hij wreef als hij nerveus was. Ze wachtte nog even terwijl hij zijn knokkel erin bleef bewegen. Toen ze huiverde, sloeg ze haar armen strak over elkaar en keek ze om naar de verlaten wijk. 'Tig? Kun je me misschien binnenlaten?'

Hij aarzelde en keek over zijn schouder de flat in. In de gang stonden enorme stapels bezittingen en ze wist dat hij zich daarvoor schaamde. Tig was vijftien jaar eerder veroordeeld voor een poging tot moord op een tachtigjarige vrouw nadat hij bij haar had ingebroken. Hij was in die tijd verslaafd geweest aan heroïne, maar hij was een zeldzame junk gebleken: hij was in de gevangenis afgekickt en sinds zijn vrijlating had hij zijn eigen praktijk opgezet waarin hij advies en onderdak bood aan daklozen die probeerden van hun verslaving af te komen. Door zijn werk had hij contacten opgedaan in allerlei etnische kringen en onder de vluchtelingen in de stad en hij was zelfs aan de tand gevoeld door Operatie Atrium.

Atrium, een antimisdaadoperatie die geleid werd door de inlichtingendienst, had het voorzien op de handel in drugs onder Jamaicaanse bendes, en hoewel Tig blank was, waren ze zijn connecties nagegaan en hadden ze besloten dat ze hem graag wilden hebben als CHIS, hun nieuwe woord voor informant. De belangstelling was niet van lange duur geweest; ze hadden afstand van hem genomen toen ze luid en duidelijk hadden doorgekregen dat je van alles kon zeggen over Tommy Baines, maar niet dat hij een verklikker was. Ze zouden helemaal over de rooie zijn gegaan als ze erachter waren gekomen dat een van zijn beste vrienden hoofdagent was bij een ondersteunende dienst.

Ze had hem bij het duiken ontmoet. Op de een of andere manier had hij het geld bij elkaar weten te schrapen om vier van zijn cliënten een PADI-basiscursus te laten doen bij de duikschool waar zij bezig was met de cursus voor duikmeester. Ze hadden twee dagen met elkaar moeten optrekken en het had geklikt. Maar het was niet zozeer het duiken dat hen bond, maar iets veel minder vastomlijnds, misschien het gevoel dat ze allebei slechte dingen hadden gedaan, en misschien nog belangrijker, dat ze allebei hun schuld aflosten door zich te gedragen als verantwoordelijke burgers. Voor Flea lag die verantwoordelijkheid in haar werk en in Thom, en voor Tig in zijn werk en zijn moeder.

Zijn moeder was een beetje getikt – niets officieels, maar het feit dat Tig naar de gevangenis had gemoeten, was voor haar de laatste druppel geweest. Toen hij een jaar eerder was vrijgelaten, was hij meteen bij haar ingetrokken om voor haar te zorgen en sinds die tijd probeerde hij iets te doen aan de rotzooi die ze had verzameld. Iedereen wist dat hij er langzaam gek van werd.

'Het idee was dat ik ergens met je zou afspreken,' zei hij nu.

'Ik heb geprobeerd je te bellen, en zelfs als je in dit deel van de wereld ergens heen zou kunnen, ik heb geen geld en bovendien heb jij gezegd dat je met me wilde praten.' Haar neus liep. Ze veegde hem ongeduldig af. 'Moet je goed horen, Tig. Ik heb het koud. En ik trek me heus niets aan van je moeder, als je daar soms bang voor bent.'

Hij bleef even naar haar staan kijken en ze wist wat hij zag. Ze zag er verschrikkelijk uit. Hij duwde zijn gezicht in de kier van de deur en bestudeerde haar gezicht, waarbij zijn rechteroog achterbleef bij het linker. 'Je rilt,' zei hij. 'Wat is er met je?'

'Ik heb het koud. Hoor eens, ik kwam met je praten. Jij hebt mij daarom gevraagd, bedenk dat goed.'

Hij wees naar haar voeten. 'Blijf hier. Verroer je niet. Ik ga even kijken of we allemaal toonbaar zijn.'

Hij verdween in de zwak verlichte gang met zijn afbladderende behang en gehavende verf en liet haar op de stoep staan. Ze wipte van de ene voet op de andere en trok haar jas om zich heen. Er kwam een koude, muffe tocht uit de gang en in een van de kamers speelde een slecht afgestelde radioscanner. Daar zou de moeder van Tig zitten. Zolang Flea zich kon herinneren was zijn moeder verslaafd geweest aan de politiezender. Ze zei altijd dat ze ze voor wilde zijn als ze besloten haar te komen halen, want zo zag haar wereld er nu uit, vol denkbeeldige legers en mannen van instellingen die door de straten op haar afkwamen. Nu de politieberichten in code werden verzonden, luisterde ze naar het statische geruis. Zo ver was ze heen.

Na een paar minuten verscheen Tig weer in de gang. Hij deed het licht aan en maakte de ketting los.

'Mam slaapt niet. Het is altijd erger als ze niet slaapt.' Hij ging achteruit om Flea binnen te laten en wuifde ietwat bedeesd naar de rest van de gang. Het tapijt zat vol vlekken die er in de loop der jaren in gelopen waren. 'Dit zijn echt de tijden dat ik weer wil gaan gebruiken. Als ze niet kan slapen.'

Ze gingen de keuken in met zijn stapels wasgoed en de goedkope fineertafel met het zout, de peper en de ketchup op een plastic onderzetter vol vlekken in het midden. Tig zette de ketel op, draaide de gasbranders hoog voor een beetje warmte, haalde een stapel kleren van een van de stoelen en gebaarde dat ze moest gaan zitten. Ze deed het zwijgend. De geuren van verwaarlozing, verval en gas vulden haar hoofd en het zakje paddenstoelen zat nog in de zak van haar fleecetrui, hard en bobbelig tegen haar borst, en deed haar denken aan mam en de bosviooltjes. Tig maakte een kop thee met veel melk voor haar en pakte toen een pakje pinda's dat hij met zijn tanden openmaakte. Hij deed ze in een kom en zette die voor haar neer.

'Wat is er? Het werk? Is er iets afschuwelijks gebeurd? Gek dat je niet naar lijken ruikt als je hier komt.'

'Ik ben niet altijd bezig met het verplaatsen van lijken, hoor.'

'Maar wel meestal.'

Nou, Tig, had ze willen zeggen, ik heb mijn beschermende kleding tegenwoordig het hardst nodig als ik in deze flat kom. Maar ze deed het niet. Ze trok haar jas dichter om zich heen. Het was hier echt koud, tochtig. 'Maar je hebt gelijk. Ik heb een paar dagen met lijken gehad. Maar geen hele smerige. Nou ja, het was wel smerig, maar ook weer niet.'

Hij pakte een handvol noten en begon ze doelloos te sorteren in zijn hand. 'Hoe kan iets nou smerig en tegelijk niet smerig zijn?'

'Het was een paar handen.'

Hij keek op. 'Een paar handen?'

'Onder een restaurant in de drijvende haven.'

'Zonder lijk?'

'Zonder lijk.'

'In de haven van Bristol?'

'Dat zei ik.'

'Hoe zijn die daar in godsnaam terechtgekomen?'

'Wisten we dat maar.'

'Weten ze van wie die handen zijn?'

'Nee.'

'Welk restaurant was het dan?'

'Tegenover Redcliffe Quay.' Ze stak haar vinger in de kom met pinda's en vroeg zich af of het wel veilig was om hier iets te eten. 'The Moat.'

'The Moat?' Hij floot zachtjes. 'Dat restaurant ken ik. Ik ken de eigenaar. Een Afrikaan. Hij heeft me een groot deel van mijn startkapitaal gegeven, verdomme.'

'Nou,' zei ze, en ze stopte een paar pinda's in haar mond. 'Dat is een heel goede reden om hier niet met jou over te praten, niet-waar?'

Hij zuchtte. 'Ik probeerde alleen belangstelling te tonen, meer niet.'

Ze pakte nog een pinda uit de kom en spleet hem doormidden. Tigs hand lag op de tafel met zijn korte nagels en vervagende blauwe gevangenistatoeage op de knokkels: *love* en *hate*. Niet *ma* en *pa*. 'Tig?' zei ze na een korte stilte. 'Weet je nog toen je drugs gebruikte?'

'Dat zal ik niet gauw vergeten, denk je niet?'

'Heb je ooit het gevoel gehad...' Ze ging met haar handen over haar gezicht en probeerde de juiste woorden te vinden. 'Heb je ooit het gevoel gehad dat er een heel universum openging? Hier in je hoofd?'

Hij lachte kort. 'Een heel universum? O, ja. Zo voelt het in het begin, alsof er heel nieuwe werelden zijn daarbinnen die je op een andere manier nooit zou bereiken. Maar later, als de ommekeer komt – want er komt altijd een ommekeer – dan gaat er juist een universum open als je niet gebruikt. Maar dit keer is het een universum van pijn. En de enige ontsnapping is meer drugs.'

'Maar heb je in het begin in dat universum nooit het gevoel gehad dat je... Ik weet het niet, dat je contact kon leggen, misschien. Contact met mensen die zijn overleden?'

'O, alsjeblieft, Flea. *Ik zie dode mensen*, is dat het? Kom nou toch, er is geen maankind, witte heks of goeroe die niet met drugs speelt en zichzelf ervan overtuigt dat hij een soort superblik krijgt, een soort helderziendheid of hoe ze het verdomme ook willen noemen. Dat heb ik al zo vaak gehoord. Ze denken dat ze met de doden kunnen spreken omdat ze troep in hun arm spuiten.'

Met de doden spreken, dacht Flea, en ze dacht aan haar moeder tussen de bomen. Met de doden spreken.

'Als je me nu zou vragen of je dingen kunt herontdekken waarvan je getuige bent geweest,' ging Tig verder, 'dingen die je bent vergeten, dingen waarvan je niet wist dat je ze wist, dan zou ik ja zeggen. Natuurlijk. Maar je kunt geen dingen te weten komen die je niet al wist.'

Ze wreef over haar armen en meed zijn blik. 'Ik heb paddenstoelen gevonden tussen de spullen van mijn vader. En ik heb ze ingenomen.'

Tig keek haar strak aan. 'Dat juist jij dit gedaan hebt,' mompelde hij. 'Juist jij.' Hij trommelde met zijn getatoeëerde vingers op de tafel. *Liefde. Haat. Liefde. Haat.* 'Stomme trut. Idioot.'

Ze keek hem nu strak aan, naar zijn vreemde, verknoeide gezicht met het oog dat de verkeerde kant uit ging en de neus die eruitzag alsof hij ingeslagen was. Het probleem in deze situatie, hier met Tig, was duidelijk: ze wilde nog eens drugs gebruiken om dieper in haar herinnering te graven, om antwoorden te vinden waarvan ze wist dat ze net buiten haar bereik lagen. Ze wilde de drugs gebruiken om de stemmen te horen. Bij hem was het andersom. Hij had drugs gebruikt om de stemmen tot zwijgen te brengen. Hij had ze gebruikt om de woede kwijt te raken. En dat was juist het punt. Hij zou het misschien beter begrijpen dan anderen, maar hij zou nooit echt snappen wat ze wilde.

Na een tijdje haalde hij zijn schouders op. 'Nou, ja. Je hebt het nu al gedaan. Het is gebeurd.' Hij leunde achterover en liet zich een beetje onderuitzakken. 'Wat zit je dan dwars?'

'Ik heb mijn moeder gezien. En ze probeerde me iets te vertellen.' Flea liet de stoel achteroverwippen, streek het haar uit haar gezicht, hield het in een knot en concentreerde zich op het plafond. 'Maar ik weet niet precies wat, dus wil ik...'

'Je wilt het nog eens doen?'

'Niet de paddenstoelen.'

'Je gaat me toch niet vertellen dat je zo'n junk wilt worden als ik geweest ben?'

Ze liet de stoel zakken en keek hem aan. 'Herinner je je mijn vriend Kaiser nog?'

'Ja. Rare vent. Vriend van je vader.'

'Hij zegt dat ik er met de paddenstoelen niet zal komen.'

Tig knikte. Het lid van zijn slechte oog hing nu naar beneden, alsof dit allemaal veel te vermoeiend was. 'En?'

'Hij heeft iets anders voor me, dat heeft hij me gisteravond verteld. Ibogaïne.'

'Ja, dat ken ik wel. Organisch, legaal, uit Afrika. Ze gebruiken het wel om mensen van de drugs af te krijgen.'

'Kaiser zegt dat ik maandenlang paddenstoelen kan nemen zonder dat het iets uithaalt, maar hiermee kom ik waar ik wil zijn. Je neemt het in en...' Ze klikte met haar vingers naast haar jukbeen. '... Misschien zal ik dan nog eens met mam kunnen praten om erachter te komen wat ze probeerde te zeggen.'

'En jij gelooft hem?'

Ze klemde haar handen tussen haar knieën en keek naar de onaangeroerde kopjes thee. Het geluid van de scanner in de naastgelegen slaapkamer siste door de muren. Nee, dacht ze. Nee, ik geloof hem niet echt, maar het is beter dan niets.

'Nou, ja,' zei Tig toen hij zag dat ze niets ging zeggen. 'Zo te zien is er niets meer te zeggen, of wel soms? En mensen als jij, nou, die raken toch nooit verslaafd. Niet zoals mensen als ik.'

Ze glimlachte triest. 'Vanaf vrijdag heb ik vier dagen vrij. Ik ben zelfs niet oproepbaar.'

Tig draaide opzij, stond op en haalde nog een zak pinda's uit het kastje. Hij deed ze in de schaal, waarbij er een wolkje zout af kwam, en lachte droevig. 'Dus het wordt vrijdag. Ik zal niet proberen je op andere gedachten te brengen.'

Ze bleef naar de pinda's zitten kijken en wist op dat moment dat het altijd zo zou blijven; sommige mensen kwamen ermee weg en sommige mensen niet. Je had zondagskinderen en gewone mensen. En ondanks alles, ondanks het gemis en het verdriet, ondanks de dingen die ze volgens haar met Tig deelde, wist ze in haar hart dat zij een zondagskind was. Zij was een zondagskind en Tig niet.

15

14 MEI

Nu de zon onderging, werd het koud en de Wandelaar hield op met wandelen. Hij wrong zich door een heg langs een smalle B-weg in Somerset en zette zijn kamp op in het veld aan de andere kant, waar hij een hoopje maakte van de stukjes papier die hij die dag onderweg had opgeraapt. Om halfnegen bracht Jack Caffery zijn auto op de weg tot stilstand, met de koplampen aan.

Aanvankelijk zette hij alleen de motor uit en bleef zitten kijken zonder uit te stappen. Hij had maanden aan deze man gedacht. Het was bizar om hem eindelijk in het echt te zien.

De Wandelaar was gewend aan automobilisten en hun eigenaardigheden en lette niet op hem. Toen hij zich omdraaide om meer hout te zoeken voor het vuurtje ving Caffery een glimp op van zijn gezicht. Dit was een man die geboren was in een vuurhaard, dacht hij. Hij was van top tot teen bedekt met roet, de dikke sokken die hij over zijn wandelschoenen had geslagen en die bij de kuit op hun plek werden gehouden met een reep stof waren zwart en de driekwartjas die hij met een stuk waslijn rond zijn middel had gebonden, was zo smerig dat je niet kon zien welke kleur hij eens had gehad. Hij was achter in de veertig – dat had

Caffery in zijn dossier gelezen – maar als je hem zo zag, zou je nooit zijn leeftijd hebben kunnen raden. Zijn haar hing tot over zijn schouders en een zwarte baard reikte van net onder zijn ogen tot op zijn borst, als een soort monnikskap.

Caffery trok zijn jas van de achterbank en stapte uit. Hij bevond zich op een van die verlaten weggetjes in Somerset die zo smal waren dat de bomen elkaar boven het wegdek raakten en er een soort tunnel van maakten. Het enige licht kwam van een straaltje avondzon door het gat in de heg dat toegang gaf tot het veld waarin de Wandelaar zich bevond. Caffery sloeg het autoportier toe, knoopte zijn jas dicht, stak de weg over en wrong zich door de dode overblijfselen van een haagdoorn, waarbij zijn oude broek scheurde en zijn rechtermouw een knauw kreeg.

In het veld haalde hij een muts uit zijn zak en trok hem over zijn oren. Het vroor nu de avond was gevallen; je zou bijna denken dat het weer winter was. Hij stond op de harde, omgeploegde grond en wachtte. De Wandelaar ging verder met wat hij aan het doen was; hij viste een smerige aansteker uit zijn zak en hield die bij de stapel twijgjes. Het vuur vlamde bijna meteen op door jaren ervaring in het aanleggen van vuurtjes. De vlammen knetterden tussen de takjes en wierpen schaduwen op de schemerige aarde.

Caffery kwam een paar passen dichterbij. 'Jij bent de Wandelaar.'

Hij keek niet op. Hij gooide een stuk hout op het vuur en nam er nog twee in zijn in handschoenen gestoken handen.

'Ik zei, jij bent de Wandelaar. Waar of niet?'

'Zo ben ik niet gedoopt. Zo heeft mijn moeder me niet genoemd.'

Caffery sloeg zijn armen over elkaar. De Wandelaar had een beschaafde en vrij beleefde stem, maar het leek hem niet te kunnen schelen met wie hij praatte of wat diegene van hem dacht. Het was alsof hij had geweten dat Caffery zou komen en het hem niet uitmaakte of ze met elkaar praatten of niet. Hij liet de stukken hout op het vuur vallen en keek er even naar. Toen hij ervan overtuigd was dat ze behoorlijk vlam zouden vatten, stak hij twee stokken in de grond naast het vuur, haalde zijn slaapzak van zijn rug en drapeerde die over de stokken, zodat hij warm kon worden. Zijn kleren stoomden en zijn adem hing wit in de donker wordende lucht.

'Ik ben al een hele tijd naar je op zoek,' zei Caffery na een tijdje.

'En hoe heb je me gevonden?' Zijn stem bleef luchtig, bijna geamuseerd. 'Ik ben niet gemakkelijk te vinden. Ik blijf in beweging. Ik wandel. Dat doe ik.'

'En ik vind mensen. Ik ben van de politie.'

De Wandelaar stopte met wat hij aan het doen was en keek voor het eerst op. Zijn blauwe ogen werden omrand door donkere oogleden en Caffery voelde even een vreemde herkenning: dezelfde ogen. Hij en de Wandelaar hadden precies dezelfde ogen. Alsof ze ergens in de verte familie van elkaar waren. Misschien wel helemaal uit Donegal.

'Ik hou niet van de politie.' De Wandelaar tuurde naar Caffery. Hij nam er de tijd voor en keek naar de muts, het ruwe jasje, de Dr. Martens. Misschien dacht hij dat Caffery er niet uitzag als een politieman. Of anders was dat van de ogen hem misschien ook opgevallen.

'Dus,' zei hij na een tijdje, 'mijn oude vrienden van de politie. Ze weten dus waar ik te vinden ben?'

'Ze hebben een idee. Min of meer. Je komt niet vaak buiten Somerset en Wiltshire.'

De Wandelaar lachte. 'Vinden ze soms dat ik niet lang genoeg in de cel heb gezeten? Of denken ze dat ik het weer ga doen? Dat ik iemand anders iets aan zal doen?'

'Ze worden gebeld als je gezien bent. Door het publiek, door mensen die niet weten wie je bent, die je in de openlucht zien slapen en denken dat je ziek bent of zo.'

'Of gevaarlijk?'

'Bij ons wordt niets weggegooid. We zijn goed geïnformeerd.'

'Goed geïnformeerd,' zei de Wandelaar in zichzelf, alsof hij de woorden niet kon rijmen met de politie. Hij draaide Caffery zijn rug toe om aan zijn diner te beginnen. '*Goed ge-in-formeerd.*'

Met de flesopener die aan een lint om zijn nek hing maakte hij gaten in de deksels van vier blikken en hij zette ze stuk voor stuk midden in het vuur. Toen ging hij zitten, langzaam vanwege de vele lagen kleding, en trok aan de repen stof om zijn kuiten. Hij deed voorzichtig zijn schoenen uit, waarbij hij zorgvuldig de veters losmaakte, en zette ze op de grond naast zijn slaapzak. Toen trok hij drie paar sokken uit en bekeek zijn voeten. Caffery zag dat de voeten van de Wandelaar op de plekken waar zijn eigen voeten eeltig en rood waren helemaal zwart zagen, alsof zijn lichaam een soort beschermende teer afscheidde. Hij gebruikte de lappen stof om ze droog te wrijven en trok twee paar droge sokken en sloffen van schaapsvacht aan, die hij aan de enkels vastbond met de repen stof. Daarna verzorgde hij zijn schoenen; hij ging met zijn handen door de binnenkanten, tikte de hakken tegen elkaar en wreef een dun lijntje vaseline uit een klein potje in elke schoen, waarna hij ze bij het vuur zette om te drogen. De Wandelaar liep de hele dag en zijn schoenen hadden alle aandacht nodig die hij ze kon geven.

'Ik ben van ver gekomen om je op te zoeken.'

'Meen je dat?'

'Ik heb er lang over gedaan om hier te komen.'

'Nou, het heeft mij mijn hele leven gekost om hier te komen.'

'Dat weet ik.' Caffery verplaatste zijn gewicht naar zijn andere been. Het was hier koud, echt bitter koud. 'Ik ben hier omdat ik wil dat je me iets vertelt. Ik wil dat je met me praat over wat je gedaan hebt.'

De Wandelaar lachte weer, vriendelijk en beleefd, alsof hij hem een grapje had verteld. 'En waar staat dat ik voor niets moet praten? Hmm?' zei hij. 'Hangt er een bordje op mijn rug waarop staat dat ik met iemand wil praten?' Hij lachte nog steeds. 'Jij hebt niets over mij te zeggen. Politieman.'

Caffery maakte zijn jas open en haalde een liter whisky uit zijn trui. Hij hield hem de man voor. 'Ik heb iets voor je meegebracht.'

De Wandelaar keek ernaar en toen naar Caffery's gezicht. Na een paar tellen kwam hij naar hem toe, nam de fles aan en draaide hem rond in zijn handen. Van dichtbij waren zijn vingernagels dik en geel, alsof er iets akeligs onder zat en ze er ieder moment af konden vallen. Hij stonk naar aanstekers en rook.

'In 1980,' zei hij peinzend, terwijl hij keek naar het etiket met zijn goud-met-witte tekening van een theeklipper, 'bezat een gemiddeld gezin in Bristol vijfentwintigduizend pond. Wist je dat?'

Caffery liet zich nooit van zijn stuk brengen als iemand zomaar op een ander onderwerp overging. Dat hoorde bij zijn werk als politieman. 'Nee, dat wist ik niet. Ik zou misschien een gokje kunnen wagen over hoe het in Londen was. Maar niet hier. Dit is een nieuw gebied voor mij.'

'Nou, nu weet jij het ook. Vijfentwintigduizend pond. Mijn ouders waren dokters, zie je, nu allebei overleden, uiteraard, en ze bezaten een van de grootste huizen in Clifton. Ze hebben er in 1980 zestigduizend pond voor betaald en toen ze waren overleden, ging het rechtstreeks naar mij toe. Ik kon het natuurlijk niet gebruiken, want ik zat in een extra beveiligde afdeling van Long Lartin tot...' Hij maakte een geluid achter in zijn keel en rolde met zijn donkerblauwe ogen. 'Maar dat weet je allemaal al, nietwaar?'

'Ik heb het dossier gelezen.'

'De executeurs betaalden de belastingen en brachten het huis onder bij een huizenbeheerder. De laatste tien jaar van mijn straf incasseerden ze de huur. Het was een prachtig huis, dat zag zelfs ik. Het had zes slaapkamers en een koetshuis en was een van de mooiste voorbeelden van architectuur in de *Georgian style* in Bristol, volgens de makelaars. Toen ik vorig jaar uit de nor kwam, heb ik het verkocht. Wat denk je dat ik ervoor gekregen heb?'

'Ik heb net een huis verkocht in Londen. Het was niet heel bijzonder, maar mijn ouders hebben er in de jaren zeventig vijftienduizend voor betaald en ik heb er meer dan driehonderdvijftigduizend voor gekregen. Ik weet het niet. Vijfhonderdduizend?'

'Eerder vier keer zoveel. Bijna twee miljoen. Ik krijg elke maand meer dan achtduizend pond rente bijgeschreven op mijn rekening. Staat dat ook in jullie dossiers?' Hij gooide de fles in de lucht, liet hem ronddraaien zodat het licht erin flikkerde tegen de marineblauwe hemel, en ving hem met een strakke glimlach op.

'Hier,' zei hij, en hij drukte hem Caffery tegen de borst. 'Ik drink cider. Maar toch bedankt.'

Flea bleef tot acht uur bij Tig. Ze haalden fish-and-chips bij de enige zaak in Bristol waar ze het nog steeds in kranten verpakten. Ze namen het mee naar zijn flat, deelden een fles wijn en praatten, en al die tijd bleef ze zichzelf aansporen om hem naar het sms'je te vragen, waar hij nou met haar over had willen praten. Maar ze vergat het steeds en toen ze er weer aan dacht, toen ze aan het eind van de avond opstond om te vertrekken, wuifde hij het weg. 'Nee,' zei hij, 'het was niets. Ik heb je alleen gemist, dat is alles.'

Ze knoopte haar jas dicht, zocht haar sleutels op en gaf Tig een zoen op zijn wang. Hij verstijfde altijd als ze dicht bij hem kwam, alsof hij een spasme had, met zijn armen langs zijn lichaam alsof hij versteend was, maar ze deed het toch. Ze draaide zich net om, half glimlachend omdat ze hem op die manier kon verlammen van verlegenheid, toen ze zijn moeder in de deuropening zag staan. Ze droeg een roze, gewatteerde ochtendjas en haar lange grijze haar hing los om haar schouders. Ze leek ouder dan vijftig, en het was alsof ze maar half bij de wereld was en alsof de rest elders verbleef. Een skelet in een nachtjapon.

'Mam,' zei Tig. 'Mam. Ga naar bed. Het is laat.'

Maar ze hield zich met een verward gezicht vast aan de deurpost en keek van de een naar de ander. Haar mond ging open en dicht alsof ze iets wilde zeggen. Tig stond op en nam haar bij de arm.

'O, Tommy,' mompelde ze. 'Alsjeblieft. Zeg dat ze weggaan, wil je dat doen, jongen? Zeg dat ze me met rust moeten laten.'

'Kom op, mam, je droomt weer eens. Terug naar bed.'

'Zeg dat ze me met rust moeten laten, die zwarten.'

'Mam, alsjeblieft.' Tig sloeg een arm om haar schouders en probeerde haar mee te nemen door de gang. 'Kom op, schat, je moet weer naar bed.'

Maar ze stribbelde tegen. Ze hield zich vast aan de deurpost en keek naar Flea, alsof die kon helpen. Alle aderen onder haar gele huid waren blauw en dik. 'O, liefje,' fluisterde ze. 'O, meisje, ik zit zo in de problemen.'

'Mevrouw Baines, kent u me nog? Ik ben Flea. We hebben elkaar al eerder ontmoet. Weet u nog?'

'Wil je het ze alsjeblieft vragen, schat? Vraag of ze me met rust willen laten met hun bonkmuziek en hun stank. Zeg dat ze moeten ophouden door mijn gang te rennen en hun gezichten door de muur te steken.'

'Maak u geen zorgen, mevrouw Baines.' Flea deed een stap naar voren en legde een hand op haar arm. Die was koud en zo broos als een luciferhoutje. 'Ik weet zeker dat Tommy alles in de hand heeft.'

Mevrouw Baines knipperde met haar ogen. Toen begon ze te huilen. Het was een dun, verward geluid, zonder enige energie erin. Ze stak haar armen uit naar Tig. 'Tommy, zorg dat die kleine zijn gezicht niet meer door mijn muur steekt.'

'Mam. Het is een televisieprogramma. Je hebt te veel naar de tv gekeken.'

'Ik weet dat het een televisieprogramma is, Tommy. Dat weet ik. Heb jij dat botermesje?' Ze draaide zich om en tuurde met waterige ogen de keuken in. 'Waar is het botermesje? Dat botermesje van je vader, met het benen heft? Geef het aan mij, dan kan ik me verdedigen.'

Tig wierp een wanhopige blik op Flea en ze wist dat hij haar vroeg hem hierdoorheen te helpen. Maar ze kon niets anders doen dan een meelevende frons trekken. Misschien hield ze zichzelf voor de gek als ze dacht dat ze vanwege Thom kon begrijpen wat Tig met zijn moeder doormaakte. Maar dit was zo veel erger dan een broer die werkeloos en depressief was. Ze had geen idee wat Tig per dag allemaal voor zijn kiezen kreeg. En toch was hij zo sterk niet meer te gaan gebruiken.

'Kom op, mam, dan breng ik je weer naar bed. En dan maak ik wat warme melk voor je. Dat vind je wel lekker, hè?'

'En dat botermes?'

'Dat breng ik ook mee. Zodra je in bed ligt breng ik het. Ik beloof het.'

'En zorg je dat ze niet meer naar me kijken? Als ik in bed lig?'

'Dat doe ik, ik beloof het. Ik zal de tv uitzetten.'

Hij leidde haar zachtjes door de deur, met zijn handen op haar schouders, twee verslagen mensen die langzaam door de volle gang bewogen. Flea bleef achter en staarde niets ziend naar de heen en weer zwaaiende keukendeur, en ze bedacht dat er op een gegeven moment altijd pijn bij kwam kijken, wat voor relatie je ook met je ouders had.

De Wandelaar bleek helemaal niet te zijn zoals iedereen dacht. Behalve de cider en het geld – Caffery was ervan overtuigd dat niemand van dat geld wist – waren er nog meer dingen. Hij stopte bijvoorbeeld niet zomaar op de plek waar hij zich toevallig bevond als de zon onderging. Het ging allemaal veel meer volgens plan. Hij had in het hele westen kampeerplekken, schuilplaatsen langs de weg waarvan hij wist dat hij er niet lastiggevallen zou worden. Daar verstopte hij dingen onder stenen, onder troggen en in afbrokkelende muren. Op deze plek had hij blikken, een stapel schuimrubber matjes en vier flessen cider begraven in de losse aarde onder de heg.

'Je moet altijd de alcohol drinken die wordt geproduceerd in de streek waar je doorheen loopt.' Hij trok met zijn tanden een kurk uit de fles. 'Als je naar Cuba gaat, drink je rum. Ga je naar Mexico, dan drink je tequila. Als je dat doet, krijg je nooit een kater. Er zitten generaties van wijsheid in die dranken. Generaties van ondervinding hoe een lichaam zich gedraagt in dat klimaat en hoe het reageert op de bodem en het water.'

Caffery schroefde de fles whisky open en liet de inhoud op de bevroren aarde lopen. Hij boog wat naar voren en stak hem de Wandelaar toe, die hem zorgvuldig vulde met ondoorzichtige cider.

'En in Somerset drink je appels. Cider dus.'

Het vuur brandde nu lekker en wierp licht op de gezichten van de twee mannen. Ze zaten op de geribbelde vierkanten schuimrubber en zagen de avond vallen. Toen het laatste daglicht vervaagde, verscheen de gloed van de lichten van Bristol in het noordwesten, mistig en ver onder een grijze hemel, als een mythische levende stad, alsof daar draken leefden in plaats van studenten en drugsdealers en mensen die slecht genoeg waren om iemands handen af te hakken en die te begraven onder een restaurant.

Caffery leunde achterover en zette de fles aan zijn lippen. De cider was koud, maar bracht zulke herinneringen mee aan de herfst en de appelboomgaarden van zijn kindertijd dat hij bijna alles in één keer opdronk, gewoon om die herinnering vast te houden en niet aan begraven handen te hoeven denken.

'De boer van wie ik dat gekregen heb,' zei de Wandelaar, 'deed tot 1990 nog een karkas in het vat. Een varken of een kip. Hij zei dat het het brouwsel zoeter maakte en sinds de inspectie het hem verbiedt, is de cider bij lange na niet meer wat hij vroeger was.'

Caffery dronk nog wat, zonder te denken aan de auto die op de weg stond en of hij nog naar huis zou moeten rijden. Boeren en arbeiders hadden jarenlang zo geleefd en dat had iets geruststellends. Met de cider in zijn mond en de eerlijke kou van een omgeploegde akker onder zijn billen liet hij alle vreemde voorvallen van die dag wegvallen en zette de zorgen over een arme schooier zonder handen, dood of stervend, van zich af. Hij veegde zijn mond af, trok zijn knieën op, zette zijn ellebogen erop en boog naar voren.

'Wat moet ik je geven?' zei hij. 'Ik kan je geen geld geven en ik zie niet wat je nodig hebt.'

De Wandelaar glimlachte wrang. 'Ik moet twee dingen van je hebben.'

'Twee?'

'Ten eerste moet je me vertellen wie hier uit het niets is komen opdagen, wie als een geest over de weg is komen aanrijden en me vraagt hem mijn verleden te geven.'

'Ik ben Jack.' Hij stak zijn hand recht vooruit, wachtend tot de Wandelaar hem zou schudden.

De Wandelaar liet zijn hand waar die was. 'Jack? En hoort daar nog een naam bij? Een achternaam?'

'Caffery.' Hij liet zijn hand zakken en legde hem half gegeneerd naast zich op de grond. 'Jack Caffery.'

'Jack Caffery.' De Wandelaar lachte even. 'Jack Caffery, politieman.'

Hij stookte het vuurtje op en verschoof de blikken vakkundig in het vuur. Uit twee ervan kwam een dun sliertje stoom en deze zette hij opzij, tussen de kooltjes. De zon was ondergegaan en witte mistslierten bleven hangen in de bovenste takken, waarom een blauwe waas hing als kleine nachtwolkjes.

'Londen, dus? Woon je daar?'

'Nee. Ik woon hier, in de Mendips.'

'Maar je komt uit Londen. Dat heb ik al gezien nog voordat je die politiemond van je opendeed.'

'Mijn familie komt uit Liverpool en daarvoor uit Donegal, maar ik kom zelf inderdaad uit Londen. En nu woon ik hier. Ik ben twee maanden geleden overgeplaatst.'

'Naar het westen?'

'Omdat ik met jou wilde praten.'

'Je had net zo goed een dalurenkaartje kunnen nemen. De dag met me kunnen doorbrengen. Terug kunnen gaan naar de grote stad, waar het leven zo veel beter is, waar of niet?'

Caffery stootte een droog lachje uit.

'Maar daar gaat het niet om,' zei de Wandelaar. 'Of wel soms? Er zit meer aan vast.'

'Er zit altijd meer aan vast.'

'Een vrouw?' Er trok een glimlach voorbij onder zijn baard. 'Jack Caffery, politieman, mij hou je niet voor de gek. Er is altijd een vrouw.'

'Was. Er was een vrouw, ja.'

De Wandelaar keek hem in het gezicht en wachtte tot hij verder zou praten. Caffery zuchtte. 'Ze wilde kinderen. Hoe meer ze erom vroeg, hoe meer ik me verzette. Tot we in een stroomversnelling raakten en voordat ik wist wat er gebeurde...' Hij klapte in zijn handen en de luchtverplaatsing deed de vlammen trillen. 'Hé,' zei hij, en hij liet zijn handen met een glimlach zakken.

'Ik denk dat ik gewoon niet genoeg van haar hield. Maar wat er ook gebeurde, ik kon het niet. Ik kon geen kind krijgen. Niet na wat ik heb zien gebeuren. Met kinderen.'

Er viel een stilte. De lampen van een vliegtuig dat opsteeg van de luchthaven van Bristol stegen op van de horizon en knipperden koud en stil, en beide mannen keken ernaar, en misschien deden ze beiden alsof ze niet nadachten over dat woord, 'kinderen', en de verschillende dingen die het voor hen betekende. Als Rebecca het over kinderen had gehad, had ze ze K genoemd omdat ze wist dat het in het bijzijn van Caffery een van de gevaarlijkste woorden was die ze kon uitspreken. Ze zei dat de energie die hij in het leven stopte verloren ging zonder een kind, dat ze verdween in een bodemloze put. Toen hij haar had gevraagd wat ze bedoelde, had ze gezegd: 'De energie die je erin steekt om erachter te komen wat er met Ewan is gebeurd, dezelfde energie die je in je werk steekt, betekent niets. Helemaal niets. Ze gaat nergens heen en ze creëert niets.' En dat was grappig, omdat hij zijn baan en het zoeken van een antwoord nooit had gezien als verspilde energie. Maar wanneer hij aan een kind dacht, een gezin, kwam er alleen iets bij hem op dat ongrijpbaar en onbestendig was, iets wat je in een seconde kwijt kon raken. Alsof je probeerde mist te vangen in je blote handen.

Na een tijdje kwam de Wandelaar met veel moeite overeind. Hij haalde tinnen borden uit zijn opslagplek onder de heg en nam ze mee naar het vuur. Daar rolde hij met een stok de blikken uit de vlammen en hield er een tussen zijn voeten terwijl hij de bovenkant openmaakte met een Zwitsers legermes. 'We kunnen over een minuutje eten.' Er parelde zweet op zijn voorhoofd. Het liep door de viezigheid in zijn baard. 'We gaan eten. En daarna praten we nog een beetje.'

Caffery hield de fles tussen beide handen en keek naar hem op. Ze verschilden maar tien jaar in leeftijd, maar om een of andere reden die iets te maken had met de cider voelde het net zo natuurlijk en geruststellend als opkijken naar een vader. Misschien nog wel meer. De Wandelaar schepte voedsel op de borden en ze aten: vleespastei, aardappeltjes en wat kruiden die de Wandelaar uit een van zijn zakken haalde. Caffery wist niet waarom, misschien kwam het door de kou of door de cider, maar het vlees en de groenten uit geblakerde blikken smaakten alsof het de enige maaltijd was die hij zich zou herinneren als hij doodging. Hij veegde het bord schoon met zijn vingers en likte ze af. De Wandelaar was al klaar met eten en keek naar hem. 'Nou, Jack Caffery,' zei hij, 'je hebt een vrouw achtergelaten, en nu? Is er nu geen vrouw? Voor jou?'

Caffery glimlachte. 'Nee. Geen vrouw.'

'Wat doe je dan? Als je behoefte hebt aan een vrouw?'

Caffery zette het bord neer en stak zijn hand in zijn binnenzak om zijn tabak te pakken. Een gewoonte waar hij nog steeds niet vanaf was, zelfs niet na al die jaren. Hij nam de tijd om een sigaret te rollen. Als hij het woord 'vrouw' hoorde, kwam bij hem onwillekeurig het beeld op van Flea zoals ze er die morgen in de haven had uitgezien met haar vuilblonde haar en haar bruine armen onder het marineblauwe politieshirt. Toen hij aan het vloei likte, keek hij niet op naar de Wandelaar. Hij bleef naar de lichtjes van Bristol kijken.

'Prostituees,' zei hij. 'Ik ga naar prostituees. Daar. In Bristol.'

'Prostituees of een prostituee?'

'Meer dan een. Ik ga bijna nooit tweemaal naar dezelfde.'

'Hoe vaak?'

'Niet vaak genoeg.'

'Hoe vaak is niet vaak genoeg?'

Hij stak de sigaret aan, nam een paar trekjes en dacht aan de lichamen en de gezichten en de straatlantaarns. Hij dacht aan de koude leegte in zijn borstkas en dat hij zich moest verbeelden dat vrouwen als Keelie die konden vullen. 'Een keer per week. Hoezo? Wat doe jij als je een vrouw nodig hebt?'

De Wandelaar liet iets van zijn tanden zien en de rode punt van zijn tong. 'Dat is voorbij. Voor mij is dat voorbij sinds het gebeurd is. Het hoort bij een ander leven. Je mist het niet als je het beschouwt als iets wat andere mensen doen in een ander leven.' Hij kwam overeind, raapte de borden op, veegde ze af met een doek en zette ze naast de greppel. Hij duwde de kurk op de cider en zette de fles weer onder de heg. Toen trok hij een lange rol rubber tevoorschijn en gooide die in een greppel. 'Het wordt tijd dat ik ga slapen.'

'Het tweede. Je hebt me niet verteld wat het tweede is dat je van me wilt.'

'In het voorjaar ga ik een uur na zonsondergang slapen,' zei de Wandelaar, alsof hij hem niet gehoord had. 'Dat heb ik altijd gedaan sinds ze me uit Long Lartin hebben laten gaan. Je kunt blijven als je wilt, maar je wilt hier niet onder de sterren slapen. Ten eerste is het te koud. En ten tweede...' Hij schoof zijn kleren in de greppel en legde ze op de rubber mat, zodat hij erop kon slapen en ze de volgende morgen warm zouden zijn. Hij haalde de slaapzak weg bij het vuur, rolde hem snel op om de warmte te bewaren en legde hem boven op de kleren. 'Ten tweede wil je niet hier bij mij in de openlucht slapen. Ik wil maar zeggen...' Hij klikte met zijn tong achter zijn tanden, alsof er iets smakelijks zat. 'Ik wil maar zeggen, hoe weet je hoe je eruit zult zien als je wakker wordt?'

Caffery stond op. 'Er waren twee dingen. Ik heb er een gedaan. Wat is het andere?'

De Wandelaar kwam iets dichterbij en dit keer zag Caffery iets onzekers aan hem. Alsof hij hinkte. Of aarzelde. 'Er is nog een ding dat je kunt doen, Jack Caffery. En daarna kunnen we praten.'

'Zeg het maar.'

'De Snowbunting en de Remembrance. Dat is mijn prijs. Een bosje Snowbuntings en Remembrances.'

'Snowbunting? Is dat een vogel?'

'Nee. Geen vogel. Het is een bloem. Een krokus. Een kleine, witte voorjaarsbloem.'

'Waar vind ik in deze tijd van het jaar krokussen?'

'Jij bezorgt me de bollen, zodat ik ze kan planten. Maar als je ze brengt, kom je naar me luisteren. Je komt niet met een preek op je tong of met een idee in je hoofd om me te bekeren en een productief lid van de samenleving van me te maken. Ik ben wie ik ben en je moet niet proberen me in een soort verlossing te laten geloven. Begrepen?'

'Ik begrijp het. Geen verlossing.'

'Mooi. De Remembrance is tegenwoordig niet meer zo populair, niet zoals vroeger. Uit de mode en niet gemakkelijk te vinden. Maar...' Hij ging rechtop staan, legde zijn hand op Caffery's borst en liet hem bewegen op Caffery's ademhaling. Alsof hij zijn hart wilde beproeven. 'Maar je zult ze vinden. Je zult mijn krokussen vinden. Dat weet ik zeker.'

16

14 MEI

Carjacking had zijn intrede gedaan in het westen. In 2006 werden de jonge eigenaren van een Scénic MPV, die voor een dag uit Wellington waren gekomen om een show te bekijken, beroofd van hun auto toen ze parkeerden bij het Hippodrome in Bristol. De dader droeg een rode bivakmuts en een R&B spijkerbroek en hij had gewacht tot de vrouw was uitgestapt en de man de handrem aantrok voordat hij toesloeg.

Hij sleurde de chauffeur uit de auto, waarbij die zijn pols brak, sprong in de wagen, reed met een snelheid van vijftig kilometer per uur weg en veroorzaakte voor tienduizenden ponden aan schade aan andere voertuigen op de parkeerplaats. Hij nam de weg naar Clifton en niemand wist hoe ver hij zou zijn gekomen als hij bij het stelen van de auto niet ook een passagier had meegenomen. Het zesjarige dochtertje van het echtpaar zat op de achterbank. Uiteindelijk had hij de auto met draaiende motor op de stoep in Whiteladies Road laten staan. Het kind was ongedeerd. Hij verdween spoorloos in de grauwe middag.

Flea had een vluchtige belangstelling gehad voor de zaak omdat ze ook wel eens op die parkeerplaats kwam. Ze had een vriend bij de afdeling Inlichtingen gevraagd naar de details en toen ze de gebeurtenissen overdacht, bleef haar één ding bij: *het kind zat in een kinderzitje*. De paar dagen daarop had Flea op parkeerplaatsen rondgelopen en door de ramen gekeken van elke Renault Scénic die ze tegenkwam, waarbij ze vooral op zoek was geweest naar kinderzitjes, tot ze van één ding overtuigd was: van welke kant de man ook was gekomen, hij had het kind moeten zien voordat hij de auto stal. En toen ze de getuigenverklaringen las, merkte ze dat het kind had verklaard dat het eerste wat de dader had gezegd was: 'Hou verdomme op met dat gehuil.' Dat klonk niet als iemand die verrast was dat ze in de auto bleek te zitten. 'Hou verdomme op met dat gehuil...'

Stel dat ze het mis hadden, vroeg Flea zich af. De politie ging ervan uit dat de dader de auto had achtergelaten toen hij had gezien dat er een kind in zat. Maar als je dat nou eens omdraaide? Stel dat het niet de aanwezigheid van het kind was die ervoor gezorgd had dat hij de auto liet staan? Stel dat het kind – en ze werd helemaal koud van de gedachte – stel dat de aanwezigheid van het kind *de reden was geweest waarom hij hem gestolen had*?

Ze raakte helemaal in de ban van het idee dat hij de auto had uitgekozen vanwege het meisje en tijdens de ontvoering zo bang was geworden dat hij het had opgegeven. Ze begon te vissen, vragen te stellen, theorieën te opperen. Ze maakte kennis met iemand bij de proactieve inlichtingendienst van de afdeling Verkeersdelicten op Trinity Road en ging daar langs om te vragen wat zij ervan dachten. Toen moest ze op een dag bij haar inspecteur komen. De eerste keer dat ze in zijn kantoor moest blijven staan in plaats van op haar gemak te kunnen gaan zitten. Hij kwam meteen terzake. 'Ik zeg dit één keer en daarna doen we alsof ik het nooit gezegd heb. Marley, haal je nek naar binnen.'

En zo had ze geleerd voorzichtig te zijn. Ook al werd ze achtervolgd door het meisje dat huilend op de achterbank van de MPV zat, Flea zorgde dat ze nooit meer betrokken raakte bij iets waar ze niets mee te maken had. Ze sloot een pact met zichzelf: de volgende keer dat ze de behoefte voelde rechercheurtje te spelen, ging ze rechtstreeks naar de inspecteur en gaf haar naam op voor een trainingsprogramma voor Moordzaken. Maar dat zou natuurlijk betekenen dat ze niet meer kon duiken. En omdat ze het duiken nooit zou kunnen opgeven, ging ze verder met haar werk, haalde lijken uit het water, zocht naar de messen en vuurwapens waardoor die lijken lijken waren geworden en stond ze vooraan in de rij als de politie spierkracht nodig had. Maar ze dacht nooit meer na over zaken. Geen nieuwsgierigheid, geen getheoretiseer. Dat was de regel waar ze zich aan hield.

Dus toen Flea die avond naar huis reed over de kleine landweggetjes langs de noordrand van Bath, met de verlichte abdij en de kerktorens glanzend tegen de donkere heuvels, dacht ze opzettelijk niet na over de vraag hoe een paar afgesneden handen onder de ingang van restaurant The Moat terecht was gekomen. In plaats daarvan dacht ze aan Tig en of hij de enige was die haar gevoelens met betrekking tot haar ouders begreep. Of hij de schuldgevoelens begreep en of hij nog steeds een donkere leegte in zijn hart had om wat hij die oude dame had aangedaan. Ze dacht nog steeds aan hem toen ze thuiskwam en ze zou de rest van de avond misschien geen seconde meer aan de handen hebben gedacht als ze niet toevallig iets ontdekt had in de studeerkamer van haar vader.

Het was al laat en het huisje lag er donker bij. Alleen het lantaarntje boven de deur lichtte haar bij toen ze de Ford Focus de met grind verharde oprit op stuurde. De blauweregen die zich om de lamp kronkelde ontzette de stenen boven de voordeur en omdat ze geen geld had voor een metselaar had ze een paar maanden eerder zelf op een ladder moeten klimmen met een bak vol mortel. Ze had de mortel te hard gemaakt en nu, slechts twee maanden later, verscheen er een lange, deprimerende scheur in de zachte voeg.

Ze liet zichzelf binnen, raapte de post op en sorteerde die op weg naar de keuken. Bovenop lag een exemplaar van het krantje van de plaatselijke makelaar met een angstaanjagende rode kop: HUIZENPRIJZEN KELDEREN IN TWEEDE KWARTAAL. Op de voorpagina zat een roze Post-it met een enkele zin erop gekrabbeld: '*Maar wij blijven bij ons oorspronkelijke bod, uiteraard. Groet, Katherine Oscar.*'

Eeuwen geleden had de tuin van de Marleys niet bij het huisje gehoord, maar bij het naastgelegen Charlcombe Hall. En nu wilden Katherine en Giles Oscar, de nieuwe eigenaren van Charlcombe, de tuin in de oude glorie herstellen, helemaal van de achterkant van hun overdadige huis tot in de vallei. Soms dacht Flea dat het slim zou zijn om haar deel van de grond te verkopen om wat ruimer in het geld te zitten. Na het ongeluk had Thom hier niet willen blijven, 'bij de geesten', dus waren ze overeengekomen dat zij het huis zou houden en dat ze hem een lening zou geven met als onderpand haar deel van het geld van de levensverzekering, dat na de voorgeschreven zeven jaar zou worden uitgekeerd. Het geld van de Oscars zou het leven heel wat gemakkelijker maken.

Toch maar niet. Ze maakte een prop van het krantje en duwde het in de Aga. Ze verkocht niet, hoe moeilijk het ook werd om het huis van haar ouders te onderhouden. Alleen hier kon ze dicht bij haar kindertijd komen, en misschien was het zwak, maar dat had ze nodig. Ze was hier geboren en ze kende elke vierkante centimeter van de oude grasvelden die in terrassen naar beneden liepen, langs vijvers en een meer, en die ergens vaag tussen de velden eindigden. Ze was opgegroeid met uitzicht op Bath in de verte, met de mist die op herfstochtenden in de vallei bleef liggen, zodat alleen de kerktorens zichtbaar waren, als verdronken bomen in een meer.

Ze wachtte tot het krantje brandde en toen schopte ze haar schoenen uit en ging naar de studeerkamer van haar vader. In het elektrische licht leken al zijn bezittingen bevroren, alsof ze ze had gedwongen in een onnatuurlijke positie te blijven staan. Kaisers dozen stonden onaangeroerd in een rij onder de tafel. Ze ging naar de planken en liet haar vingers langs de ruggen van de boeken gaan tot ze het ingebonden proefschrift had gevonden dat haar vader in Cambridge had geschreven. Ze trok het van de plank en sloeg het open. Haar vader had altijd in boeken geschreven; hij aanbad ze niet, maar gebruikte ze. Het enige goede boek, zei hij, was een boek waar dingen aan toegevoegd waren door de lezer, en de binnenkant van de kaft van het proefschrift was overdekt met een kriebelig handschrift, kleine aantekeningen aan zijn eigen adres. Ze ging onder de lamp staan en bestudeerde de lijst, op zoek naar iets wat een reeks cijfers zou kunnen zijn voor de kluis.

Toen ze na een tijdje geen cijfers kon vinden en geen andere plek kon bedenken waar hij de code zou kunnen hebben verstopt, zette ze het proefschrift terug, ging op haar hurken zitten en trok een van de drie dozen met Kaisers spullen tevoorschijn, die elk waren dichtgeplakt met breed plakband. Ze sneed ze open met de scherpe rand van een liniaal die op het bureau had gelegen en begon de inhoud eruit te halen: drie stapels tijdschriften met elastiek eromheen, een schets van iets wat eruitzag als een Afrikaanse stammendans, boek na boek over religie en psychologie, allemaal overdekt met stof en stukjes pleisterwerk. De dozen moesten op zeker moment een tijdje in Kaisers huis hebben gestaan.

Het boek waar Kaiser het over had gehad lag onderaan, nog een proefschrift, zo te zien, geprint op een matrixprinter. Op de kaft stond een gefotokopieerde tekening van een plantenwortel. Het boek was gebonden met een rode plastic spiraal. *Het gebruik van de* Tabernanthe iboga *wortel bij sjamanistische riten* stond er op, boven de naam van de schrijvers en de melding dat het copyright berustte bij de Berkeley University. Ze haalde het boek uit de doos en ging op haar vaders stoel zitten om de pagina's met grafieken en onderzoeksmethodologie door te bladeren.

Tegen de tijd dat ze aan het eind was aangekomen, wist ze heel wat meer. Ibogaïne kwam uit de bast van een wortel. Het werd gebruikt door aanhangers van het Bwiti-geloof in Kameroen en Gabon om toegang te verkrijgen tot hun voorouders. Ze beschreven het gebruik als 'het opensnijden van het hoofd om het licht toe te laten'. Het boek stond vol zwart-witfoto's van slechte kwaliteit, waarop Afrikaanse mensen te zien waren, sommigen in raffiarokjes, anderen in kattenbont, en een stamoudste die een toorts van boomschors vasthield. Er was een gedeelte over sterfgevallen door ibogaïne. Volgens de schrijver van het boek was er geen betrouwbare manier om een schatting te maken van het aantal mensen dat was overleden als gevolg van het gebruik van het hallucinogeen. Het werd soms gebruikt tegen onthoudingssymptomen na een chronische heroïneverslaving, dus er was weinig bekend over de lichamelijke gezondheid van de patiënt vóór het gebruik van het middel. Anekdotes wezen erop dat een op de honderd mensen eraan gestorven zouden kunnen zijn en dat het hart en de lever de meest aangetaste organen waren.

Flea stak het boek onder haar arm en wilde net het licht uitdoen en naar haar slaapkamer gaan toen haar blik viel op iets wat op de grond lag. Sommige boeken aan haar voeten waren opengevallen. Haar aandacht werd getrokken door één foto in het bijzonder, een foto van een paar afgesneden handen, verschrompeld en zwart van kleur. Ze draaide het boek om en las de titel. De haartjes in haar nek gingen overeind staan.

Ze legde het proefschrift neer, ging op de vloer zitten en draaide een beetje versuft de bladzijden om om foto's te bekijken en stukjes te lezen. In de gang tikte de staande klok geduldig, maar ze was zich plotseling niet meer bewust van het verstrijken van de tijd: de woorden in het boek kropen langzaam en akelig haar brein in en deden al het andere verstijven.

Toen ze klaar was, keek ze op naar het raam, naar de maanverlichte tuin en de spookachtige klimplanten rond de ruit. Ze zou inmiddels veilig in bed moeten liggen. In plaats daarvan zat ze te zweten. De ramen stonden open, maar ze had het warm terwijl ze rechtop en alert op de vloer zat en onbewust aan de hals van haar T-shirt trok. Plotseling was ze Kaiser en de ibogaïne en Tig helemaal vergeten. Plotseling was ze het pact vergeten dat ze met zichzelf had gesloten, haar belofte om nooit meer theorieën te bedenken over een zaak. Plotseling kon ze nergens anders meer aan denken dan aan handen die onder een restaurant begraven waren. En vooral aan het feit dat de eigenaar van dat restaurant een Afrikaan was.

17

8 MEI

Hij heeft nog nooit zo gevochten. Hij heeft gevochten en gevochten tot hij erbij neerviel en toch kan hij er niet uit. Hoe vaak hij zich ook tegen het gesloten ijzeren hek heeft gegooid, als een geschrokken dier tegen de muren is opgelopen, hoe lang hij ook heeft gebruld en heeft getrokken aan de tralies voor het raam, uiteindelijk was zijn kracht op en moest hij het opgeven. Hij ligt op de bank met zijn gezicht in zijn handen en begint te snikken. 'Alsjeblieft,' huilt hij. 'Ik ben van gedachte veranderd. Ik wil dat vervloekte geld helemaal niet.'

Skinny heeft tegen de muur aan zitten toekijken. Zijn knieën zijn opgetrokken en zijn ogen opengesperd. Hij ziet er bang uit. Hij ziet er net zo wanhopig uit als Mossy zich voelt.

'Alsjeblieft, ik meen het echt, verdomme, alsjeblieft, laat me eruit. Ik zweer dat ik het niemand zal vertellen. Ik zweer het.' Hij valt stil. De tranen stromen over zijn wangen en zijn handen houdt hij smekend voor zijn gezicht, half beschaamd om zijn angst. Zijn handen. Verdomme, zijn handen. Ze willen zijn handen hebben, en het is gewoon niet te geloven, verdomme, deze plek met de tralies en de sloten. Deze gekte. Hij blijft nog een tijdje huilen. Dan maakt Skinny een vreemd geluid. Hij komt overeind en gaat naar het hek. Hij tikt drie keer tegen de tralies, een signaal.

Mossy laat zijn handen zakken. 'Wat doe je?' gilt hij. 'Waar ga je heen? Je mag niet weggaan.'

'Oom,' zegt hij zachtjes. Zijn stem is dik en klinkt een beetje gegeneerd. Hij kijkt Mossy niet aan. 'Ik ga met Oom praten.'

'Met wie?' vraagt Mossy. 'Wie mag dat verdomme...' Er klinkt geluid in de gang. Een streep licht, een gestalte in silhouet en de woorden blijven in Mossy's mond steken. Hij wordt heel stil. Heel stilletjes en zonder zijn blik van Skinny af te wenden, staat hij op en sluipt hij naar de achterkant van de bank, waar hij in een hoekje op zijn handen gaat zitten, alsof hij ze zo kan beschermen. Het is te donker om te kunnen zien wie die nieuw aangekomen persoon is, maar het lijkt een man. De chauffeur? Op een gegeven moment kan hij handen in handschoenen het hek open zien doen en dan glipt Skinny naar buiten. Met een kletterend geluid wordt het hek weer dichtgemaakt en op slot gedaan en dan zit Mossy helemaal alleen in de stille ruimte.

Een hele tijd blijft hij roerloos naar het dichte hek zitten kijken, in de verwachting dat er iemand binnen zal komen. Maar de minuten gaan voorbij en er gebeurt niets. Er lijkt wel een uur voorbij te gaan, maar er komt niemand en dus staat hij voorzichtig op en loopt wat rond. Hij ademt snel als een atleet, wat een lachertje is voor iemand met een lichaam als dat van hem, hij probeert zijn benen half gebogen en paraat te houden en hij houdt zijn gezicht naar het hek toe gewend, zodat hij het nooit langer dan een paar seconden uit het oog verliest. Zo gaat hij de ruimte door en controleert half op de tast elke hoek ervan.

De kamer is vierkant. Het moet een slaapkamer zijn geweest, want op sommige plekken zit meisjesbehang: een rand met ballerina's. Aan de ene kant is een gangetje en aan het eind daarvan bevindt zich een badkamer. Hij wendt heel even zijn blik af van het hek om hem te bekijken. Maar hij wenst meteen dat hij dat niet had gedaan.

Tegen de muur is een sm-apparaat van zware kwaliteit vastgemaakt en er bestaat geen twijfel aan wat hier in het verleden heeft plaatsgevonden. Op de vloer ligt een opgerolde, gele slang van het soort dat wordt gebruikt om fabrieksapparatuur schoon te spuiten. Die slang zegt meer dan al het andere: die slang zegt dat er na de dingen die hier gebeuren of die hier moeten gebeuren grondig schoongemaakt moet worden. Er is ook een half kapotte plee met een raam erboven. Ook hier zit een metalen scherm voor het raam, dus daar kan hij niet door ontsnappen, maar in de gang is nog een raam en het rooster daarvoor is te groot en reikt helemaal tot de vloer, en is helemaal onderaan verbogen, alsof iets zich erdoorheen heeft gewrongen.

Hij gaat op de vloer liggen, met zijn rug naar de muur, en probeert hijgend zijn hoofd in het gat te steken. Hij krijgt zijn schouders erdoorheen en als hij zijn hoofd draait, ziet hij het grijze daglicht boven zich. Dit moet naar buiten leiden, maar als hij probeert iets hoger te komen, beseft hij dat hij vastzit. Hij kan niet verder. Hij schopt een beetje en probeert nog een centimeter vooruit te komen, maar het rooster steekt zo hard in zijn ruggengraat dat het voelt alsof hij zijn rug zal breken. Ieder moment kan er iemand door het hek komen en hem daar vinden, dus schuift hij centimeter voor centimeter naar beneden, terug de kamer in, waarbij het rooster zijn huid openhaalt. Hij komt eruit met zijn T-shirt over zijn hoofd getrokken en schaafwonden op zijn rug.

Hij gaat staan en trekt rillend het T-shirt naar beneden. Hij haat deze kamer. Naast het hek en de twee ramen is er maar één andere ingang. Hij herinnert zich die van de laatste keer, omdat het hem deed denken aan een hok voor een beest. Er is een gat in de muur gehakt met het formaat van een open haard. Er zit een ijzeren hek in, net als voor het raam waar Skinny net door naar buiten is gegaan. Je kunt je voorstellen dat er een leeuw in gehouden wordt, of een tijger. Hij knielt en ziet aan de andere kant van het hek een stapel kleren. Hij wil er net zijn hand naar uitsteken als het hek aan zijn rechterkant opengaat.

Mossy schiet achter de bank en begint weer angstig te huilen, maar het is Skinny maar. Er staat iemand achter hem die het hek weer op slot doet, maar Skinny is in zijn eentje de kamer in gekomen. Zijn ogen staan helder. Hij glimlacht niet, maar hij kijkt ook niet meer zo triest. De andere persoon loopt door het gangetje en als hij weg is, komt Skinny naar voren en knielt op de bank.

'Wat?' sist Mossy. 'Wat is er?'

'Heb je een vriend?'

'Een vriend?'

'Iemand die ook geld nodig heeft?'

'Waar heb je het over?'

'Oom. Hij zegt, misschien heb je een vriend die in jouw plaats kan komen. Dan kun jij gaan.'

Mossy staart hem aan. 'Wát?'

'Iemand die in jouw plaats kan komen. Iemand van wie de handen kunnen worden afgesneden.'

'Je bedoelt dat die van mij er dan niet afgesneden hoeven te worden?'

'Precies.'

Mossy ademt diep uit. Hij heeft moeite het allemaal bij te houden. 'Bedoel je,' zegt hij, en hij kijkt Skinny strak aan, omdat hij nu meer dan ooit de waarheid moet horen van deze persoon, 'bedoel je dat ik kan gaan zodra er iemand anders op komt dagen?'

'Ja. Dan kun je gaan.'

Mossy kijkt naar Skinny. Zijn hart bonst. Hij probeert snel na te denken, want hij weet dat dit zijn kans is. Er zijn mensen in heel Bristol van wie hij graag zou zien dat hun handen werden afgesneden – bij sommigen zou hij het zelf doen als hij de kans kreeg – maar geen van die mensen is zo stom om zich in de positie te manoeuvreren waarin hij nu zit.

Dan beseft hij dat er toch iemand is, iemand die een rotzak is en ook nog stom. Zo stom als het achtereind van een varken, zelfs. Jonah. Jonah Dundas uit Hopewell. Hij kijkt Skinny aan en er trekt een glimlach om zijn mond, omdat hij zichzelf net gered heeft door iemand anders op te offeren.

En om de waarheid te vertellen, is dat een heerlijk gevoel.

18

15 MEI

De volgende morgen identificeerde de grote IDENTI-computer, die eerder vijf mogelijkheden had opgediept, de vingerafdrukken van de afgesneden hand als die van Ian Mallows, een tweeëntwintigjarige junk uit de wijk West Knowle. Tegen de tijd dat de brave burgers van West Knowle aan het ontbijt zaten en uit het raam keken, krioelde het daar van de geüniformeerde agenten, negen van de beste mannen van het district Avon and Somerset, die alle deuren afgingen.

Caffery, die de cider van de vorige avond nog in zijn benen voelde, stond in zijn overhemd in de deuropening van het coördinatiebusje. Hij was moe en zijn rug deed pijn. Maar hij wist dat er enige beweging in de zaak was gekomen, dat er enige tekening in kwam, en hij had het idee dat ze tegen het eind van de dag misschien het cruciale bewijs zouden hebben, de rest van Mallows' lichaam namelijk, als hij erbovenop bleef zitten. Of misschien zelfs een levende Mallows, als de LPD gelijk had. Hij had een brigadier naar Ian Mallows' reclasseringsbeambte gestuurd en iemand van de ondersteunende eenheid had de deur van Mallows' flat opengebroken, maar daar was niemand, en de LPD was daar nu bezig met de technische recherche. De andere agenten krioelden door de wijk met een foto van Ian Mallows in de hand en kregen steeds weer hetzelfde commentaar. 'Vraag het maar aan BM. BM kent hier iedereen. Vraag het aan BM.' En toen hij nonchalant de wijk bekeek, van de hoge flats tot het armetierige stukje gras vol hondenpoep daartussen, had Caffery binnen vijf minuten gezien wie BM moest zijn.

Hij stond onder aan een trap met zijn handen in zijn zakken, een voet tegen de muur en identiteitsplaatjes om zijn hals. Hij droeg een grijze trui met capuchon onder een zwarte blazer en zijn gezicht was bleek en deed denken aan de hogere Engelse klassen met de Romeinse neus en de lichtroze wangen, die eruitzagen alsof hij die op de rugbyvelden van Harrow had opgedaan. Maar van dichtbij zag je dat hij echt in Knowle West thuishoorde aan zijn schichtige ogen, en de feiten dat zijn lichaam al zacht en vormeloos werd en zijn bovenbenen tegen elkaar schuurden.

'Wat moet dat?' zei BM toen Caffery naderde met zijn identiteitskaart tussen de duim en vingers van zijn rechterhand. Hij duwde zichzelf af tegen de muur en bekeek hem argwanend. 'Wat is er aan de hand?'

'Heb je even, jongen?'

'Nee. Nee, ik heb geen tijd.'

'Ook goed.' Caffery duwde de kaart weer in zijn zak. Hij trok zijn kraag op en bleef even staan kijken naar de trap vol graffiti en het water dat langs de muren liep. BM keek hem nors aan en wachtte tot hij iets zou zeggen, weg zou gaan of ruzie zou gaan maken. Maar dat deed Caffery niet. Hij hoestte luid, glimlachte tegen de jongen en bleef tegen de trap opkijken, alsof ze bij een bushalte op dezelfde bus stonden te wachten. Alsof hij alle tijd van de wereld had en voor altijd kon blijven wachten als hij dat zou willen, en misschien had hij van de twee het grootste geduld. Ergens in zijn achterhoofd kon het hem eigenlijk niet schelen of BM met hem wilde praten of niet.

Sinds de vorige avond kon hij alleen nog maar denken aan wat de Wandelaar hem zou vertellen. Maar hij moest met zijn hoofd bij het werk blijven, dacht hij: hij had nog steeds een plicht ten opzichte van die stakker van een junk van wie de handen waren afgehakt.

BM haalde zijn eigen handen uit zijn zakken, zoog op zijn tanden zoals de Jamaicanen in Deptford doen en begon nonchalant de trap op te lopen.

'BM,' zei Caffery rustig. 'Ik kende vroeger in Londen ook iemand die BM werd genoemd. Weet je hoe hij aan die naam kwam?'

BM bleef op de trap staan. Caffery kon de smerige zolen van zijn Ice Cream Reeboks zien. 'Hij werd zo genoemd omdat hij een drugspusher was, de Bag Man dus. BM. Zo zul jij wel niet aan je naam komen. Of moet ik dat eens aan je reclasseringsambtenaar gaan vragen?'

Het bleef stil. Ergens klonk het muziekthema van het tv-programma *This Morning*. Na een paar tellen ging BM op zijn hurken zitten en stak zijn gezicht door de spijlen van het traphek. 'Ik heb geen reclasseringsambtenaar,' siste hij. 'Ik heb geen strafblad.'

'Wil je er een hebben?'

Er viel nog een lange stilte. Toen ging BM zitten. Caffery hoorde zijn ademhaling en toen hoorde hij BM heimelijk een zakje uit zijn zak halen en het onder iemands voordeur door schuiven. Caffery hoorde het en prentte in zijn hoofd waar die deur zich bevond, maar hij deed niets. Hij moest BM zijn gezicht laten redden. Na een paar tellen kwam hij met piepende Nikes en zijn handen in de zakken van een laag gedragen spijkerbroek de trap weer af.

'Wat?' zei hij gemelijk. 'Wat moet je nou?'

Caffery liet hem de foto zien. BM wreef met de rug van zijn hand over zijn neus en wipte van de ene voet op de andere. 'Dat is Mossy. Ja toch? Waar zit die? Is hij in de bajes beland?'

'Hij wordt vermist.'

'En jij denkt dat ik hem ontvoerd heb?'

Caffery deed de foto weer in zijn zak. 'Iemand heeft zijn handen afgesneden. Met een ijzerzaag, zo'n ding dat je in de ijzerhandel op de hoek kunt kopen. Waarschijnlijk hebben ze hem ook vermoord, maar dat weten we niet zeker, omdat het lijk nog nergens is opgedoken.'

Al het roze week uit BM's schooljongenswangen. Hij ging abrupt op de onderste tree zitten, met zijn voeten wijd uit elkaar. Hij maakte een onzekere beweging, alsof hij zich vast wilde houden aan de trapleuning, maar omdat Caffery toekeek, brak hij de beweging af en zette trillend zijn ellebogen op zijn knieën. 'Alles goed, jongen?'

'Dat bedoelde hij dus,' mompelde hij. 'Dat bedoelde hij.' Er stonden wat zweetdruppels op zijn lip. 'Een hele tijd geleden heeft hij iets tegen me gezegd. Hij had vreselijke krampen toen hij het zei en ik dacht dat het gewoon gekkigheid was, je weet wel, stom gelul.'

'Wat zei hij dan?'

'Hij zei dat hij iemand had ontmoet. Hij was naar een van die gratis afkickcentra geweest, waar je zogenaamd van de drugs af zou kunnen komen. Alleen werkt het nooit. Iedereen hangt er alleen maar rond in de hoop dat ze iemand zullen ontmoeten die ze wat geeft.'

'Weet je nog welk afkickcentrum?'

'Dat kunnen er wel honderd geweest zijn. Je vindt ze overal. Maar het was niet het centrum in West Knowle. Dat kan ik je zo wel vertellen, want niemand in de wijk die nog steeds gebruikt zou zich daar laten zien.'

'Nou, wie heeft Mallows dan ontmoet?'

'Geen idee.' BM duwde zijn handen in zijn zakken en keek naar de sombere flats, waar overal politie rondliep op de galerijen. Hij dook weg in de schaduw en keek om zich heen of niemand hem kon horen. Toen hij Caffery weer aankeek, was zijn gezicht wit weggetrokken en was er niets meer over van de schooljongen met zijn roze wangen. 'Hij zei iets vreemds. Hij zei dat er mensen gewond zouden raken. Nu herinner ik me wat hij zei, hij zei: "Er lopen daarbuiten zieke mensen rond, BM, en ik weet niet wie ze zouden pakken als er geen mensen waren zoals ik, stommelingen die zonder tegenstribbelen doen wat ze willen."'

'Oké,' zei Caffery, en hij pakte BM bij de arm en trok hem overeind. 'Die drugs lopen niet weg. Die liggen veilig op de deurmat van die oude dame. Laten we er maar eens voor gaan zitten en dit op papier zetten.'

Het probleem met Flea, dacht Caffery, was dat ze altijd een beetje gespannen leek als je haar uit het water haalde. Op haar hoede, alsof ze dacht dat je haar heel slecht nieuws ging vertellen. Het was het eerste wat bij hem was opgekomen toen hij haar die middag op de parkeerplaats van het hoofdkwartier had gezien.

Het was een onvruchtbare dag geweest bij het onderzoek. BM had in zijn verklaring niet veel meer kunnen vertellen dan in die eerste vijf minuten op de trap. Volgens hem was Mossy zo iemand die iedereen vertrouwde die hij tegenkwam, een echte idioot dus. Hij ging mee met iedereen die naar hem keek en het gesprek over die zieke mensen was niet verder gegaan dan wat hij Caffery al had verteld. BM gaf hem ongeveer veertig namen en twintig plekken waar Mossy volgens hem wel eens uithing, en ook nog de namen van zeventien afkickcentra, maar nee, behalve dat gesprek van een hele tijd geleden zat hij ook maar wat te raden. Hij had geen idee waar Mossy de laatste tijd geweest was, en wat hij eigenlijk wilde weten was hoe die mensen Mossy in godsnaam zo lang stil hadden kunnen houden om zijn handen eraf te zagen. Caffery had niet veel om op af te gaan, maar de onderzoeksleider wilde een 'namiddaggebed', een bespreking van de gebeurtenissen van de dag op het hoofdkwartier, waar hij nog een vergadering had. Dus ging hij op weg naar Portishead.

Hij had net zijn dienstwagen geparkeerd en liep op het atrium van chroom en glas af terwijl hij de kreukels in zijn colbert wegsloeg voor zijn vergadering met de onderzoeksleider toen hij haar doelbewust over het gras op hem af zag komen lopen. Haar haar was nat en uit haar gezicht gestreken en ze had burgerkleding aan, een oude spijkerbroek en een grijs topje zonder mouwen.

'Inspecteur Caffery,' riep ze. 'Hoe is het met je?'

Aan de manier waarop ze probeerde hem in te halen en waarop ze haar handen in de zakken van haar spijkerbroek had geduwd, alsof ze anders in het rond zouden gaan vliegen, zag hij dat ze gespannen was. Alles in het westen is anders, dacht hij. Bij Scotland Yard hadden ze niet zo'n stuk gras gehad en bij de politie niemand zoals zij. Ze kwam naast hem lopen alsof hij haar daartoe had uitgenodigd en ze onderweg waren naar dezelfde vergadering.

'Nog nieuws over de zaak?' zei ze.

'Ja.' Hij keek haar enigszins behoedzaam van opzij aan. 'We weten wie het is. De eigenaar van die handen.'

'Is hij geïdentificeerd?'

'Aan de hand van de vingerafdrukken. Ian Mallows, ook bekend als Mossy. Een junk uit een van de achterbuurten.'

'Verder nog iets?'

'Vezels onder de nagels. Je moet de hand heel goed hebben veiliggesteld, want ze zaten er nog. Paarse vezels. Van een vloerkleed, bijvoorbeeld.'

'Zeg,' zei ze terloops, met een blik op het glazen gebouw waar ze naartoe liepen, 'je weet nog niet... Je weet nog niet waarom iemand zijn handen heeft afgesneden?'

Hij bleef staan. 'Nee,' zei hij. 'Ik weet nog niet waarom.'

'Raar om zoiets te doen.' Ze bleef ook staan en wierp hem een blik toe die hem het idee gaf dat ze iets wilde zeggen, maar zich inhield. Ze keek hem ernstig aan. 'Ik bedoel, waarom zou iemand dat doen?' Ze kwam iets dichterbij. 'Wist je dat hij Afrikaans is?'

'Wie?'

'De eigenaar van The Moat. Die komt uit Afrika. Denk je dat dat een aanknopingspunt zou kunnen zijn?'

Caffery fronste en keek naar haar dikke bos blond haar. Niets in haar gezicht wees erop dat ze tegen de harde werkelijkheid van haar baan opgewassen was, dacht hij. Behalve misschien haar neus, die wat te breed leek voor haar gezicht, alsof hij jaren geleden eens gebroken was geweest. In zijn ogen zag ze eruit als iets wat niet helemaal echt was, te mooi om waar te zijn. Zo praatte ze nu ook een beetje.

'Sorry,' zei hij. 'Of ik denk dat wát een aanknopingspunt zou kunnen zijn?'

'Dat hij Afrikaans is en dat er verband zou kunnen zijn tussen het feit dat hij Afrikaans is en dat er handen zo dicht bij de ingang begraven lagen.'

Caffery lachte. Hij vroeg zich af of ze hem in de maling nam. 'Dit is een grapje, zeker? Ik moet erachter zien te komen wat je wilt zeggen.'

Er viel een korte stilte, maar toen klaarde het gezicht van Flea op. 'Het zijn mijn zaken niet,' mompelde ze, en ze krabde afwezig op haar hoofd. 'Maar ik probeer erachter te komen hoe die handen onder het restaurant terecht zijn gekomen.'

'Ik denk dat we niet verder hoeven te kijken dan de eerste de beste verkeerd afgelopen drugsdeal. We laten ons bij het onderzoek niet meer leiden door de locatie.'

'Niet?'

'Nee. We gaan nu uit van het slachtoffer. Een verstokte junk die voortdurend probeerde clean te worden, je kent het verhaal wel. Talloze veroordelingen wegens drugsbezit. De enige getuigenverklaring die we vandaag hebben kunnen afnemen luidt dat hij doodsbang was over iets wat met hem gebeurd was bij een afkickcentrum. Dus dat wordt op dit moment onderzocht. We hebben ongeveer honderd afkickcentra af te gaan en ik denk...' Hij zweeg plotseling. Er was een verandering opgetreden in Flea's gezicht. Haar ogen waren plotseling hard en op hun hoede en er flitste iets in waarvan hij zich afvroeg of het niet stom zou zijn om zich ermee in te laten. '... en ik denk dat we daar een aanknopingspunt zullen vinden,' maakte hij zijn zin bedachtzaam af. Ze staarde hem nog steeds aan. 'Wat? Waarom kijk je me zo aan?'

'Niets,' zei ze. 'Ik zal je maar aan je werk laten.' En ze deed een stap achteruit, maar bleef hem aankijken alsof ze verwachtte dat hij haar zou bespringen. Toen liep ze weg, terwijl ze haar telefoon uit haar zak trok en met haar duim een tekst invoerde.

Caffery had ergens gehoord dat tieners extra ontwikkelde duimen kregen van alle tekstberichten die ze verstuurden. Hij had er graag tegen haar iets over gezegd.

'Flea?'

Ze bleef staan en deed de telefoon weg alsof ze betrapt was met een bom in haar handen. 'Ja?'

'Ik ben nieuw hier. Nieuw in de streek.'

'Dat weet ik.'

'Ik hoopte dat iemand me een beetje wegwijs zou kunnen maken. In Bristol. Weet je wel.' En toen, omdat het klonk alsof hij een afspraakje met haar wilde maken, zei hij snel: 'Ik ben op zoek naar een kwekerij. Ik vroeg me af of jij me kon vertellen waar ik een goede kwekerij zou kunnen vinden. Voor planten, snap je. Ik wil planten kopen. Bloembollen.'

Ze had een tekstbericht willen typen voor Tig. Doordat ze die foto in Kaisers boek niet uit haar hoofd kon krijgen en steeds weer moest denken aan die handen onder het restaurant, wat ze ook aan het doen was, had ze het grootste deel van de dag geprobeerd Tig over te halen haar voor te stellen aan de eigenaar van The Moat. Hoewel hij aanvankelijk ontzet had tegengestribbeld en een tijdje had gepraat over beroepsethiek, 'zowel van jouw kant als van die van mij trouwens, Flea', had hij uiteindelijk met tegenzin gezegd dat hij zou zien wat de eigenaar zei en waarom kwam ze niet even langs op zijn werk? En dat was prima geweest tot Caffery haar had verteld over Mallows. Nu maakte ze zich zorgen.

Als Moordzaken naar de verslaafdenopvang ging kijken, kwam Tig vroeg of laat ook in beeld en wat zouden ze wel niet denken van zijn voorgeschiedenis, vooral als uitkwam dat hij de eigenaar van The Moat kende? En als de recherche aan zijn deur kwam kloppen, zou hij nooit geloven dat zij dat balletje niet op de een of andere manier aan het rollen had gebracht. Dan werd het voor hen allebei akelig. En als Mallows een cliënt bleek van User Friendly, nou, dan had je helemaal de poppen aan het dansen. Maar toch, dacht ze terwijl ze in haar auto stapte en het bericht verstuurde – *Hoi Tig, ben er over een uur* – inspecteur Caffery had niet erg geïnteresseerd geleken in wat ze had gezegd. Hoe omzichtig ze ook te werk was gegaan, hij had wat belangstelling kunnen tonen in het feit dat de eigenaar van het restaurant een Afrikaan was. Omdat zij er absoluut zeker van was dat iemand er belangstelling voor hoorde te hebben.

Ze reed snel naar het wijkcentrum waar Tig op woensdag zijn sessies hield. Het was een victoriaans schoolgebouw, dat was schoongemaakt en uitgerust met laminaatvloeren en toiletten voor gehandicapten met lange alarmkoorden. Toen ze er arriveerde, was de sessie net afgelopen en was hij alleen in het galmende gebouw. Hij deed de deur voor haar open in een zwarte sweater en een legerbroek die hij in zijn laarzen had gestopt. Hij had een stapel folders onder zijn arm.

'Nou?' zei ze toen hij haar voorging naar het kantoortje, dat rook naar nieuwe vloerbedekking en schoonmaakvloeistof. Ze liep snel door de gang en probeerde hem bij te houden. 'Heb je hem gesproken, je vriend? De eigenaar?'

'Inderdaad.' Hij gooide de folders op het bureau en liet zich in een draaistoel vallen, legde zijn handen op zijn buik en draaide de stoel naar haar toe. Hij glimlachte net zo afgemeten als wanneer hij een cliënt voor zich had.

'Oké.' Ze liet haar tas en haar fleece trui vallen en stopte haar handen in haar zakken. 'Ik zal je moeten smeken.'

Tig stootte een droog lachje uit. 'Hij is weg geweest,' zei hij. 'Met zijn vrouw naar Portugal. Ze zijn pas sinds het middaguur terug. We kunnen een kop koffie gaan drinken, maar we worden niet echt met open armen ontvangen. Ik doe alsof ik meer geld van hem los wil krijgen voor het liefdadigheidswerk. Dus ga in godsnaam geen politievragen stellen, begrepen?'

'Begrepen.'

'Geen gegraaf. Je gaat zitten en houdt je mond. Waar je ook met hem over wilt praten, je laat hem erover beginnen, en als hij dat niet doet, heb je gewoon pech gehad, Flea. Je neemt er genoegen mee. Ik bewijs je hier een enorme dienst mee, oké? En als het fout gaat en hij er lucht van krijgt dat jij een juut bent, dan...' Hij ging met zijn hand langs zijn keel. 'Dan is het afgelopen voor mij. En dat is dan jouw schuld.'

'Jezus, Tig.' Ze ging zitten en sloeg haar armen over elkaar. 'En dan kan ik het wel schudden, zeker?'

'Zo is het nu eenmaal. Meer kan ik niet doen. Oké?'

Ze keek even naar hem, naar zijn harde lichaam en de grijsblauwe hoofdhuid, waar hij zijn haar had afgeschoren. Ze dacht aan de foto in haar tas, de foto van Ian Mallows, die ze in Almondsbury had uitgeprint.

Ze haalde diep adem en wilde net de foto uit haar tas halen toen Tig opeens zei: 'Nou, vertel eens, hoe is het met de professor? Heb je hem nog gesproken?'

'Kaiser, bedoel je? Nee. Hoezo?'

'Maar je gaat er morgen wel heen?'

'Ja. 's Middags.'

Tig keek naar het plafond, alsof hij zich iets te binnen probeerde te brengen. 'Help me nog even herinneren, wat doet hij ook weer?'

'Hij is...' Flea zweeg even. 'Ik weet het niet, vergelijkende religie. De hallucinaties, die zijn een klein aspect van zijn werk. Hoezo?'

'Hoezo?' Tig speelde met de kraag van zijn T-shirt alsof hij het warm had. 'Ik vraag me alleen soms af met wie jij omgaat. De schooiers die je kent.'

'Schooiers?'

'Ik vroeg me af of het geen tijd werd dat ik wat meer aandacht besteedde aan de mannen in je leven.'

'Er zijn geen mannen in mijn leven, Tig. Dat weet je best.'

'Misschien niet.' Zijn gezicht stond opeens ernstig. 'Misschien niet. Maar het zou toch tijd kunnen worden dat ik er eens wat aandacht aan besteed.'

'Wat?'

'Ik had dit lang geleden al moeten doen, Flea. Ik had altijd al meer belangstelling voor jou moeten hebben.'

'Hou in godsnaam op. Ik weet niet waar je het over hebt.'

'O, nee?' Hij keek haar recht aan. 'Weet je dat niet?'

Flea lachte aarzelend. 'Tig?' zei ze effen. 'Jij bent homo.'

Er viel een korte, geschokte stilte. Toen begon Tig te lachen. 'Homo?' zei hij. 'O, laat me nou even niet lachen, zeg. Homo?'

'Ja, ik bedoel dat je...' Haar stem stierf weg toen ze plotseling zag waar hij heen wilde. 'Tig,' zei ze. 'Kom op. Zeg me dat je het niet meent.'

'O, jawel,' zei hij zachtjes. 'Ik meen het wel degelijk.'

Ze knipperde met haar ogen. Dit was idioot. Tig was een homo. Dat was hij altijd geweest. Dat zou hij altijd zijn. Misschien was ze niet de meest opmerkzame persoon op de wereld – ze kon met een blinddoek voor een spijker vinden in een meer, maar als het om andere mensen ging was ze zo bot als wat – maar dít? Dit was krankzinnig en ongelooflijk.

'Nou,' zei Tig, 'wat denk je ervan?'

'Wat ik ervan denk? Ik denk...' Ze schudde haar hoofd. '... dat als jij zegt wat ik denk dat je zegt, en dat is behoorlijk raar, om eerlijk te zijn, maar als je het meent moet ik nee zeggen.'

'Nee?'

'Hoor eens, je weet hoe het zit met mij, Tig. Ik ben gewoon...' Ze zocht naar het juiste woord. 'Ik kan dat niet meer. Sinds het ongeluk kan ik daar niet meer aan denken. Ik ben gewoon...' Ze zuchtte. Verdomme. Dit was allemaal zo verdomde moeilijk. 'Ik bedoel, Tig, in godsnaam, jij was toch homo?'

Hij duwde zijn stoel achteruit, stak zijn handen op en lachte alsof hij wilde zeggen: 'Ik wist dat dit zou gebeuren en nu moet ik lachen omdat ik dat zo goed heb gezien.' Zijn kaak was strak, maar zijn ogen stonden niet boos. 'Hoor eens, maak je maar geen zorgen. Echt niet. Denk er eens over na.' Zijn tong ging door zijn mond alsof er iets in zat, of hij een smaak kwijt probeerde te raken. 'Denk erover na en laat het me weten als je er klaar voor bent. Oké?'

'Oké,' mompelde ze, en ze staarde nog steeds overdonderd naar zijn vreemde, ongelijke ogen. 'Oké. Dat doe ik.'

Om haar verlegenheid te verbergen wendde ze zich af, op zoek naar iets wat ze kon doen. Ze pakte haar tas en rommelde er wat in, langer dan noodzakelijk was. Toen haar gezicht iets koeler aanvoelde, sloten haar vingers zich om de gekreukte foto. Even dacht ze erover hem in haar tas te laten zitten. Eerst maar die ontmoeting met de restauranteigenaar, dan vertelde ze Tig een andere keer wel over Ian Mallows. Maar nee. Ze moest het doen. Er konden een heleboel problemen van komen als ze het niet deed. Ze legde de foto met de achterkant naar boven naast hem op het bureau en keek Tig niet aan.

Hij keek ernaar. 'Wat is dit?'

Ze haalde diep adem. Ze wist wat hij zou zeggen: 'Dat is een van mijn cliënten. Waarom laat je me een foto van hem zien, denk je dat ik die lelijke sukkel niet vaak genoeg zie?' Ze draaide de foto om.

Van Tigs gezicht was niets af te lezen. Er viel een lange stilte. Toen haalde hij zijn schouders op. 'Wat nou? Wat moet ik zeggen? Je laat me een of andere foto zien en dan moet ik er iets over zeggen?'

'Heb je hem ooit eerder gezien?'

'Nee. Moet dat dan?'

'Hij is niet een van je cliënten?'

'Nee.'

Ze liet de lucht ontsnappen en lachte even. Ze voelde zich wat beter. 'Godzijdank,' mompelde ze. 'Dan gaat er vandaag tenminste nog íéts goed.' Ze stak de foto weer in haar tas en pakte haar trui. En op dat moment ging de voordeurbel.

19

15 MEI

Caffery was moe toen hij voor de deur van het wijkcentrum in Mangotsfield stond. Hij had een zeurende pijn in zijn benen gekregen en terwijl hij wachtte tot er iemand naar de deur kwam, stak hij twee tabletten ibuprofen in zijn mond en slikte ze door. Het liefst had hij een sigaret opgestoken en was hij ergens gaan liggen. Of was hij naar een van de meisjes van City Road gegaan. Alles liever dan hier staan wachten tot hij nog een onwillige sociaal werker kon verhoren.

De vergadering in het hoofdkwartier van die middag was uitgedraaid op een steriele oefening in personeelsmanagement. Nu er drugs in het spel waren, was de vaart uit het onderzoek. Hij had de hele tijd naar de sproeiers en de kort gemaaide grasvelden voor het hoofdkwartier op Valley Road zitten kijken, terwijl hij half naar de onderzoeksleider luisterde en half nadacht over die veertig namen, twintig locaties en zeventien verslaafdencentra die hij nog moest bezoeken. Zijn humeur was even opgeklaard toen hij van Kingswood had gehoord dat er bericht was over de paarse vezels onder Ian Mallows' vingernagels. Maar het was maar een memo waarop stond dat het lab in Chepstow het eens was met het lab in Portishead dat de vezels afkomstig waren uit een vloerkleed en dat ze uitgebreide gaschromatografieproeven wilden doen voordat ze hem meer informatie konden verschaffen.

Het bleef even stil voordat er iemand naar de deur kwam. De sociaal werker, Tommy Baines, was niet wat Caffery had verwacht. Hij was achter in de twintig, in zijn hals zat de vage blauwe plek van een met laser weggehaalde tatoeage en zijn haar was heel kort geschoren, wat Caffery opvatte als een teken van agressie, zowel in het verleden als in het heden. Er was ook iets mis met een van zijn ogen, iets wat veroorzaakt zou kunnen zijn bij een vechtpartij. Toen Caffery zijn identiteitskaart liet zien dacht hij dat hij een flits van woede in Baines' ogen zag, of misschien verbeeldde hij zich dat maar. Het was bijna alsof Caffery een oude vriend was die had beloofd hem niet op zijn werk lastig te vallen, maar die nu toch voor zijn neus stond. Het was alsof hij bij iets gestoord was en even vroeg Caffery zich af of hij op iets persoonlijks was gestuit. Toen Baines de deur opendeed, Caffery binnenliet en de deur weer op slot deed, kreeg Caffery duidelijk het idee dat er nog iemand in het gebouw was, iemand die zich verborg in een van de donkere kamers. Een vrouw misschien? Hij dacht dat hij iets rook. Een geur die hem ergens bekend voorkwam. Hij keek de gang door waar ze doorheen liepen en registreerde waar de deuren zaten en wat daarachter zou moeten zitten.

'Noem me maar Tig,' zei Baines toen hij het kantoor in liep. 'Die naam heb ik in de gevangenis opgedaan. Vraag me niet waarom.' Hij pakte een stapel papieren, gooide ze op het fotokopieerapparaat en drukte zijn code in met zijn duim. Hij keek Caffery niet aan, alsof hij niet zo veel belangstelling voor hem had, alsof hij eraan gewend was dat de politie elk moment bij hem op de stoep stond. 'We leven op het moment van de hand in de tand. Rustig aan. Geen permanente donoren, dus moeten we het doen met wat we hier en daar los kunnen krijgen en wat onze cliënten kunnen betalen. Degenen die het zich kunnen veroorloven, en dat is bijna niemand.' Hij sprak heel afgemeten en overdacht ieder woord voordat hij het uitsprak. 'Ik doe zo'n beetje alles. De financiën, de hulpverlening en tot we ons iets meer kunnen veroorloven ook alle klusjes. Dit centrum,' en hij hief zijn hand om het gebouw aan te duiden, 'is een van onze donoren. Ik heb hier zes gratis uren per week.' Hij haalde de bladzijden uit het kopieerapparaat en legde ze in een transparante map. Hij keek naar de verticale lamellen voor het raam, het blauwe projecttapijt, het onpersoonlijke bureau en de dossierkasten van spaanplaat. 'Ja, dit moet doorgaan voor mijn officiële kantoor. Behalve deze ruimte en wat sessies voor mensen die een terugval hebben in Keynsham leid ik de hele zaak eigenlijk vanuit de flat van mijn moeder. En die is gaga, mijn moeder.'

Het werd donker buiten en er was behalve zij tweeën niemand in het oude victoriaanse schoolgebouw. Caffery legde zijn hand op een stoel. 'Mag ik gaan zitten?' vroeg hij. 'Ik moet een paar minuten met je praten, als dat goed is. Je hebt toch geen haast?'

Tig aarzelde bij het kopieerapparaat. Caffery dacht dat hij zijn blik even naar de deur zag schieten en kreeg toch weer de indruk dat zich nog iemand in het donkere gebouw bevond. Onafgemaakte zaken. Maar die liepen niet weg. Tig maakte een gebaar naar de stoel. 'Nee, hoor. Het gebouw wordt vanavond verder niet gebruikt. Ga zitten, man. Ik zal de ketel opzetten.'

Caffery ging zitten en keek toe hoe hij zich druk maakte met thee zetten, de koffiekopjes schoonvegen met een groen papieren handdoekje en in de kastjes zoeken naar een blik koekjes. Terwijl hij wachtte, haalde hij zijn aantekenboek voor de dag en de foto van Mossy, die hij ondersteboven op het grote bureau legde. Hij werd altijd gek van dit soort gesprekken: hij had nog nooit iemand bij de hulpverlening aan verslaafden ontmoet die niet zo gesloten was als een oester en die niet deed alsof de politie om slagaderlijk bloed vroeg als ze iets wilde weten over een cliënt. Wat dachten ze nou eigenlijk? Hadden ze nog nooit gehoord van beroepsgeheim? De vrijwillige sector was soms wat gemakkelijker dan de officiële instellingen, niet zo snel op hun tenen getrapt, maar zelfs daar kreeg je geen gratis informatie.

'Word je het nooit zat?' vroeg Caffery toen Tig hem een mok thee overhandigde. 'Heb je nooit zin om tegen ze te zeggen dat ze zichzelf eens een schop onder de kont moeten geven?'

Tig lachte kort. Hij rolde de mouwen van zijn sweater op en ging zitten met zijn voet op de andere knie en zijn theemok op zijn enkel. 'Hoor eens, makker, ik weet alles van de politie. Het kan je helemaal niets schelen wat ik van mijn cliënten vind. Daar kom je niet voor. Wat kom je dan wel doen? Wat wil je van me weten?'

Caffery zweeg een paar seconden. Hij keek naar Tigs ogen. Het slechte oog was grijs en troebel. Een beetje als een akelige dag in Londen. Even was Caffery gedesoriënteerd. Een of twee seconden kon hij die vent helemaal niet plaatsen. Hij draaide de foto van Mossy om en schoof hem naar voren.

'Ken je hem?'

Tig haastte zich niet. Hij zette de mok rustig op het bureau, met het oor opzij. Hij tilde zijn voet van zijn knie, zette beide voeten op de vloer, legde zijn handen op zijn bovenbenen, stond op en pakte de foto. Terwijl hij hem bekeek, dacht Caffery dat hij de spieren in zijn ooghoeken iets zag samentrekken, niet meer dan een millimeter. De gedachte kwam bij hem op dat Tig precies had geweten wiens foto hij te zien zou krijgen.

'Nee,' zei hij, terwijl hij hem turend in het licht hield. 'Nee, sorry, maat. Ik heb hem nog nooit gezien.'

Hij stak Caffery de foto weer toe, maar die pakte hem niet aan. Hij keek nog steeds naar Tigs gezicht. 'Weet je zeker dat je hem niet kent?'

'Honderd procent. Nooit in mijn leven gezien. Hier, pak aan.'

Caffery wachtte nog even. Hij probeerde in het troebele oog van die vent te kijken om te zien of er iets in flikkerde of de pupil groter werd, iets wat hem zou vertellen dat hij loog. Maar hij zag niets. Alleen die vreemde effenheid die hij niet kon interpreteren.

Uiteindelijk nam hij de foto aan en stopte hem in het mapje. Hij liet zijn hand erop liggen en dacht over de volgende vraag die hij moest stellen. En toen, omdat hij het een vreselijke vraag vond en omdat hij wist waar die toe zou leiden, dacht hij nog even over de meisjes op City Road en wat hij nu had kunnen doen in plaats van hier te zitten. Wat hij kon doen om te vergeten. De gedachte bracht hem bijna weer aan het zuchten. Hij haalde zijn hand van de map.

'Je cliënten,' zei hij. 'Denk je dat iemand van hen hem zou herkennen? Misschien moet ik een van mijn jongens hierheen laten komen om met ze te praten?'

Tig snoof. Hij keek hem aan met een blik die Caffery kende van de jaren dat hij precies hetzelfde had gedaan in Zuidoost-Londen. 'Ik hoef jou niets te vertellen over beroepsgeheim. Het is de ruggengraat van deze hele dienstverlening. Het zou meteen met ons afgelopen zijn als we elke vijf minuten de politie welkom zouden heten.'

'Ja, dat weet ik. Maar...' Caffery sprak langzaam en bedachtzaam en keek naar zijn handen alsof hij daar meer belangstelling voor had dan voor de woorden die uit zijn mond kwamen. 'Maar je weet wat ik je duidelijk wil maken?'

'Wat dan?'

'Ik schets een beeld van de toekomst, Tig. Jouw toekomst en wat je kunt doen om die te veranderen. En dan heb ik het ook nog over alle mensen daarbuiten, alle mensen met wie hetzelfde kan gebeuren in de toekomst. De slachtoffers die nog geen slachtoffer zijn...' Hij maakte de zin niet af, *de slachtoffers die nog geen slachtoffer zijn*, zodat de implicatie goed kon doordringen. Dit was de beste manier waarop hij druk kon uitoefenen, om de verantwoordelijkheid bij de verhoorde te leggen in plaats van bij de politie. 'Het zou iemand kunnen zijn om wie je geeft. Ik zie ze voor me en ik zie het gelukkige leven dat ze zouden kunnen krijgen, misschien met een huis en een gezin. En dan zie ik de andere mogelijkheid. Ik zie hoe ze vermoord worden. Verminkt. Dat hun handen worden afgesneden. Met een ijzerzaag. Een doodgewone ijzerzaag, die je bij een ijzerhandel kunt kopen. Wat is dat voor toekomst?'

Hij zag dat Tig begon te bezwijken. Er was een wit vlekje op zijn voorhoofd verschenen, alsof daar geen bloed meer naartoe stroomde.

'Hoor eens,' zei Tig. 'Ik heb mijn verantwoordelijkheid tegenover die jongens.'

'En voor hun toekomst. Deze jongen op de foto, die moet veel op jouw cliënten lijken, hetzelfde leventje leiden. En dat zegt ons dat de volgende waarschijnlijk iemand zal zijn die op hem lijkt.'

'Maar ik kan niet hebben dat jullie hier rondsjouwen, dat kan ik niet doen. Mijn cliënten zouden me nooit meer vertrouwen.'

'Dat moet je zelf beslissen. Jij bent de enige die kan beslissen wat je moet doen.'

Er viel nog een stilte. 'Weet je wat,' zei Tig eindelijk. 'Als je die foto hier laat, zal ik hem aan de jongens laten zien. Misschien komt daar iets uit.'

'Kan ik daarop vertrouwen?' Caffery wilde het spel nog wat verder uitspelen. 'De toekomstige slachtoffers, kunnen die op jou vertrouwen?'

'Man, luister nou. Ik doe je een belofte. Oké? Ik doe je een belofte. Die kun je aanpakken of niet.'

Caffery haalde de foto van Mossy weer uit de map en schoof hem naar Tig. Tig pakte hem met een strak gezicht op. Hij legde hem op het kopieerapparaat om kopieën te maken, met zijn rug naar Caffery, die even zwijgend bleef zitten en naging of er nog iets was dat hij moest vragen. Op de vloer bij het kopieerapparaat stond een tas die hij eerder niet had gezien, een sporttas met een fleecetrui eroverheen. Hij zag vaag iets bekends aan het logo. Dat leidde hem een beetje af tot Tig zei: 'Ken je mijn voorgeschiedenis?'

'Wat?'

'Heb je mijn dossier niet gelezen voordat je hierheen kwam?'

'Wat zou ik daarin gelezen hebben?'

Tig overhandigde hem de foto en ging zitten. Hij wreef met zijn hand over zijn geschoren hoofd. 'Wat je eerder vroeg, of ik het nooit zat word. Weet je waarom niet?'

'Nee.' Caffery keek weer naar de tas en toen naar Tig. 'Nee, dat weet ik niet.'

'Omdat ik er zelf een ben. Ik ben een van hen. Vroeger tenminste. Daarom word ik de junks en de dingen die ze doormaken nooit zat, de zelfhaat, de ellende, het verschrikkelijke gat waar je in valt als junk. Ik weet hoe het is om een autoruit in te gooien omdat er een munt van tien pence op het dashboard ligt, om het pensioen van mijn moeder te stelen, om de drugs van een ander uit een plas braaksel te pikken. Ik weet hoe het is.'

'Waarom vertel je me dat?'

'Omdat ik bijna iemand heb vermoord.' Hij zweeg even om dat door te laten dringen. 'Ik heb mijn tijd uitgezeten, maar ik stel me zo voor dat je er wel achter zult komen en dan kom je terug om me een beetje te jennen en misschien met je vingertje te gaan wijzen. Ik kan het je beter nu meteen vertellen, dat voorkomt verrassingen achteraf.'

Caffery leunde achterover. Even was er niets anders te horen dan het gegons en geklik van de kopieermachine, die de geur van kopieerinkt verspreidde. Toen zei hij: 'Nou? Wat is er gebeurd?'

'Een oude dame. Ik was high. Ik ging haar huis in om haar te beroven en uiteindelijk heb ik haar half vermoord, vastgebonden met het snoer van het bedlampje en beide benen aan gort geslagen met een breekijzer.'

Caffery glimlachte traag. Er kroop iets kouds in zijn hoofd. 'En nu wil je zeggen dat je er spijt van hebt? Dat je weer het rechte pad op bent gegaan en je lesje geleerd hebt? Dat je een productief lid bent van de samenleving? Dat we een vriendelijk gesprekje moeten hebben over rehabilitatie?'

Tig glimlachte sarcastisch terug. 'Ach ja. Ik had het kunnen weten. Ik had het aan je ogen kunnen zien. Jij gelooft niet dat mensen kunnen veranderen. Vergeving is geen woord dat jij snel zou gebruiken.'

Caffery probeerde zich voor te stellen hoe het zou zijn om een elektriciteitssnoer om een oude dame te binden en haar dan zo hard te slaan met een ijzeren staaf dat de botten in haar benen verbrijzelden. Hij probeerde zich voor te stellen wat Penderecki met Ewan had gedaan. Hoe het zou zijn om een jongen van negen te verkrachten. Hoe hard iemand zou moeten schreeuwen om je te laten ophouden. Penderecki had zijn kans op vergeving verspeeld. Hij had nooit geboet voor Ewan en hij had alles met zijn leven kunnen doen wat hij wilde. Maar hij was alleen, zonder een cent en zonder familie of vrienden gestorven. In zijn sociale huurwoning had zich alleen een stapel catalogi met kinderondergoed bevonden. En zelfs dat was ongeveer een miljoen keer beter dan hij verdiend had.

Tig stond op en haalde de enorme bos sleutels van het bureau. Hij liep naar de deur en draaide zich daar om. 'Is dat alles?'

Caffery kwam overeind, sloeg de leren map dicht en ging naar de deur. Hij bleef naast Tig staan en keek hem recht in de ogen. 'Nog één ding,' zei hij zachtjes. 'Als je mij zou beroven van het gebruik van mijn benen, weet je wat ik dan zou willen?'

'Nee. Wat zou je willen?'

'Ik zou het je betaald willen zetten.' Hij glimlachte met het gevoel alsof hij bloed op zijn tanden had. 'Ik zou ervoor willen zorgen dat jij ook je benen niet meer kon gebruiken.'

20

15 MEI

Tig was niet in de stemming om verder te praten over wat hij had gezegd. *Ik ben geen homo.* Toen hij Flea kwam opzoeken, die stilletjes in de onverlichte keuken beneden zat te wachten tot Caffery weg zou zijn, had hij rode vlekken in zijn gezicht en stonden zijn ogen hard. Ze vroeg wat er aan de hand was, wat er gezegd was, maar hij schudde zijn hoofd en zei niets tijdens de rit naar het huis van de restauranteigenaar. Pas toen ze op de stoep stonden te wachten tot er iemand aan de deur kwam, deed hij zijn mond weer open.

'Ze zijn nog precies hetzelfde als vijftien jaar geleden. Die vent kon rechtstreeks uit *The Sweeney* komen.'

Flea gaf geen antwoord. Ze staarde naar het raampje in de voordeur. Ze had onderweg verscheidene keren op het punt gestaan tegen Tig te zeggen: 'Hoor eens, laten we het maar vergeten. We draaien gewoon om en doen alsof ik nooit iets gezegd heb.' Ze wist dat ze haar nek te ver uitstak en nu was ze licht in het hoofd, alsof er een elastieken band om haar schedel zat die strak werd aangetrokken. Als ze gelijk had, kon in dit onschuldig ogende huis het antwoord te vinden zijn op de vraag waarom Mallows' handen waren afgesneden.

‘Hé, ben je er nog bij?’ vroeg Tig.

Ze knipperde met haar ogen. ‘Wat zei je?’

‘Ik had het over die agent. Die Jack Caffery. Die wauwelde alsof dit een fascistische politiestaat is. Agressief. Anders kan ik het niet zeggen.’

‘Zo erg is hij niet.’

Tig bekeek haar op een manier die haar een ongemakkelijk gevoel bezorgde. Toen grijnsde hij gespannen. ‘Zie je wel? Je hebt jezelf verraden. Je valt op hem.’

Ze wilde net antwoord geven toen ze werd tegengehouden door het geluid van sloten die opengingen. Ze rechtte haar schouders en ging onzeker met haar handen langs haar spijkerbroek om de kreukels eruit te strijken. Ze wilde dat ze even in een spiegel kon kijken. Ze wist dat ze bleek zag.

De man die de deur opendeed, zag er een beetje uit als een bezorgde geleerde. Hij was mager en had heel kort, grijzend haar en een huid die zo donker was dat er wel een asachtig stof over leek te liggen. Hij was heel gewoontjes gekleed in een broek van een lichte stof met riem en een lichtgroen geruit overhemd met opgerolde mouwen. Ze zag dat de huid van zijn onderarmen glansde, alsof die was ingevet.

‘Meneer Ndebele.’ Tig stak zijn hand uit. ‘Fijn dat u me wilt ontvangen. Ik weet dat het kort dag was.’

Ndebele glimlachte gedwongen. ‘Maak je geen zorgen, oude vriend.’ Hij nam de hand bijna voorzichtig vast en schudde hem. Toen boog hij zijn hoofd naar Flea. ‘Njabulu Ndebele. En u bent?’

‘Dit is Flea, mijn... mijn vriendin. Ik hoop dat u het niet erg vindt.’

Vriendin? Wanneer hadden ze dat afgesproken? dacht ze, maar Ndebele keek naar haar, dus zette ze haar zonnebril af en stak haar hand uit. Heel even dacht ze iets in zijn gezicht te zien, maar toen schudde hij haar licht de hand. Toen hij haar hand losliet, voelde ze een laagje van het een of ander op haar hand, iets wat een vrij doordringende, vaag onaangename, geur achterliet.

‘Kom binnen,’ zei hij. Hij sprak kort en afgemeten met slechts een licht spoortje van een accent, een beetje zoals Kaiser soms sprak. Een beetje als Eliza Doolittle, een beetje té Engels om waar te zijn. 'Kom binnen, kom binnen.'

Ze stapte door de deur en voelde zich meteen bedrukt, alsof de schemering energie uit haar zoog. Er hing een geur van vele maanden geleden gekookte maaltijden, van triestheid. Toen Ndebele hen in de woonkamer achterliet terwijl hij koffie ging halen, duurde het even voor haar ogen gewend raakten aan het licht, maar toen het zover was, zag ze dat het huis was ingericht als een Engels gastenverblijf, met hoefijzers aan de muren, paarse tapijten op de vloer, gebloemde banken met leuningbeschermers en geborduurde kussens die opgeschud op een rijtje stonden. Er waren lampenkappen met franje, een goedkoop klokje op de televisie, twee porseleinen spaniëls op de uiteinden van de schoorsteenmantel en daartussen een houten kruis op een kleine voet. Ze liep als vanzelf naar de schoorsteen om het kruis te bekijken, omdat ze het gevoel had dat er iets vreemds aan was, iets waar ze niet precies de vinger op kon leggen.

'Vindt u het mooi?'

Ze schrok. Ndebele stond naast haar met een blad met kopjes en een koffiepot. Zijn blik ging van het kruis naar haar gezicht en weer terug. 'Mooi hout, vindt u ook niet?'

'Ja,' zei ze, en ze zorgde ervoor dat ze geen spier vertrok. 'Heel mooi.'

'Ik moet over twintig minuten weg.' Hij zette het blad neer en boog iets voorover om koffie in de dunne porseleinen kopjes met rozenknoppen te gieten. Flea ging op de bank zitten en Ndebele zette een kopje voor haar neer. Tig zat in een leren leunstoel met zijn hoofd naar achteren en zijn handen op de leuningen. 'Mijn vrouw en ik gaan naar een bijeenkomst in onze kerk,' zei Ndebele, 'dus het spijt me, vrienden, maar ik kan niet de hele avond blijven praten.'

'Heel begrijpelijk.' Tig trok zijn legerbroek iets omhoog en leunde voorover, met zijn ellebogen op zijn knieën. 'We zullen proberen u niet te lang op te houden.'

'En ik moet er meteen bij zeggen,' zei Ndebele, 'dat ik niet weet waar u voor komt, maar dat ik bang ben dat u teleurgesteld zult worden, mijn vriend. Juist vandaag ben ik bezorgd als het om zaken gaat.' Hij legde zijn handen tegen elkaar alsof hij ging bidden en wees met de vingers naar Tig. 'Mijn bijdrage aan liefdadigheidswerk zal ondanks mijn beste bedoelingen beperkt moeten worden.'

Flea bleef er zwijgend bij zitten terwijl de mannen over zaken en het liefdadigheidsproject praatten. Ze speelde met het lepeltje op het schoteltje en liet haar blik ronddwalen, eerst naar het kruis, toen naar de kasten en de muren. Ze probeerde erachter te komen wat haar niet beviel aan deze kamer. Onder een schilderijlampje in een nis hing een schilderijtje van een kat die zijn snuit waste. Het was geschilderd op aan elkaar gespijkerde planken en leek niet op zijn plaats. Ze bekeek het een tijdje en vroeg zich af of dat het was wat haar dwarszat. Of misschien was het het erkerraam met de zware gordijnen, die voorkwamen dat er licht naar binnen of naar buiten kon. Of het gestreepte behang boven de lambrisering, dat een eenvoudige donker okerkleurige basis had en afwasbaar leek. Ze dacht dat het een beetje glansde en probeerde stukken eruit te pikken die waren schoongemaakt, waar de kleur lichter was. En toen zag ze het ineens. Het waren niet de wanden of de gordijnen die de alarmbellen deden rinkelen. Het was het vloerkleed.

Ze keek ernaar met bonzend hart. Het zag er een beetje stoffig uit en de pool was te hoog om modieus te zijn, maar verder was er niets bijzonders aan. Op één ding na. De kleur. Het was donkerpaars met iets van roze erin. Dezelfde kleur als de vezels op de handen.

'Flea,' zei Tig scherp, zodat ze met een schok rechtop ging zitten. Toen ze opkeek bleek Ndebele voor haar te staan met een schaal koekjes.

'Het spijt me,' zei ze met droge mond. 'Ik was...'

'Heel ver weg,' zei Ndebele. 'Zo zeg je dat toch?'

Ze keek naar de koekjes en toen naar zijn gezicht. Was dit het gezicht van een man die een andere mens in stukjes had gehakt, hier in deze kamer? 'Ik weet niet veel over liefdadigheid en vrijwilligerswerk. Het is niets voor mij.'

'U hoeft zich niet te verontschuldigen. Wilt u een koekje?' Hij glimlachte en wees op het bord. 'Deze heeft mijn vrouw gebakken. De andere zijn uit de winkel, vrees ik.'

'Dank u.' Ze boog voorover met haar kopje en schoteltje in de hand. Aarzelend, denkend aan het vloerkleed en de zware gordijnen, legde ze haar vinger op de rand van het bord en drukte er net hard genoeg op om die naar beneden te duwen. Ndebele probeerde de schaal vast te houden, maar hij viel uit zijn handen en kwam ondersteboven op het vloerkleed terecht. De koekjes lagen in het rond.

Ze zette kletterend haar kopje neer. 'Verdorie, ik ben ook... Hier, laat mij maar.' Voordat Ndebele iets kon doen, had ze de salontafel al weggeduwd en zat ze op handen en knieën de koekjes op te rapen. Ze legde ze weer op de schaal en ging met haar vingers door het tapijt om de kruimels bij elkaar te vegen. 'Zo onhandig.' Ze keek op naar de twee mannen en glimlachte vriendelijk. 'Onhandig en dom.'

Toen bijna alles was opgeraapt haalde ze diep adem. Met haar linkerhand pakte ze het laatste koekje, terwijl de rechter zich sloot om een stuk van het vloerkleed. Ze trok. Er klonk een zacht scheurend geluid, maar ze bleef strak naar de mannen kijken, nog steeds met die glimlach op haar gezicht. In één beweging ging ze op haar hakken zitten, legde het koekje op de schaal, pakte haar kopje en schoof weer op de bank, met haar linkerhand met het stukje tapijt onder haar rechterarm gestoken.

De twee mannen zeiden niets, maar keken haar zwijgend aan. Ze begon zomaar te praten om de stilte te verbreken. 'Waar komt u vandaan, meneer Ndebele?' Het was haar mond uit voordat ze erbij had nagedacht. Ze dwong zichzelf hem aan te blijven kijken en te blijven glimlachen. 'Tig zal u kunnen vertellen,' zei ze zo kalm mogelijk, 'dat ik enorm nieuwsgierig ben. Sorry.'

'U hoeft zich niet te verontschuldigen.' Ndebele boog met een beleefde glimlach zijn hoofd. 'In dit huis zijn geen verontschuldigingen nodig. Ik kom uit Zuid-Afrika. Dank u voor uw belangstelling.'

'Zuid-Afrika?'

'Bent u daar wel eens geweest?'

Er kwam een beeld bij haar op. Een beeld van een donker, ijskoud meertje, een beeld van mensen wier kreten weerklonken in de woestijnlucht. 'Nee,' zei ze zachtjes. 'Niet echt.'

'Ik weet wat u denkt.' Zijn ogen waren een beetje geel rond de pupillen, alsof hij geelzucht had.

'O, ja? Wat denk ik dan?'

Ndebele lachte. 'U ziet dat ik zwart ben. U denkt dat de enige Zuid-Afrikanen die u ooit hebt gezien blank zijn, en hier zit ik nu voor u, in levenden lijve en zwart.'

'Dat klopt,' zei ze, en ze wendde haar blik niet van de zijne af. 'Dat is precies wat ik dacht.'

'Ik ben een heel gelukkige zwarte Zuid-Afrikaan, dat kunt u van mij aannemen.'

Hij bleef haar zo strak aankijken dat het onbehaaglijk werd. Het was alsof hij had gezien dat ze een stuk van het tapijt trok en haar zo zenuwachtig wilde maken dat ze er iets uit zou flappen. Toen begon hij langzaam te praten, maar hij bleef haar aankijken, alsof hij elk woord wilde benadrukken. Aanvankelijk hoorde ze geen woord van wat hij zei, omdat hij werd overstemd door het bonzen van haar hart, maar toen kwam ze langzaam tot het besef dat hij haar zijn levensverhaal vertelde; dat hij was geboren in Johannesburg en dat de blanke eigenaren van het boorbedrijf waarvoor hij werkte een goede indruk hadden willen wekken en aan de quota hadden willen voldoen, alsof het bedrijf thuishoorde in het nieuwe Zuid-Afrika, en een zwarte heftruckchauffeur die al lang voor het bedrijf werkte uit het personeelsbestand hadden geplukt en hem snel en kunstmatig hadden gepromoveerd tot ze hem een managersfunctie konden geven en naar Kaapstad konden overplaatsen. Njabulu Ndebele had in zijn drie jaar als manager geen enkele beslissing genomen. Hij had de dagen doorgebracht in zijn met eikenhout betimmerde kantoor in de schaduw van de Tafelberg, waar hij internetpoker had gespeeld en cheques had ondertekend tot het hele bedrog door de pers aan de kaak werd gesteld. Daarna had hij de afkoopsom aangepakt, was naar Engeland verhuisd en had met zijn nieuw opgedane kennis The Moat geopend.

'Zo dan,' zei hij. 'Flea, mijn nieuwe vriendin. Vertel me eens wat jij weet over mijn land?'

'Heel weinig.'

'Zie je, ik ben er nieuwsgierig naar wat de Engelse politie in hemelsnaam denkt over mijn land.'

'Pardon?'

'Er is een verschrikkelijke trammelant ontstaan bij mijn restaurant. Je zult het vast wel op het nieuws hebben gehoord. De politie ondervraagt mijn personeel en houdt mijn zaak dicht. Zelfs ik mag niet naar binnen, zeggen ze. Nou, ik weet niet welk beest of onmens dit afschuwelijke ongoddelijke ding voor mijn deur heeft neergelegd, vrienden, maar ik ben oud genoeg om te weten dat het een aantasting is van mijn goede naam, een poging mijn zaken te saboteren.' Hij stak zijn open handen uit. 'Je ziet welke kleur mijn huid heeft. Je hoort mijn stem. Ik ben een Afrikaan, Flea, en de Afrikaan zal altijd de uitgestotene van de wereld zijn.'

Flea snoof. Ze klopte op haar spijkerbroek, zogenaamd om een zakdoek te zoeken. Toen duwde ze haar linkerhand in de voorzak en liet met een heimelijk tikje van haar vinger het stukje vloerkleed los. Daarna legde ze haar hand op haar bovenbeen. Ndebele volgde haar bewegingen met zijn blik.

'Zie je,' zei hij na een tijdje, en hij bleef naar haar hand kijken. 'Ik ben niet gewenst in deze samenleving, dus heeft iemand...' Hij ging langzamer praten en herhaalde het woord, '... iemand een ontzettend risico genomen om me in diskrediet te brengen. Maar...' Hij glimlachte plotseling. Zijn tanden waren wit. Er ontbrak er een, vlak naast de rechterhoektand. 'Hier zijn mijn vijanden in de fout gegaan. Dat is de grap. Niemand kan met zijn vinger naar mij wijzen. Ik ben geen wilde.'

'Meneer Ndebele,' zei ze effen, 'u spreekt in raadselen.'

'Raadselen? Echt niet. Ik probeer uit te leggen dat ik nog nooit iets te maken heb gehad met de politie.' Hij sprak het woord heel weloverwogen uit, lettergreep voor lettergreep. 'De *politie*. Ik weet niet wat ze denken over deze zwarte Zuid-Afrikaan.' Hij keek haar weer recht in de ogen. 'En jij? Weet jij wat ze denken?'

Hij weet het, dacht Flea. *Godverdomme, hij weet wie ik ben.* 'Nee,' zei ze met vaste stem. 'Ik heb geen idee wat ze zouden kunnen denken.'

Er viel een lange stilte. Tig kon niet meer stil blijven zitten en schraapte zijn keel. Ze wilde net iets tegen hem zeggen toen het klokje luidde. Hij stond meteen overeind. 'We moeten gaan,' zei hij, en hij stak Flea zijn hand toe. 'Kom op. We gaan. Nu meteen.'

Ze kwam een beetje onzeker overeind en zette het kopje zo hard neer dat het lepeltje van het schoteltje viel. 'Ik moet even naar het toilet, meneer Ndebele. Ik moet even een stukje papier hebben om mijn neus te snuiten.'

Er was een korte aarzeling. Ze verbeeldde het zich niet, dat wist ze zeker. Ndebeles blik ging even naar Tig, keerde terug naar haar en schoot toen weer naar Tig. Toen glimlachte hij minzaam en maakte een handgebaar naar de deur. 'Natuurlijk,' zei hij rustig. 'Ga je gang.'

Het toilet was op de eerste verdieping, recht boven de hal. Ze klom langzaam de trap op, die om de hal heen liep waar de twee mannen op haar stonden te wachten. Op de trap passeerde ze vier of vijf nissen. In elk ervan stond een kruis, sommige klein en sommige groot, maar allemaal schoon en nieuw, terwijl verder overal stof lag. De muren waren tot aan haar middel met panelen betimmerd en ze kon niet zeggen wat het was, maar iets aan die panelen bezorgde haar een ongemakkelijk gevoel. Ze hield haar handen tegen haar borst om ze niet aan te hoeven raken. Ze deden haar denken aan dingen die waren weggesloten, aan schaduwen die naar haar hielen hapten.

Ze kwam bij de overloop met zijn zwakke verlichting en vaag klinische geur. Het gevoel was er nog, dat iets of iemand naar haar keek. Boven aan de trap kwam ze bij een deur, precies waar Ndebele had gezegd waar een deur zou zijn. Ze duwde hem open, trok aan het koord en het licht ging aan; lichtgeel porselein, een doos Kleenex op de stortbak en haar eigen gezicht dat haar aanstaarde vanuit de spiegel boven de wastafel. Ze hield de deurknop stevig vast en bekeek haar gezicht, het haar dat in harde krullen rond haar voorhoofd viel, de kringen onder haar ogen. Na een paar tellen ging ze op haar tenen staan, zodat ze de ruimte achter haar in de spiegel kon zien, de panelen achter haar kuiten. Er was niets te zien. Waarom had ze gedacht dat er wel iets zou zijn?

Net toen ze zich begon af te vragen wat ze nu moest doen, hoorde ze een geluid aan haar rechterkant. Ze draaide zich om en een metertje verderop, aan de andere kant van de overloop, stond een deur half open. Ze had de kamer niet eerder gezien omdat het licht er uit was, maar nu kon ze haar ogen er niet meer van afhouden. Het geluid kwam van binnen, alsof er iemand zat te snikken.

Ze duwde de deur van het toilet stevig dicht, zodat het beneden te horen zou zijn. De twee mannen stonden aan de voet van de trap op zachte, vertrouwelijke toon te praten en hun stemmen veranderden niet, dus deed ze voorzichtig een stap naar de open deur. De vloerplanken waren heel stevig. Ze kraakten niet en ze zakten niet door, en na een paar korte passen stond ze opzij van de open deur. De mannen beneden bleven praten. Als ze haar hals uitrekte, kon ze het grootste deel van de kamer achter de deur zien.

Het was een vreemde slaapkamer, alleen verlicht door twee staande lampen in de hoeken. Hij deed haar denken aan een pionierskamer met zijn kale vloerplanken, geruite stoffering en met bloemen bestikte quilt. Er stond een koffer op de grond en vlak bij die koffer zat een blanke vrouw op haar knieën midden in de kamer, met haar gezicht naar het bed. Ze was iets jonger dan Ndebele, blond en enorm dik; haar lichaam leek uit de simpele witte jurk te barsten. Haar borsten trilden en deinden op en neer van het huilen en ze maakte een vreemd geluid waarvan Flea op een of andere manier wist dat het niets te maken had met verdriet.

De vrouw zette beide handen op de vloer en in haar enorme armen verschenen kuiltjes toen ze zich vooroverboog om onder het bed te kijken. Zelfs vanuit de deuropening kon Flea de tranen in haar ogen zien toen ze het donker in tuurde en op dat moment viel haar in wat er zo vreemd was aan het huilen. Het was een geluid dat voortkwam uit angst. De vrouw huilde omdat ze bang was voor wat er volgens haar onder het bed te zien zou zijn.

Ze rekte haar hals om in de hoeken te kunnen kijken en toen ze blijkbaar niets had aangetroffen, kwam ze op haar hielen overeind, draaide zich heel langzaam om en keek Flea recht aan. De tranen stonden op haar wangen, maar ze zei niets en leek ook niet verbaasd dat er iemand naar haar stond te kijken. Ze keek haar gewoon recht aan, alsof ze al die tijd geweten had dat ze daar stond.

Flea ging zonder iets te zeggen terug naar de trap en verwachtte iedere seconde een kreet achter zich te horen. Ze deed niet langer of ze naar het toilet was geweest – ze was van plan geweest de deur open en dicht te doen en even een kraan te laten lopen of zo – en liep zo snel haar benen haar konden dragen de trap af. Onderaan staakten de twee mannen hun gesprek en ze keken allebei op.

'Leuk u ontmoet te hebben,' zei ze tegen Ndebele. Ze stak niet haar hand uit, maar liep meteen verder naar de deur en negeerde Tig, die achter haar aan kwam. 'Heel leuk. Ik kom er zelf wel uit.'

Ze liep recht naar buiten, met haar armen over elkaar. Het was warm, maar ze huiverde onophoudelijk, zo blij was ze dat ze uit dat huis weg was. Ze had genoeg gezien. Morgenochtend ging ze meteen naar Jack Caffery.

'Hé.' Ze was al halverwege de straat toen Tig haar inhaalde. Hij greep haar bij de arm en draaide haar naar zich om. 'Wat denk jij verdomme dat je aan het doen bent?'

'Hij weet wie ik ben, Tig.' Ze veegde haar haar uit haar gezicht en keek hem boos aan. 'Merkte je dat dan niet? Zag je niet hoe hij naar me keek? Dat was heel vreemd.'

'Het enige vreemde was dat jij hem dwong over de zaak te praten. Dat was vreemd.'

'Ik heb hem niet gedwongen. Hij wilde erover praten. En in ieder geval is er iets mis met dat huis.'

'Flea. Flea.' Hij trok haar een eindje verder de weg af, zodat ze niet meer gezien konden worden vanaf het hek van Ndebele.

Het was bijna zeven uur in de avond, maar de hemel was nog blauw en de zakenlui die een huis hadden in deze buurt kwamen thuis in hun Audi's en Mercedessen. Sommigen namen Tig en Flea scherp op. Een van hen parkeerde zijn auto en bleef daarna op zijn oprit met zijn zonnebril in zijn hand naar hen staan kijken. 'Hoor eens,' zei Tig. 'Doe je nou niet een beetje paranoïde? Je was al op je hoede toen je naar binnen ging. Je zei niets, maar ik kon merken dat je je niet op je gemak voelde. Je beeldt je dit gewoon in.'

'Ik heb me niet ingebeeld hoe hij me aanstaarde. Toen hij vroeg wat de politie van hem zou denken.'

'Flea, luister nou, ik zou liegen als ik zei dat ik hem goed ken, maar ik ken hem goed genoeg om te weten dat hij geen vreemde dingen doet. Hij is helemaal niet achterbaks.'

'O, nee?' Ze was niet overtuigd. 'Weet je dat wel zeker?'

'Ja,' zei hij, en hij liep naar de auto. 'Ik weet het zeker.'

Ze keek hem met nog steeds bonzend hart na. De man op de oprit verloor zijn belangstelling en richtte de afstandsbediening op de garagedeur. Uiteindelijk kon ze niet anders dan Tig naar de auto volgen en haar sleutels tevoorschijn halen. Ze maakte het portier voor hem open en stapte met een zucht achter het stuur.

'Ik zal je nog iets anders vertellen,' zei ze, terwijl ze de gordel omdeed. Ze voelde nog steeds het laagje vet dat Ndebele had achtergelaten toen hij haar de hand schudde. 'Ze gaan vanavond niet naar de kerk. In ieder geval niet naar een kerk waar jij of ik heen zouden gaan.'

'Ach, kom nou toch. Waar heb je het over?'

Ze staarde in de richting van het huis, zo op het eerste gezicht een heel gewoon huis. Ze dacht aan het gevoel dat ze had gehad dat er schaduwen op kniehoogte langs de wandbetimmering hadden rondgerend. Ze dacht aan de vrouw die met een angstig gezicht onder het bed keek. Ze dacht aan de kruisen. En toen besefte ze ineens wat er mis was met dat huis.

Ze keek Tig met brandende ogen aan. 'Ik zal je één ding vertellen, Tig. Die mensen zijn geen christenen.'

21

15 MEI

Toen Caffery om acht uur weer op kantoor kwam, was het HOLMES-team klaar voor die dag en had iedereen zijn spullen gepakt. Een lid van het team wilde wel wat overwerk doen, dus gaf Caffery hem de enige centra die 's avonds sessies hadden voor verslaafden. Het duurde niet lang tot het bureau was uitgestorven.

Caffery genoot van de stilte en hij rommelde wat rond en deed alsof hij heel efficiënt was door zijn e-mails te lezen, de biografie te bekijken van een paar van de nieuwere teamleden en op zijn gemak wat op het computernetwerk van het politieapparaat te zoeken naar sleutelwoorden in de verklaring van de serveerster: *rivier*, *jeugd*. Toen hij *exhibitionisme* intypte, vulde het scherm zich zo snel dat het vierkantje in de scrollbar kromp tot een speldenknop. Er waren wel duizend kerels in Bristol die midden in de nacht hun geslacht aan de plaatselijke meisjes lieten zien. Hij had niet de moed die hele rij gegevens door te nemen.

Hij liep naar het raam, trok de lamellen wat van elkaar en werd overvallen door een vreemd gevoel van moedeloosheid. De halal slager aan de overkant was gesloten, maar het afhaalrestaurant ernaast was nog niet open. Hij keek op zijn horloge. Halfnegen.

Nog vroeg. Maar het zou niet lang duren voor de zon onderging. En dat betekende dat de meisjes weer op City Road zouden staan, als je wist waar je moest zoeken. Zijn vingers knepen steeds harder in de lamellen, tot hij dacht dat hij zou gaan huilen als hij daar nog langer bleef staan. Hij haalde zijn telefoon voor de dag en belde het nummer dat Flea hem had gegeven. Van een oude vriend van haar moeder, had ze gezegd, die vanuit huis werkte.

De telefoon ging een paar keer over en hij wilde net ophangen omdat het toch wel laat was om nog te bellen toen de kweker opnam en nogal traag zei: de Remembrance, nou nou, dat was al een hele oude, de Remembrance, en niet meer zo populair, maar hij kon er de komende dagen misschien wat van bestellen als Caffery het niet erg vond om erop te wachten, maar Caffery zou ze zelf moeten ophalen in Bishop Sutton, want hij bezorgde niet. En nu hij Caffery toch aan de telefoon had, hoe was het toch met Flea Marley, die lieverd? Was het niet tragisch wat dat arme kind overkomen was, en dat terwijl ze nog geen dertig was?

'Ik denk...' Caffery tikte met een vinger op het bureau en had het vreemde gevoel dat hij de enige was die een verhaal niet kende waarvan verder iedereen op de hoogte was. 'Ik denk,' zei hij, 'dat het gezien de omstandigheden vrij goed met haar gaat... Maar ik zal haar vertellen dat u naar haar gevraagd hebt.'

Ze praatten nog even over onbelangrijke dingen en de betaling en dat Caffery niet klonk alsof hij uit die streek was en hoe hij het vond in het westen. Caffery antwoordde rustig, maar toen hij de verbinding verbrak lag er een frons op zijn gezicht en tikte zijn vinger wat harder terwijl hij nadacht over wat de kweker had gezegd. Een tragedie in het leven van Flea Marley. Wat voor tragedie? dacht hij, en hij vroeg zich onwillekeurig af of ze een vriendje had die haar erdoorheen kon helpen. En op dat punt moest hij zichzelf tot de orde roepen. Het is normaal nieuwsgierig te zijn, jongen, dacht hij, daarvoor ben je rechercheur. En voor de drank. Maar drijf het niet te ver. Je kon een heleboel schade aanrichten als je zulke dingen ging denken.

Hij ging naar de kaart van de streek aan de muur, legde zijn duim op Bishop Sutton en strekte toen zijn hand tot zijn pink op Shepton Mallet lag. Aanvankelijk had de route van de Wandelaar volkomen willekeurig geleken. Maar sinds de vorige avond, toen Caffery de voorraad cider onder de heg had gezien, was hij gaan denken dat er regelmaat zat in zijn omzwervingen. Hij had met gebruik van de weinige meldingen die de database had bewaard alle plekken waar hij was gezien in kaart gebracht en had de overnachtingsplaats bij de steengroeve van Vobster eraan toegevoegd, en nu hij in het slecht verlichte kantoor stond, begon hij er een vorm in te zien. Het was een soort halfopen waaier of een stuk taart, waarvan de basis bij Shepton Mallet lag en de bovenkant van Congresbury bijna helemaal tot aan Keynsham liep, waarbij de A367 de vlakke rand vormde. Hij bleef nog wat langer naar de vorm kijken, en toen pakte hij zijn jasje van de rug van de stoel en tastte naar zijn sleutel.

Het probleem met de Wandelaar was dat hij elke dag de hele dag in beweging was. Als je hem wilde vinden, moest je ook in beweging blijven. Of anders moest je weten waar hij heen wilde. Met de waaiervorm in zijn hoofd reed Caffery naar de A37, een oude weg die al door de tempeliers was gebruikt, een van de oudste in Groot-Brittannië. Hij passeerde Farrington Gurney en reed Ston Easton in, waar de steile, druipende wanden van het gehucht langs de weg oprezen en de slijmerige pollen vegetatie tussen de stenen hem het gevoel gaven dat hij door de droge bedding van een oud kanaal reed. Buiten het gehucht ging hij langzamer rijden. Er was geen ander verkeer op de weg, dus ging hij op zijn gemak verder. De koplampen maakten ijzige koepels van filigreinwerk van de takken boven hem. Hij leunde met zijn elleboog door het open raampje en zocht de inktzwarte duisternis aan weerskanten van de weg af naar de gloed van het vuur van de Wandelaar.

Na een tijdje passeerde hij een pad aan de rechterkant. Hij was al honderd meter verder toen iets hem deed stoppen en de auto deed draaien. Hij zette hem zo ver in de berm dat alle wielen van de weg waren en hij zijn gevarendriehoek niet hoefde uit te zetten. Toen stapte hij uit en klom over het lage hek het veld daarachter in. De omgeving was zwart en onpeilbaar, en alleen de grijzige vorm van een boom of heuvel verstoorde het duister.

Opeens had hij het koud. Hij trok zijn jas aan en bleef met zijn handen onder zijn oksels staan om de duisternis te laten neerdalen over zijn hoofd en in zijn nek. Hij spande zich in om het kraken van een twijgje te horen of een houtvuurtje te ruiken.

De Wandelaar had iemands neus afgesneden met een stanleymes uit een gereedschapskist. Het was gebeurd in zijn garage in Shepton Mallet en hij had de man, die Craig Evans heette, stilgehouden door hem met rood en wit plakband met de woorden 'Handle With Care' erop aan een stoel vast te plakken. Toen de neus eraf was en Evans een tijdje bloed had gespuugd, had de Wandelaar zijn duimen – zijn duimen, een feit dat Caffery meer aangreep dan al het andere – zo hard tegen de ogen van de man gedrukt dat ze uit de kassen waren geglipt. Toen hij klaar was, had hij een strijkplank tegen de muur gezet en de handen van zijn slachtoffer aan de bouwblokken vastgespijkerd. Hij had hem gekruisigd.

De politie wist dat allemaal omdat hij alles had gefilmd, zodat hij er later voor zijn genoegen naar kon kijken. Ze wisten dat hij beide ogen en de lange, glibberige rode slierten die eraan hingen op een plank had gelegd en daarna beide knieschijven had verbrijzeld met een koevoet, Evans' lul eraf had gesneden, het huis in was gegaan en de stukken – de ogen, de neus en de lul – in een koekblik had gedaan. Toen de politie ze vond, waren ze al zo vergaan dat het deksel bol stond.

Caffery ademde in en liet de kou in zijn neusgaten prikken terwijl hij nadacht over de duisternis. Hij bleef nog even naar de stilte staan luisteren en keek naar de mottige, grijze schim van een uil die langs de hemel schoot. Toen hij helemaal niets hoorde, ging hij terug naar de auto. Hij stapte in en bleef door het traliewerk van takken naar de wolken zitten kijken, die in plukjes rond de maan gleden.

Hij voelde weer die vage pijn in zijn ledematen en het viel hem in dat die deze keer niet te wijten was aan spanning, maar aan vermoeidheid, en dat die vermoeidheid op zijn beurt in verband stond met het gesprek dat hij met de kweker had gehad. *Was het niet tragisch, wat dat arme kind overkomen was?*

Het duurde even voor hij er de vinger op kon leggen, voor hij zich herinnerde welk gevoel hij erbij had gehad: dat hij een buitenstaander was. Dat hij de nieuweling was, de buitenstaander die naar binnen keek. Misschien zou hij eens rondvragen wat er met haar gebeurd was. Maar niet zo opvallend dat hij een zak leek. En toen hoorde hij de stem van de Wandelaar: *je mist het niet als je het beschouwt als iets wat andere mensen doen in een ander leven.* Ja, dacht hij, hij heeft gelijk, vergeet het gewoon. Dat zou je vroeger gedaan hebben, alle mogelijke manieren hebben aangegrepen om alles over haar te weten te komen, over haar geheim, over wat er met haar gebeurd is. Maar nu niet meer. Je leeft nu in een andere wereld.

Hij zette de motor aan en reed de auto de weg op. Het was na tienen en tegen de tijd dat hij op City Road was, zou het bijna elf uur zijn en zou Keelie op straat verschijnen. Hij deed het raampje open en de bittere geur van uitlaatgassen en aarde waaide naar binnen. Zelfs als hij zich echt concentreerde kon hij zich Keelies gezicht niet te binnen brengen of welke kleur haar haar had. Maar wat hij wel wist, was dat ze zo attent was hem nooit ofte nimmer aan te kijken als hij haar naaide. En dat was ook iets waard, veronderstelde hij.

22

9 MEI

Een dag later ligt Mossy op de bank met een voet vlak boven de vloer en zijn onderlip tegen zijn opgeheven duim naar het hek te kijken en te wachten tot Jonah komt.

Maar de dag wordt nacht en de nacht wordt dag en er gebeurt niets en er komt niemand. Soms denkt hij dat de zon is vastgelopen aan de hemel, want iedere keer als hij zijn ogen opendoet, komt er daglicht door de tralies. Andere keren denkt hij dat hij in een tijdmachine zit die vooruitgaat, zodat de zon snel als in een stomme film langs de hemel schuift, want het ene moment is hij er zeker van dat het ochtend is en als hij het volgende moment zijn ogen weer opendoet, ziet hij een zonsondergang rode vingers licht tussen de planken door sturen en de smerige stoffige kamer verlichten die zijn martelcel is geworden.

Ze leven op koffie met veel suiker en Cup-a-soup en Skinny speelt hem af en toe een beetje scag toe. Hij krijgt het van 'Oom', die zich altijd aan de andere kant van het ijzeren hek lijkt te bevinden. Oom moet daar een kamer hebben, denkt Mossy, want als Skinny hem wil spreken of de kamer uit wil, gaat hij naar het hek en klopt hij er drie keer op. Daarna blijft het meestal een tijdje stil, maar dan verschijnt er een lichtstraal in de gang en een silhouet dat sleutels meebrengt en een vlaag kou. Mossy kan Oom nooit goed zien, maar hij weet dat hij iets over zijn gezicht moet dragen, omdat zijn hoofd altijd te donker en te groot lijkt voor zijn lichaam.

Mossy zit uren naar dat hek te kijken en probeert erdoorheen te boren met zijn gedachten. Er is een gang achter; hij kan de muren zien met rauhfaser erop, dat gescheurd en gehavend is en waarvan hele lappen naar beneden hangen. Ergens kan hij een kraan horen druppelen. Meestal is het donker in de gang omdat er geen gloeilamp is, maar hij kan ongeveer schatten hoe lang hij is als iemand erdoorheen loopt, Skinny of Oom. Soms hoort hij vreemde stemmen, elektronisch en heel afgemeten, maar dat zijn maar korte uitbarstingen en hij is er nooit helemaal zeker van of hij het zich niet verbeeld heeft.

Skinny is nu alles voor Mossy: ja, zijn gevangenbewaarder, maar dat niet alleen. Zijn anker, de persoon die verlichting brengt in een injectiespuit. Hij is er altijd, een warm bundeltje dat rond Mossy's bovenlichaam past en dat als een dier zijn droge handen in hem begraaft. En als een dier dat troost vindt in de aanwezigheid van een ander dier verdwijnt Mossy's angst dan even. Hij heeft het gevoel dat hij Skinny moet beschermen, degene die hem hierheen gebracht heeft en die zijn handen wil afsnijden. Hoewel hij vanbinnen wil huilen, geeft Skinny Mossy het gevoel dat hij een man is. Hij voelt zich groter als Skinny bij hem is. Hij ziet hem niet als zijn kweller, maar als een slachtoffer en hij denkt dat dat komt omdat die kleine Afrikaan ook wordt gebruikt.

Skinny werkt voor Oom en dat werk is heel gevarieerd: soms moet hij mensen bloed afnemen, soms moet hij drugs verkopen en soms moet hij de straat op gaan en zijn lichaam verkopen. Dat is allemaal niet zo verbazingwekkend in Mossy's ogen: Skinny is klein, zo klein, en ze weten allebei dat daar een markt voor is. Er is bijvoorbeeld een vent, een dikke man in een aftandse auto die altijd voor de plaatselijke supermarkt staat, en soms als Skinny weggaat draagt hij stomme kleren die hem op een kind laten lijken, petjes en schooljongensachtige blazers.

'Het is voor de dikke,' zegt hij dan. 'Hij vindt het leuk als ik dat draag.'

Mossy begrijpt niet waarom hij zich er iets van aantrekt wat Skinny doet als hij hier weggaat. Hij kan niet begrijpen waarom het beeld van de lul van een of andere dikke schoft in Skinny's kont hem zo tegenstaat, behalve dat hij ondanks al zijn angst gesteld is geraakt op het ventje. Hij kan daar natuurlijk niets over zeggen, want zo gaat het in het leven: als het erop aankomt, zijn hij en Skinny één. Ze zijn allebei afkomstig uit het poepgat van de wereld. Het enige wat zij te verhandelen hebben, is hun eigen lichaam, en je stelt geen vragen als een vriend het leven in gaat.

In ieder geval is het voor Skinny waarschijnlijk erger, omdat hij illegaal in dit land verblijft. Mossy heeft het idee dat er nog andere illegalen in dit gebouw wonen; soms ziet hij schaduwen in de kooi aan de overkant en hoort hij vreemde geluiden, alsof er iemand rond schuifelt. Als het heel donker is en Skinny weg is, kan Mossy zichzelf ervan overtuigen dat ze hun onderkomen delen met een vreemde gast. Soms, bij de zeldzame gelegenheden dat hij kan slapen in deze hel, wordt hij wakker met het idee dat dat wezen stilletjes tussen de tralies voor het raam door de kamer is binnengeglipt en zonder een geluid te maken door de kamer naar zijn kooi is geslopen.

Maar, denkt hij, als een magere lat als hij niet door die tralies komt, hoe kan iemand anders er dan door komen? Tenzij, denkt hij soms laat op de avond, als hij de hele dag alleen is geweest, tenzij het geen iemand is, maar iets. Iets onmenselijks.

Maar van die gedachte wordt hij weer helemaal koud. Dus kijkt hij zo min mogelijk naar het raam en doet hij zijn uiterste best om er niet aan te denken.

23

16 MEI

Katherine Oscar was gekleed in een witte blouse en een beige rijbroek die ze in haar rijlaarzen had gestopt. Haar haar zat in een knot die ze losjes had vastgezet, alsof ze er niet veel tijd aan had besteed. Mevrouw Oscar zijn was een hele kunst en ze deed veel moeite om ervoor te zorgen dat niemand haar ooit gekunsteld zou kunnen noemen. Of een snob. Op deze woensdagmorgen stond ze al heel vroeg met een geïrriteerd gezicht op de met grind verharde oprit van de Marleys. Haar handen lagen op haar heupen, de vroege zon bescheen de losse lokken rond haar gezicht en haar hoofd was achterovergebogen, zodat ze naar de ramen op de eerste verdieping van het huis van de Marleys kon kijken. Ze vroeg zich waarschijnlijk af waarom er niemand opendeed.

Flea, net uit de douche en met een handdoek om zich heen, stond heel stil door het badkamerraam naar haar te kijken. Hier wonen bracht al zolang ze zich kon herinneren één probleem met zich mee: Katherine Oscar en haar gezin. De hoge muren van het huis van de Oscars grensden aan de tuin van de Marleys, zodat ze altijd het gevoel had bekeken te worden; de kinderen van de Oscars konden uit de slaapkamerramen zien hoe de kinderen van de Marleys in de tuin speelden die eens van de Oscars was geweest. Het landhuis had grote tuinen aan de andere kant met een zwembad, stallen en een siertuin, maar de Oscars hadden er moeite mee te accepteren dat ze niet meer heer en meester waren over de tuin van de Marleys, en ze kwamen heel vaak zonder het te vragen op Flea's terrein, alsof alleen hun rijkdom hun dat recht gaf.

De ergste overtreder was de jongste zoon, Toby, een stevig kind met een bloempotkapsel en dicht bij elkaar staande ogen. Het was op een confrontatie uitgelopen toen Flea op een middag in de herfst toevallig door een raam aan de voorkant had gekeken en hem beneden op de weg blij en overvloedig tegen haar muur had zien pissen. Ze had het raam opengegooid en iets tegen hem geroepen, maar hij had gedaan alsof hij niets hoorde, had rustig zijn rits dichtgetrokken en was over de weg terug naar het landhuis gelopen, op zijn hoofd krabbend alsof hij probeerde zich iets te herinneren. Tegen de tijd dat zij haar schoenen aanhad en voor het landhuis stond, was de voordeur dicht. Ze moest drie keer bellen om iemand aan de deur te krijgen.

'Zo'n enorm huis als dit heeft eigenlijk twee deurbellen nodig!' Katherine Oscar maakte altijd grapjes over de omvang van het huis, maar toen Flea vertelde wat er was gebeurd, verdween haar glimlach. Ze stapte naar buiten en keek zorgvuldig de weg af, alsof ze niet geloofde dat het mogelijk was dat een kind van haar zoiets had gedaan. Ze stapte de hal weer in en deed haar ogen dicht. 'Weet je, ik krijg de rillingen van de gedachte dat de kinderen daar op de weg lopen. Dank je dat je het me verteld hebt.'

Ze wilde de deur dichtdoen, maar Flea zette haar voet ertussen. 'Die weg kan me niet schelen, Katherine. Ik wil weten of je met hem gaat praten.'

Katherine Oscar kreeg een kleur. 'Pardon?'

'Ga je met je zoon praten?'

'Natuurlijk ga ik met hem praten. Waar zie je me voor aan?'

Voor uitschot, dacht Flea met een blik op het blonde haar, de dure blouse en de knopjes in haar oren. Zal ik je eens wat vertellen, Katherine? Ik haat je. Ik haat je omdat je op me neerkijkt, omdat je respect hebt voor macht en geld, omdat je met je SUV altijd en eeuwig de binnenbocht neemt, zodat andere auto's voor je moeten stoppen. Ik haat je omdat je laatst je auto zomaar op de weg hebt laten staan, bent uitgestapt en een lang gesprek ging voeren met je tuinman zonder erop te letten dat drie andere auto's vijf minuten moesten wachten omdat jij zo nodig over kunstmest en perkplanten moest praten. Je zou moord en brand schreeuwen als er een misdadiger in je buurt kwam, maar je man is een varken die zijn hele leven van achter de computer andere mensen heeft bestolen en de grootste misdadiger die ik ooit heb ontmoet.

Ze had het graag allemaal willen zeggen. Ze had Katherine Oscar met alle plezier tegen de muur geschoven en het haar in haar gezicht gezegd. Maar ze had het uiteraard niet gedaan. Ze wist hoe ze iemand moest raken, ze wist hoe ze dat snel en efficiënt moest aanpakken, maar ze wist ook hoe ze zichzelf in bedwang moest houden, dus had ze alleen maar geknikt. 'Mooi,' had ze rustig gezegd. 'Praat met hem. En maak het hem goed duidelijk, want als het nog eens gebeurt, laat ik hem arresteren. Begrepen?'

Daarna hadden de Oscars haar met rust gelaten. Van tijd tot tijd zag ze de jongens boze blikken naar haar werpen van achter de getinte ramen van de SUV als ze op weg waren naar school en ze hoorde ze wel eens om haar lachen door de ramen van het huis, maar dat kon haar niet schelen. Hoe minder ze van hen zag, hoe beter het was. Een tijdlang hoorde ze helemaal niets van de Oscars, behalve het vage geluid van de paarden in de stallen op lange zomeravonden. Maar als ze dacht dat het daarbij zou blijven, had ze het mis, want Katherine kon de tuin gewoon niet uit haar hoofd zetten. Ongeveer zes maanden later begon ze berichten in te spreken op Flea's antwoordapparaat om te vertellen hoe graag de Oscars, ondanks hun meningsverschillen, de tuin wilden terugkopen, en dat ze voorstellen zou indienen bij de gemeenteraad, English Heritage, het plaatselijke bewonerscomité en de National Trust om de tuin weer bij het landhuis te trekken. Ze deed twee of drie keer per maand briefjes door de brievenbus en kwam iedere week langs om 'even gedag te zeggen en te kijken of je nog op andere gedachten bent gekomen'. Ze hield de druk op de ketel.

Nu het geluid van de bel weer door het huisje galmde, wist Flea dat ze kwam vragen naar het laatste briefje: *Heb je het gehad? Heb je nagedacht over wat ik heb geschreven? Over de prijzen van onroerend goed?* Dus bleef ze heel stil staan in de wetenschap dat ze niet gezien kon worden, tot Katherine het wachten moe werd en met een ongeduldig hoofdschudden – alsof ze wilde zeggen dat ze de Marleys nooit had kunnen begrijpen en waarom gaven ze geld uit om te duiken in stomme delen van de wereld terwijl ze ook een behoorlijke auto hadden kunnen kopen, zodat hun wrakken de buurt niet zouden ontsieren – rechtsomkeert maakte en stijfjes de oprit af liep. Zelfs het geluid van haar voetstappen in het grind had een speciale klank, alsof haar voeten de stenen scherper raakten dan die van andere mensen.

Flea wachtte tot de voetstappen waren weggestorven en toen ze weer alleen was, draaide ze zich weer om naar het open badkamerkastje en keek snel langs alle vertrouwde dingen: de reservetandenborstel, het nagelschaartje, haar vrouwencondoom in het doosje, dat er al jaren lag en dat ze waarschijnlijk weg zou moeten gooien, de bodylotion en de tondeuse. Ze was inmiddels vergeten wat ze had gezocht; haar hoofd was te warm en te vervuld van de dingen die de vorige avond waren gebeurd, alsof er een infectie zat.

Achter in het kastje, achter de vitaminen die ze slikte in de hoop dat ze haar immuunsysteem konden versterken en de bacillen en ziektekiemen konden helpen verslaan waartussen ze voortdurend rondzwom, stond een doosje pillen tegen reisziekte, die ze bewaarde voor Thom. Ze zou die avond waarschijnlijk misselijk worden. Kaiser had haar gewaarschuwd dat het actieve ingrediënt in ibogaïne haar de symptomen van reisziekte zou bezorgen. Ze haalde het pakje voor de dag, het was waarschijnlijk jaren over datum, maar beter dan niets, en zette het op de wastafel. Toen deed ze het kastje dicht, droogde zich af, deed een wijde broek en een T-shirt aan en een oude Chinese arbeidersmuts over haar natte haar. Ten slotte zocht ze haar sleutels op en sprong ze in haar auto. Met haar handen op het stuur bekeek ze de aderen in haar arm, die blauw en koud afstaken tegen de huid. Vanavond zou ze vergif in haar bloedstroom brengen, iets waardoor ze met de doden kon spreken. En daarvoor had ze zoveel gemoedsrust nodig als ze kon krijgen. Dus kon het haar niet schelen wat haar meerdere had gezegd over haar bemoeienis met onderzoeken. Het was heel eenvoudig: de dingen die ze gisteravond gevoeld en gezien had, moesten uit haar hoofd verdwijnen. Ze moest ze kwijt voordat ze de ibogaïne innam.

Toen ze de oprit af reed, liet ze de wielen van de oude Ford een paar keer door het grind draaien. Daarna schoot ze langs het landhuis en claxonneerde een paar keer. Alleen om te zorgen dat Katherine Oscar haar hoorde en wist dat ze er al die tijd geweest was.

Het waren de sporen in het stof die Flea aan het denken hadden gezet. Mevrouw Ndebele – als de vrouw in de slaapkamer tenminste mevrouw Ndebele was geweest – mocht misschien een goede kokkin zijn, maar ze was een slechte huishoudster. De kruisen die overal in het huis stonden waren allemaal volkomen schoon, maar ze stonden stuk voor stuk in een grotere kring in het stof. De kruisen waren schoon omdat ze gloednieuw waren, niet omdat ze waren afgestoft. En ze stonden in kringen in het stof omdat ze zeer recent op de plaats waren gekomen van iets wat er heel lang had gestaan. De kruisen waren alleen voor de show, daar was Flea zeker van. Ze stonden er om de wereld te laten geloven dat dit het huis van een christen was.

Toen ze op de deur van de waarnemend onderzoeksleider klopte, deed niemand open, dus duwde ze hem op een kier. Caffery stond alleen in overhemdsmouwen, zijn handen in zijn broekzakken en zijn voeten een eindje uit elkaar te kijken naar iets voor zijn raam. Ze bekeek hem van achteren en kreeg duidelijk de indruk dat hij de nacht tevoren niet thuis was geweest. Als het niet zo gek klonk, zou ze zeggen dat hij de nacht in zijn kantoor had doorgebracht. Of anders had hij in zijn auto geslapen. Ze vroeg zich af of hij wel een huis had. Voor hetzelfde geld woonde hij in een zit-/slaapkamer van de opleidingsvleugel tot hij iets anders gevonden had.

Maar toen ze keek naar zijn kortgeknipte haar flitste er een beeld van hem in bed door haar hoofd. Hij sliep, met een hand langs zijn zij. Hij was bruin en zijn gezicht werd in elkaar gedrukt door het kussen, zodat de spieren in zijn schouders licht gespannen waren. Ze schraapte haar keel om het beeld te verdrijven.

'Hallo.'

Hij draaide zich om. Er lag een vlakke en half boze blik in zijn ogen en even was het alsof hij haar niet herkende. Toen klaarde zijn gezicht op. Hij haalde diep adem en glimlachte. 'O, hoi. Sorry, ik was even van de wereld.' Hij trok een stoel bij en gebaarde dat ze moest gaan zitten. 'Je hebt me midden in een dagdroom betrapt.'

Ze zette haar muts af, ging met haar vingers door haar haar en ging zitten. 'Waarover?'

Hij leunde tegen het bureau met zijn armen over elkaar en een paperclip in een van zijn handen en keek naar haar. Ze verdrong de gedachten zo goed mogelijk, maar een groot deel van haar brein registreerde een heleboel dingen aan hem, bijvoorbeeld dat hij geen bruine ogen had, zoals ze oorspronkelijk gedacht had, maar blauwe met heel donkere wimpers. Net zo donker als zijn haar. 'Ik verwachtte je niet,' zei hij. 'Ik was niet van plan vandaag met jouw team te werken. Je moet iets weten dat ik niet weet.'

Ze wendde haar blik af van zijn gezicht en deed alsof ze het kantoortje rondkeek met zijn doffe verf en verbleekte streekkaart aan de muur.

'Flea? Wat zit je dwars?'

'Oké,' zei ze langzaam. 'Ik wil dat je belooft dat wat ik ga zeggen niet verder komt dan deze kamer.'

Hij trok een wenkbrauw op. 'Oké.' Hij glimlachte een beetje. 'Stel me maar op de proef.'

'Goed. Ik zal eerlijk zijn. Ik heb iets stoms gedaan.'

'Aha.'

'Ik ben gaan praten met Njabulu Ndebele. De eigenaar van The Moat.'

Caffery lachte alsof hij haar niet geloofde.

'Echt. Ik ben gisteravond bij hem thuis geweest.'

'Hij is niet eens in het land. Hij komt vanmiddag pas aan.'

'Hij is eerder teruggekomen. Misschien wist hij dat jullie hem zochten.'

Caffery's gezicht werd ernstig. Hij liet zijn armen langs zijn lichaam vallen. 'Je meent het echt. Je bent echt met hem gaan praten.'

'Ik heb niet gezegd dat ik van de politie was.'

'Wie heb je dan gezegd dat je was?'

'Niemand. Ik ben met een vriend van mij meegegaan die hem kent.'

Hij gooide de paperclip in de afvalbak. 'Stom, als je het niet erg vindt dat ik het zeg. Behoorlijk stom.'

'Dat weet ik.' Ze schudde haar hoofd. 'Maar hij gaat nergens heen, daar ben ik zeker van. Hij wacht op jou. En... nu we het toch over behoorlijk stomme dingen hebben, ik heb nog iets gedaan.' Ondanks de blik die hij haar toewierp, voelde ze in haar zakken naar het plastic zakje met vezels. Ze stak het hem toe op haar platte hand. 'Die zijn afkomstig van zijn vloerkleed.'

Hij nam het zakje van haar aan. 'Wat is dit?'

'Jij zei dat er vezels van vloerbedekking op de handen zaten. Dus ik dacht... ik dacht dat je hier misschien iets aan zou hebben.'

Caffery draaide het zakje om en om in zijn handen. Toen ging hij naar een dossierkast, haalde er een papieren zak uit en deed het zakje erin. Hij haalde de dop van een pen, leek even na te denken over wat hij op de zak moest schrijven. Toen veranderde hij van gedachten, krabbelde een aantekening voor zichzelf en plakte die op de zak.

'Ik ben niet onder dwang of valse voorwendselen binnengekomen.'

'Je weet net zo goed wat er in sectie negentien staat als ik. Het is een kwestie van toestemming versus echte toestemming. Je hebt niemand verteld wie je was, en je hebt gebruikgemaakt van een vriend om informatie te bemachtigen,' zei hij geduldig op vlakke toon. 'Laten we hopen dat de verdediging slaapt of niet de moeite neemt het te controleren, anders zou ze kunnen zeggen dat je zonder goedkeuring undercover bent gegaan.'

Flea's kaakspieren spanden zich. Ze had zich voorgenomen het niet te doen, maar ze had veel zin om gewoon weg te lopen. Caffery had waarschijnlijk gelijk: de verdediging zou hen aan de schandpaal nagelen vanwege het feit dat ze ongeoorloofd undercover was geweest. Maar ze liet zich door hem niet van de wijs brengen. Ze dwong zichzelf rechtop te gaan zitten. Het was een lichamelijk iets. Schouders achteruit, dan voelde ze zich sterker.

'En de vezels?' zei ze. 'Lijken ze op die op de handen?'

Eerst dacht ze dat hij haar niet had gehoord. Hij keek nog steeds naar de papieren zak, met een gezicht alsof de vezels hem iets meedeelden. 'Zijn het dezelfde als die op de hand?' herhaalde ze.

Caffery zei, alsof hij haar niet had gehoord: 'Je bleef gisteren maar zeggen dat hij Afrikaans is. Wat bedoelde je daarmee, dat hij Afrikaans is?'

'Weet je zeker dat je het wilt weten?'

'Ik weet het zeker.'

'Oké.' Ze wees naar de computer. 'Mag ik?'

'Hij is traag. Misschien zit hij nog steeds op de telefoonlijn. Het beste wat Avon and Somerset te bieden heeft, en als er veel gebruikers zijn, duurt het wel vijf minuten voor je een pagina gedownload hebt.'

Ze rolde de stoel naar voren door zich met haar hakken over de vloer te trekken en schoof de muis over het matje. Toen het scherm oplichtte, wachtte ze op verbinding, typte een zoekterm in – hij had gelijk, de server deed er een eeuwigheid over – en ging naar de pagina die ze wilde hebben. 'Daar,' zei ze, wijzend naar de foto.

Caffery kwam naast haar staan en boog iets voorover om op het scherm te kunnen kijken. Als hij de vorige avond niet naar huis was gegaan, had hij tenminste ergens kunnen douchen. Hij stond dicht bij haar en hij rook schoon. 'Waar kijk ik naar?' zei hij langzaam. 'Wat is dit?'

Ze dacht aan iets waarvan ze wist dat hij het zich zou herinneren: het lijk van een jongetje zonder hoofd en zonder ledematen, dat in de Theems had gedreven. Ze hadden hem 'Adam' genoemd omdat de enige aanwijzing voor zijn identiteit de oranje korte broek was waarin zijn onderlichaam was gekleed, de inhoud van zijn maag en het feit dat de moordenaar heel doelbewust de eerste ruggenwervels had verwijderd. 'Toen jij in Londen werkte,' zei ze voorzichtig, 'had je toen iets te maken met Adam?'

'Adam?'

'Het jongetje in de Theems. De torso.'

'Ja,' zei hij. 'Een paar van mijn collega's zaten op die zaak. Maar waarom...' Zijn stem stierf weg, maar hij bleef haar aankijken, hoewel hij plotseling bleek werd. 'Jezus christus,' zei hij gespannen. 'Ik begrijp waar je het over hebt.'

Ze gaf geen antwoord. Het spoor van 'Adam' had uiteindelijk naar Afrika gevoerd, waar de ergste vermoedens van de politie bevestigd werden: de kleur van de korte broek en het vermiste bot, de atlas, dat in veel Afrikaanse religies werd beschouwd als het centrum van het lichaam... Alles had in dezelfde richting gewezen.

'*Muti*,' mompelde Caffery. 'Dat wil je zeggen. Dat dit een *muti*-moord is.'

'Ja,' zei ze, en even zwegen ze allebei. *Muti*, zwarte magie, hekserij. Het woord was voldoende om een kilte in de kamer te brengen. Bij Afrikaanse magie werden soms mensen gedood en in stukken gesneden om de delen te gebruiken in religieuze rituelen. Er waren de laatste tien jaar aanwijzingen dat het gebruik ook naar Groot-Brittannië was overgewaaid.

'Het stond in een boek dat ik onder ogen kreeg.' Ze zei het zachtjes, alsof het onbehoorlijk was om er hardop over te praten. 'Een boek over Afrikaanse hekserij en sjamanen. Er stond een foto in van afgehakte handen. Daar hebben ze een kerel uit Johannesburg voor veroordeeld. Hij had ze van een lijk gesneden en ze aan een plaatselijke zakenman verkocht.'

'En wat ging die ermee doen?'

'Ze zouden klanten binnenbrengen. Dat is het idee. Je begraaft ze of metselt ze in de muren en dan wenken ze de mensen naar binnen. En van wat ik uit het boek begreep...' Ze ging na enige aarzeling verder. '... moet je ze bij de ingang plaatsen.'

Caffery keek een beetje afwezig, alsof hij zich concentreerde op de gedachtegang in zijn hoofd. Toen keek hij weer naar het scherm en zei iets zachter: 'En dit?' In een glazen vitrinekast was een bruin voorwerp uitgestald, ongeveer zo groot als een slaapzak.

'Dit? O god, ik weet niet waarom ik je dit heb laten zien, maar het maakte me duidelijk hoe ver die mensen gaan.'

Caffery boog zich naar het beeldscherm en bekeek de obscene plooien met de gele en gerafelde randen. 'Wat is het?'

'Wat denk je dat het is?'

'Ik weet het niet...' Ze hadden er geen van beiden iets van gezegd, maar er was iets donkers in de kamer gekropen, alsof de zon schuil was gegaan achter een wolk. 'Ik denk, en vraag me niet waarom, maar ik denk dat ik naar iemands huid sta te kijken.'

24

10 MEI

Mossy wordt wakker en ziet Skinny een meter verderop op de vloer hurken. Even is hij in de war. De kamer wordt overspoeld door een vreemd blauwwit licht, dat de kleinste dingen een schaduw geeft en het stof en de stukjes tabak en haren op de vloer lijkt te laten knisperen van elektriciteit. Skinny heeft een soort mantel aan met rode, zwarte en witte ruiten, met symbolen erop die lijken op Afrikaanse maskers. Op zijn hoofd heeft hij een pruik van lang zwart haar met witte schelpen erdoor gevlochten. Even blijft hij als verstijfd zitten, als een leeuw vlak voor de sprong, dan is hij opeens in beweging en gaat hij snel de kamer rond. De beweging heeft iets akeligs dat ervoor zorgt dat Mossy rechtop op de bank gaat zitten, want de manier waarop Skinny op handen en voeten voortbeweegt is snel en onnatuurlijk en lijkt een beetje op het lopen van een gewonde spin. De kralen in zijn haar klikken tegen elkaar.

Skinny sist en ontbloot zijn tanden als een slang, maar Mossy weet dat het niets te betekenen heeft: hij kijkt naar een optreden. Hij heeft meteen door dat dit bedoeld is voor de camera, die zoals hij ziet stilletjes in de gang verschenen is. Het hek staat open en daar komt het licht vandaan, van een kleine schijnwerper boven de lens.

Mossy weet wie daar is. Oom staat achter die camera en Mossy is niet van plan de aandacht op zich te vestigen, dus legt hij zijn voorhoofd neer alsof hij nog slaapt en rolt zijn ogen naar boven om te kijken.

Skinny houdt op met zijn geschuifel en haalt een kleine zak onder de mantel vandaan. Mossy heeft die zak eerder gezien. Soms laat Skinny hem op het paarse vloerkleed liggen. Hij zegt dat zijn magische botten erin zitten, maar hij laat ze nooit aan Mossy zien. Nu houdt hij de zak op zijn kop en gaat op zijn hurken naast de inhoud zitten, terwijl hij zijn handen eroverheen beweegt en zachtjes mompelt.

Mossy ziet ze op het smerige vloerkleed liggen, niet alleen botten, maar ook andere dingen: schelpen, twee speelkaarten, een dominosteen, een ingeklapt zakmes en een stuk gelig zwoerd dat volgens Mossy uit een slagerij zou kunnen komen. Hij kijkt zwijgend toe terwijl Skinny naar de speelkaarten wijst en iets mompelt in een taal die hij nooit eerder gehoord heeft, maar die hem sterk aan Afrika doet denken.

De voorstelling duurt een hele tijd. Als hij klaar is, gaat Skinny de kamer uit en de gang in. Het hek wordt even op slot gedaan en hij hoort mompelende stemmen. Het licht gaat uit en na een tijdje gaat de deur aan de andere kant van de gang open en dicht. Dan komt Skinny de kamer weer binnen en doet het hek achter zich op slot. Hij komt vlak bij Mossy zitten. 'Heb je gekeken?'

'Ja.' Hij legt een hand tegen zijn voorhoofd en kijkt hem scherp aan. 'Ik heb gekeken. Wat was dat verdomme allemaal?'

'Ik heb de botten gelezen.'

'Wat?'

'De botten gelezen. Ik ben een *sangoma*.'

'San-wat?'

'*Sangoma*. Een waarzegger, een gids, een dokter. De botten zijn mijn gids. Ik kan de toekomst zien en ik kan dieven vinden. Ze zeggen me de waarheid over vele dingen, vele problemen met gezondheid en geld.'

Mossy lacht hees. 'Wou je soms zeggen dat jij een heksenmeester bent?'

'Het is net zoiets als een heksenmeester. Niet precies, maar bijna.'

Mossy lacht weer. 'Dat ben je helemaal niet. Jij bent geen heksenmeester. Dat was het slechtste staaltje toneelspel dat ik ooit heb gezien.'

'Ja, dat ben ik wel.'

'Nee, dat ben je niet.'

Skinny kijkt hem lang aan. Zijn ogen zijn triest. Dan gaat hij naar het hek. Hij kijkt door de tralies en luistert. Als hij er zo te zien van overtuigd is dat ze niet in de gaten worden gehouden, doet hij de mantel uit en legt hem op een hoopje op de grond. Daaronder draagt hij een ouderwetse onderbroek en verder niets, en zijn tengere lichaam is glanzend donker naast de hoop stof. Hij komt naar de bank en gaat naast Mossy zitten. Hij houdt zijn hand in een kommetje rond zijn oor en het bovenste gedeelte van zijn hals en brengt zijn gezicht naar dat van Mossy, alsof hij hem wil kussen. Maar hij kust hem niet. In plaats daarvan raken zijn warme, gebarsten lippen Mossy's oor en dan fluistert hij. 'Zeg het niet tegen Oom, zeg het hem niet.'

'Ik ga heus niet met hem praten, of wel soms?'

'Ik en mijn broer. We zijn koeriers in Afrika. De bende waar we voor werkten, we hebben hun geld gestolen om hierheen te komen.'

'Koeriers?'

'Handelaars. Snap je.'

'Ik weet wat handelen is. Waar handelde je in?'

'Huiden. We smokkelden ze over de grens. Ze worden geoogst in Natal of in Mozambique en verkocht in Tanzania.'

Mossy gaat wat achteruit en laat zijn kin zakken om Skinny's gezicht te kunnen zien. 'Wat voor huiden?'

'Van mensen.'

'Mensenhuiden, bedoel je.'

'Ja,' zegt Skinny, alsof het niets is. 'Dat is onze handel, van mij en mijn broer. Mensenhuiden. Die zijn een krachtig medicijn.'

Mossy voelt waterig braaksel in zijn mond komen. Hij moet zijn hoofd naar achteren brengen en slikken terwijl hij kokhalst. Hij heeft wel eens gehoord dat mensen hun nieren verkopen, een vriend van hem had eens verteld dat hij in India een nier had verkocht om de vlucht naar huis te kunnen betalen, en iedereen had hem geloofd. Maar dat hoorde allemaal in een andere wereld thuis.

'Verdomme,' mompelt hij, en hij wordt warm en daarna koud. 'Godallemachtig. Dus dat hebben jullie met mijn bloed gedaan. Dus dat... O, jezus. Dus dat willen jullie met mijn handen doen?' Hij duwt Skinny van de bank. Hij trilt over zijn hele lichaam. 'Het was niet gewoon dat iemand het wilde zien, jullie willen mijn handen verkopen.'

Skinny duikt naast hem op de vloer in elkaar en zijn ogen fonkelen. 'Ik niet. Oom. Oom is de man die het geld krijgt. Ik heb geen keus. Ik heb geen visum. Snap je? Oom, hij zegt de hele tijd, hij kan de politie op mijn dak sturen wanneer hij maar wil.'

Mossy doet zijn ogen dicht en haalt een paar keer diep adem om zichzelf onder controle te krijgen. Hij heeft altijd gedacht dat hij wist wat voor zieke dingen mensen elkaar kunnen aandoen in de wereld waarin hij leeft. Hij dacht dat hij wist hoe slecht mensen kunnen worden. Maar nu ziet hij hoe stom hij is geweest. Nu ziet hij dat er een heel andere wereld bestaat, een wereld waar hij niets van weet, een wereld vol verschrikkingen en wanhoop, duisterder dan hij ooit voor mogelijk had gehouden.

25

16 MEI

Volgens de staande klok was het twaalf uur en achter het huis stond de zon recht op de rij bomen en wierp hun schaduwen over het grind. De lente hing in de lucht. De blauweregen hing zijn lange bloeitrossen al voor de ramen en betastte de ruiten alsof hij graag naar binnen wilde. De Marleys hadden de tuin altijd samen onderhouden, maar sinds het ongeluk had Flea nooit tijd of zin gehad en een tuinman kon ze zich niet veroorloven, dus nu tierde de tuin in de zomer als een jungle en gonsde het er van de insecten. Over twee jaar zou je zonder boomzaag niet meer over de terrassen naar de bodem van de vallei kunnen komen. Er was daar ook nog een gebouwtje dat de Brug der Zuchten in Venetië moest voorstellen. Het overspande een kleine siervijver, maar de mortel tussen het zandsteen was verzwakt en vorige winter was het in de vijver gezakt, zodat alleen de bovenkant van de boog nog zichtbaar was. Het zou het verstandigste zijn om de tuin aan de Oscars te verkopen, maar dat kon ze niet over haar hart verkrijgen. Ze kon de gedachte niet verdragen dat de kinderen van de Oscars over de grasvelden zouden rennen waar zij en Thom waren opgegroeid.

'Het valt onder mijn handen in elkaar, mam,' mompelde ze

toen ze tegen lunchtijd in de keuken stond. Ze zag de zonnepanelen die pa in een rij bij de garage had opgesteld. Ze waren maanden geleden kapotgegaan en er was geen geld om ze te repareren, en behalve dat alles groeide het mos op de daken en het gras in de goten. Van een afstand leek het dak net een grasveld. 'Het spijt me zo. Het was niet mijn bedoeling dat alles zo achteruit zou gaan.'

Ze tilde de pan van het fornuis, stortte de pasta in een vergiet en zette het met dichtgeknepen ogen tegen de stoom op het aanrecht, naast pa's kluis. Kaiser had gezegd dat ze honger zou krijgen, dat de trip waarschijnlijk meer dan vierentwintig uur zou duren en dat ze na afloop behoefte zou hebben aan koolhydraten en vitaminen. Het zou moeilijk zijn om daarna te koken of iets anders te doen waarvoor concentratie nodig was. Pasta was dus ideaal, het lievelingseten van haar moeder. Ze kon het in een plastic bakje doen en het morgen in de magnetron zetten. Ze trok het vel van de vleestomaten die ze in kokend water had gezet en hield haar vingers onder de kraan als ze te warm werden. Ze liep met het vel naar de afvalemmer en bleef met haar voet op het pedaal en het deksel open staan kijken naar het glibberige hoopje in haar handen en het sap dat tussen haar vingers door lekte. Het beeld van het hoopje menselijke huid dat ze Caffery die morgen had laten zien kwam bij haar op. Het bleef heel even hangen, maar toen liet ze het vel van de tomaten in de emmer vallen, veegde haar handen af aan een theedoek en liet het beeld schieten.

'Flea?'

Ze draaide zich om. Thom stond in de deuropening in die nerveuze houding van hem, met een voet in een onhandige hoek, als een veulen dat er niet zeker van is dat zijn benen zijn gewicht kunnen dragen. 'Neem me niet kwalijk,' zei hij verontschuldigend. 'De deur stond open.'

'Ach, jochie. Dat geeft toch niet.' Ze liep naar hem toe en stak haar hand uit om zijn gezicht aan te raken. Haar kleine broertje. Arme, arme Thom. 'Wat leuk om je te zien.' Hij glimlachte. Zijn huid was nog steeds zo bleek en kwetsbaar als toen ze kinderen waren en de wallen onder zijn blauwe ogen, waardoor het altijd leek of hij bang was om te slapen, waren vandaag heel dik. 'Hier. Ga zitten,' zei ze, en ze trok een stoel bij en klopte erop.

Hij ging zitten met zijn onhandige handen op zijn knieën.

'Ik zal water opzetten voor thee.'

'Wat ben je aan het doen?' vroeg hij met een gebaar naar de dingen die ze gebruikt had: de olijfolie, de knoflook, de pot met pasta.

Ze haalde de zware braadpan van het vuur en deed de knoflook en de uien bij de tomaten. Toen zette ze de pan in de gootsteen en liet er water over lopen.

'Flea?'

'Ja,' zei ze. 'Wat is er?'

'Wat ben je aan het doen?'

'Wat denk je?'

'Je bent aan het koken. Maar je doet raar.'

Ze bleef even met een hand op haar heup en de andere op de kraan staan kijken naar de gele kringetjes vet die boven op het water dreven. Ze hoorde de kraaien krassen in de ceders langs de rand van de tuin en ze voelde haar tong tegen haar verhemelte kleven. Ze dacht aan haar moeder, die haar vanaf het pad tussen de bomen had aangestaard en had gefluisterd: *we zijn de andere kant uit gegaan.*

'Flea? Wat is er? Je maakt me bang.'

Ze draaide zich om. 'Thom, ik weet dat je er niet over wilt praten.'

'Waarover?'

'Over, over, je weet wel, hoe het allemaal gebeurd is. Het ongeluk.'

Er viel een korte stilte terwijl ze elkaar aankeken. Thoms wangen werden langzaam rood. De rest van zijn gezicht bleef bleek.

'Het ongeluk,' herhaalde ze zachter. 'We zullen er op een dag over moeten praten. Over wat je je herinnert.'

Er volgden nog een paar seconden waarin hij haar alleen maar aan bleef staren. Toen begon hij met zijn vingers op de tafel te trommelen. Er klonk een zacht, zoemend geluidje achter in zijn keel. Thom had een inwendig litteken waar niemand aan mocht komen, dingen waar hij niet aan wilde denken. Schuldgevoelens die hij overal met zich meedroeg. Hij schoof zijn stoel achteruit en stond op. Hij liep naar het fornuis en bleef met zijn rug naar haar toe naar de pan met tomaten staan kijken. Hij schudde wat met de pan, verplaatste dingen en verzamelde lepels en spatels alsof hij daar iets mee wilde doen. Zijn haar was zo dun en blond dat je de bruine hoofdhuid eronder kon zien en zijn nek zag er kwetsbaar uit.

'Zal ik je eens wat vertellen?' zei hij gemoedelijk. 'Het gaat niet goed met mijn werk. Ik kom er niet verder mee.'

'Thom, ik wil alleen...'

'Als ik eerlijk ben, zou ik zeggen dat het zijn uitwerking op ons begint te krijgen. Op mij en Mandy.'

'Luister nou even...'

'En als ik eerlijk ben, voel ik me gevangen. Gevangen zoals ik nooit eerder gevangen ben geweest. Allemaal vanwege het werk.'

Flea deed haar mond dicht. Ze wist dat mensen dingen konden verdringen, maar ze had ergens in haar achterhoofd toch altijd het idee gehad dat Thom over het ongeluk zou praten als hij daartoe gedwongen werd. Ze dacht dat hij nu wel eens over zijn schuldgevoelens heen zou zijn, dat hij er logisch over na zou kunnen denken. Maar nee; hij deed gewoon alsof hij geen woord had gehoord van wat ze had gezegd. Ze zuchtte en ging aan de tafel zitten.

'Ik kan er niet langer tegen.' Hij prikte in de tomaten. 'Ik zit vast.'

'O, ja?' zei ze vlak, half boos op hem en half op zichzelf omdat ze erover begonnen was. 'Daar had ik geen idee van.'

Er viel een lange stilte waarin Thom in de tomaten roerde en Flea naar hem keek.

'In ieder geval,' zei hij na een paar minuten. Hij scheurde een stuk keukenpapier af, legde de lepel erop en schraapte zijn keel. 'In ieder geval ben ik met iets nieuws bezig.'

'Wat voor nieuws?'

'Met een paar mensen die ik ken. Die importeren kroonluchters uit Tsjechië. Ze zijn heel mooi, mooier dan wat je hier in de antiekwinkels ziet.'

Flea drukte met haar duim en wijsvinger in haar neusbrug, want ze voelde hoofdpijn opkomen. Sinds de gebeurtenissen in het Boesmansgat had Thom nooit lang een baan kunnen houden. Hij had voor reisbureaus gewerkt en advertentieruimte verkocht in tijdschriften, hij had voor zeven pond per uur gewerkt als telefonisch onderzoeker. Als hij geen werk had, gebruikte hij de lening op zijn verzekeringsgeld om bedrijfjes op te zetten. In twee jaar was hij betrokken geweest bij niet minder dan zes mislukte ondernemingen. Van het verkopen van afslankpillen die hij importeerde uit de vs tot het verkopen van pixels op een internetpagina en het investeren in een stuk grond waar hij later geen bouwvergunning voor bleek te krijgen. Alles was verkeerd gegaan en inmiddels was hij zo goed als failliet.

'Thom, we hebben het hier al eerder over gehad. Je hebt gezegd dat je het bij een dienstbetrekking zou houden. Je kunt niet zulke risico's blijven nemen.'

'Het is geen risico. Alles komt prima in orde. Ik heb alleen een alibi nodig.'

'Een alibi?' Flea liet haar hand zakken. 'Wat voor alibi?'

Hij duwde de pan opzij en kwam weer tegenover haar zitten, met zijn ellebogen op de tafel. Ze zag aan zijn ogen dat hij het ongeluk uit zijn hoofd had gezet. Vreemd hoe hij dat kon doen.

'Het is echt een heel goede onderneming, maar ik heb Mandy er niets over verteld...'

'Omdat ze precies zou zeggen wat ik zeg, en...'

'Nee, omdat ik haar ermee wil verrassen als het resultaat oplevert.' Hij keek haar bezorgd aan. 'Maar je moet me helpen. Het is een beetje verkeerd gelopen.'

'Hoezo?'

'Ik moet steeds met ze vergaderen en Mandy begint te denken dat ik iemand anders heb.' Flea trok een wenkbrauw op. 'Ik weet het,' zei hij, en plotseling was hij niet meer zo bleek en klonk zijn stem opgewonden. 'Ik weet het. Ze volgt me zelfs. Briljant, vind je ook niet?'

'Briljant?'

'Ik heb haar stiekem achter me aan zien rijden. Je weet wat dat betekent.'

'Nee,' zei Flea. 'Dat weet ik niet.'

'Het betekent dat ze van me houdt. Ze is jaloers! Ze houdt echt van me.'

Flea schudde vermoeid haar hoofd. Ze keek naar de gladde huid van Thoms keel, die bij zijn adamsappel vaag transparant en wit was. Mandy was zijn eerste serieuze vriendin. Er waren een heleboel vrouwen geweest met wie hij volgens hem een relatie had; hij raakte altijd tot over zijn oren verliefd, zoals een kind, en was helemaal kapot als de liefde niet wederkerig bleek. Tot Mandy. En als een kind zag hij Mandy's bezitterigheid aan voor echte liefde.

'Ze denkt dat ik niet weet dat ze me volgt, maar ik weet het wel. Maar nu heb ik een belangrijke vergadering met die mensen, waar alles van afhangt. Als ik niet kom, kan ik de hele zaak op mijn buik schrijven.'

'En nu wil je dat ik voor je lieg?'

'Als ik tegen Mandy zeg dat ik hier ben, gelooft ze me wel.'

'Hier? Nee, straks komt ze kijken.'

'Waarschijnlijk wel. Maar ze zou nooit aankloppen, want ze denkt dat ik niet weet dat ze me doorheeft. Ik neem jouw Focus, ik ben verzekerd, en ik laat mijn auto voor aan de weg staan. Als ze me dan volgt of langsrijdt, zit ik goed.'

'Wanneer wil je dat doen?'

'Maandagavond.'

Dat was overmorgen. Flea's laatste vrije avond. Kaiser had haar beloofd dat de ibogaïne dan wel uit haar lichaam zou zijn verdwenen.

Ze stond op, pakte de pan en schepte de tomaten op de pasta. Ze deed er wat olijven en wat in stukjes gesneden worst bij en liet het deksel van de pan om de saus vocht te laten kwijtraken. Toen veegde ze de aanrechtbladen schoon.

Thom bleef naar haar kijken. 'Nou,' zei hij uiteindelijk, 'doe je het?'

'Je weet het antwoord op die vraag al, Thom.' Ze deed de plastic doos dicht, zette hem in de koelkast en sloeg de deur dicht. Ze wist niet waarom, maar ze was bozer dan ze zou moeten zijn. 'Je weet verdomme best dat ik alles voor je zou doen.'

26

16 MEI

Toen Flea weg was, was het stil op kantoor. Hij bleef even in gedachten verzonken zitten. Hij dacht na over het woord '*muti*' en vroeg zich af waarom hij er niet eerder aan had gedacht. Hij nam de tijd om de internetpagina zorgvuldig door te lezen. De mensenhuid, besefte hij met een schok, was niet de huid van één mens, maar van twee, twee jongens in de tienerleeftijd. Ze hadden elkaar bij leven niet gekend, maar in de dood waren ze onlosmakelijk met elkaar verbonden, gepresenteerd in een doos bij een tentoonstelling over smokkelen in Dar es Salaam. De huiden waren afkomstig van smokkelaars die mensen in Tanzania vilden en de huiden voor grof geld exporteerden, soms naar Nigeria, soms naar Zuid-Afrika.

Hij bleef een hele tijd naar de foto zitten kijken, zich bewust van zijn eigen huid, van zijn vorm, van zijn ontoereikendheid. *Muti*. Zelfs de klank van het woord was slecht. De eigenaar van The Moat, Njabulu Ndebele, was teruggekomen zonder de politie daarvan te verwittigen. Hij was Afrikaans en in sommige Afrikaanse landen begroeven mensen handen onder de ingang van hun zaak. Een gemakkelijke optelsom.

Caffery dacht een paar minuten over Ndebele en probeerde zich voor te stellen wat voor iemand hij was. Hij had hem best meteen naar het bureau willen laten halen, maar nu hij erover nadacht, zag hij wel in dat het een vergissing zou zijn: hij zou geen adviseur bij de hand hebben op het gebied van de bewijslast als ze hem zouden moeten arresteren. Het was beter om eerst wat informatie te vergaren en te wachten tot de vezels terug waren uit Chepstow, dan wist hij waarmee hij hem om de oren kon slaan. Hij had de immigratiebeambte die was toegevoegd aan Operatie Atrium gebeld met de vraag of die de status van Ndebele voor hem wilde nagaan. Daarna had hij de onderzoeksleider gesproken en hem overgehaald toestemming te geven voor vierentwintig uur directe surveillance om er zeker van te zijn dat die vent bleef waar hij was. Maar toen hij de telefoon weer neerlegde, begon de mobiele telefoon in zijn zak te rinkelen. Hij klapte hem open. 'Inspecteur Caffery. Waar kan ik u mee helpen?'

Er volgde een korte stilte en toen zei een stijve, beleefde stem met een licht accent: 'U spreekt met Njabulu Ndebele.'

Caffery zat heel stil en hoorde zijn eigen hartslag in zijn oren. 'Ik weet wie u bent,' zei hij rustig. 'Wat kan ik voor u doen?'

'Uw mannen hebben contact met me opgenomen op mijn vakantieadres. Ik ben naar huis gekomen omdat ik hoorde over de problemen bij mijn restaurant.'

Caffery aarzelde even. Toen zei hij: 'Ja. Er zijn inderdaad wat problemen.'

'Ik zou het op prijs stellen als ik even met u zou kunnen komen praten.'

'U zou het op prijs stellen als...' Hij liet de zin wegsterven en hoorde zijn hart nog steeds bonzen. 'Oké. Dat is goed. Geen probleem. Wat dacht u van...' Hij probeerde te bedenken wat hij moest doen. Hij wilde graag eerst weten wat het lab over de vezels te zeggen had voor hij Ndebele sprak. 'Wat dacht u van... morgen?'

'Ja, dat is goed. Ik wil graag dat deze zaak tot op de bodem wordt uitgezocht.' Er viel weer een stilte. Toen zei Ndebele met zijn al te beschaafde stem: 'Dank u, meneer. Dank u en tot ziens.'

De verbinding werd verbroken en Caffery zat naar de beltoon te luisteren. Na een tijdje deed hij de telefoon weer in zijn zak en duwde met zijn wijsvinger het zakje vloerkleedvezels over zijn bureau terwijl hij nadacht over Ndebele. Had hij geklonken als iemand die iets te verbergen had? Toen dacht hij over Flea in zijn kantoor en hoe ze met de ritssluiting van haar fleecetrui bleef spelen terwijl ze praatte en het feit dat haar vingernagels schoon en wit waren en haar ledematen recht en slank onder de politieoverall. Hij zuchtte. Als ze eruit had gezien als een gewone hoofdagent van een ondersteunende eenheid had hij haar misschien het kantoor uit gelachen. *Muti*? Werd hem een theorie aangepraat waar hij zelf niet op zou zijn gekomen?

Eigenlijk zou hij Flea's bezoek aan het huis van Ndebele moeten optekenen in zijn beleidsboek, zijn besluitenregister en zijn zakboek. Hij zou heel duidelijk moeten opschrijven dat hij haar op de hoogte had gebracht van al haar overtredingen van de wet op de onderzoeksbevoegdheid van de politie. Hij had dat allemaal moeten doen, maar hij deed het niet. In plaats daarvan legde hij al zijn aantekenboeken weg, sloot de computer af, klemde de telefoonhoorn tegen zijn schouder en tikte een nummer in. Marilyn Kryotos, de vrouw die in zijn oude politie-eenheid in Londen aan het hoofd had gestaan van het computersysteem HOLMES. Ze werkte nu bij Scotland Yard en was toegevoegd aan een team dat advies gaf over rituele mishandeling en hekserij. De eenheid was opgericht als reactie op de zaken Victoria Climbié en Adam. Adam was volgens de patholoog tussen de vier en de zeven jaar oud geweest toen hij op rituele wijze in stukken was gehakt. Alles wees erop dat hij had geleefd toen het gebeurde. Er was nog niemand voor gearresteerd.

De lijn zoemde en klikte toen de telefoon voor de derde keer overging. 'Agent Kryotos.'

Hij aarzelde. De vertrouwde, rustige stem. Ze voerde hem terug naar hoe het vroeger was in het districtsteam voor grote onderzoeken in Londen, naar de dagelijkse wervelwind van chaotisch onderzoek. De enige die die chaos in de hand kon houden was Marilyn Kryotos geweest. Zij hoefde niet zo nodig op de voorgrond te treden om zich te bewijzen. Hij glimlachte onwillekeurig. 'Hé, Marilyn. Raad eens. Een stem uit het verre verleden.'

Het bleef even stil. Toen klonk er een sarcastisch lachje. 'Niet zo'n heel ver verleden, Jack. Maar een paar maanden.'

Zijn glimlach stierf weg. 'Ben je dan niet blij om mijn stem te horen? Wat? Sta ik om een of andere reden op je zwarte lijst?'

Ze gaf geen antwoord en liet de lijn een tijdje zoemen.

Hij zuchtte. 'Ik weet wat je denkt.'

'O, ja?'

'Ja, je denkt dat ik een ellendeling ben.'

'Ben je dat dan?'

'Marilyn, ben jij nooit bij iemand weggegaan?'

'Natuurlijk wel. Jaren geleden. Voordat ik kinderen had.'

'Nou, dan.'

'Het is niet dat je bij haar bent weggegaan. Ik bedoel, ze was gek, Jack. Mooi, maar gek. Vorige week stond ze in de krant. Zo te zien had ze haar medicijnen, gebruikte make-up en doordrukverpakkingen en zo in een blok acryl gedaan en dat noemde ze kunst. Ik heb nooit wat in haar gezien, dat weet je. Dus het is niet zozeer dat je bij haar bent weggegaan, het is de reden waarom je bent weggegaan. Ik wil maar zeggen, wat was dat nou voor reden? Jack, ik heb dit nooit eerder tegen je gezegd vanwege de verhoudingen op het werk, maar je bent nu niet meer mijn meerdere en...'

'En nu kun je precies vertellen wat je van me denkt?'

'Jack, je wordt er niet jonger op. Ik zeg het niet graag, maar je nadert de veertig, nietwaar?'

'Ik wil geen kinderen, Marilyn. Nu niet, nooit niet.'

'Jack, iedereen zou kinderen moeten krijgen. Iedereen. Zelfs wandelende rampen zoals jij. Je bent geen compleet mens als je geen kinderen hebt. Neem dat nou alsjeblieft van mij aan. En Jack, ik heb het nooit gezegd, maar echt, je zou een...'

'Laten we op iets anders overgaan. Dit wordt een beetje...'

'Nee. Luister naar me...' Hij wist hoe ze nu zou kijken. Nijdig, maar tegelijkertijd geduldig, alsof hij haar zoon was. 'Of je het nu leuk vindt of niet, Jack, je zou een geweldige vader zijn. Oké?' Ze blies even, alsof hij haar had gedwongen iets te doen dat ze niet wilde doen. 'Daar, ik heb het gezegd.'

In zijn bekrompen kantoortje met de stervende plant in het raam en uitzicht op de halal slager bracht Caffery de telefoon over naar zijn andere oor. De computer had een of twee zoekresultaten voor de dag getoverd, maar ze gingen schuil achter de weerspiegeling van zijn gezicht en hij wilde eigenlijk niet naar zijn eigen ogen kijken. Hij draaide zijn stoel om naar de muur.

'Oké, Marilyn,' zei hij vermoeid. 'Ik lig bloedend op de grond. Ben je nu met me klaar?'

'Ik geloof van wel.'

'Kunnen we dan over zaken praten?'

'Misschien wel.'

Hij stootte een droog lachje uit. 'De koningin van mijn geweten. Laat me nooit in de steek, Marilyn.' Hij zette zijn duimnagel in het vinyl van de stoelleuning. 'Hoor eens, ik zit hier net vijf minuten en ik heb nu al iets waarvan ik niet weet wat ik ermee aan moet. Van welke kant ik het ook bekijk, één woord duikt steeds weer op. Hekserij. Daarom heb ik jou gebeld.'

'Zeg het dan maar.'

'Handen. Afgesneden handen, bij of onder de ingang van een zaak. Ik heb gehoord dat het iets met hekserij te maken heeft. In Afrika.'

'Nou, van wie je dat ook gehoord hebt, hij heeft gelijk.'

'Dus het doet bij jou ook belletjes rinkelen?'

'Zijn er verder nog Afrikaanse connecties?'

'Misschien. De eigenaar van de zaak komt uit Afrika, maar die handen zijn van een blanke.'

'Sommige mensen denken dat blank vlees meer macht heeft. Zo is het nog steeds in sommige delen van Afrika, die koloniale connotaties. De blanke verdient meer geld, de blanke is machtiger, dus is zijn lichaam een beter medicijn. En sterkere *muti*.'

'Je bedoelt hekserij.'

'Nee, medicijn. Iedereen haalt *muti* en hekserij door elkaar. En om het nog ingewikkelder te maken, is de naam van stam tot stam anders. Een woord dat je vaak samen met *muti* in de pers tegenkomt, is *ndoki*. *Ndoki* betekent echt hekserij, maar verderop in het continent, in West-Afrika. Dat is het gebied dat ons team momenteel bestudeert.'

'Je geniet hiervan, nietwaar Marilyn? Ik hoor het aan je stem. Je houdt van dit werk.'

Ze lachte. 'Jack, ik kom van alles te weten over de wereld. Ik zit niet alleen gegevens in te typen over elke smerige verkrachter uit Zuid-Londen. En zal ik je eens wat vertellen?'

'Wat dan?'

'Hoe meer ik erover hoor, hoe meer ik het helemaal niet zo vreemd vind. Het verschilt niet veel van de Chinese geneeskunst, en dat wordt door niemand voodoo genoemd. Iedereen gaat ervan uit dat Adam is vermoord om *muti* van zijn lichaamsdelen te maken. Op de een of andere manier is die term in deze zaak blijven hangen. Maar wij denken dat hij is vermoord voor zwarte magie, en dat is niet hetzelfde als medicijn.'

'Subtiel verschil.'

'Inderdaad, maar wel een verschil. Bij *muti* denken we niet automatisch aan menselijke lichaamsdelen. We hebben meer te maken met de wet op beschermde diersoorten.'

'Hoe dat zo?'

'Bij *muti* gaat het meestal om delen van dieren. Ieder dier heeft een andere macht. Ik heb het over bavianen. Ik wist zelfs niet wat een baviaan was, Jack, voordat ik deze baan kreeg, dat is toch niet te geloven? Maar nu weet ik het wel. In Afrika heeft iedereen een hekel aan bavianen. Het zijn net vossen, echt sluw en akelig, en niemand ligt er wakker van om er een te vermoorden. Maar omdat voetbal daar in opkomst is, kun je bavianenhanden verkopen op de open markt. Ze zouden een doelman helpen de bal tegen te houden.'

Caffery draaide zijn stoel om, riep de naslagpagina van de 'Guardian' op en voerde 'bedreigde diersoorten' in als zoekterm. Hij wachtte tot de computer de miljoenen treffers had gesorteerd. 'Marilyn,' zei hij, terwijl hij zijn stoel dichter naar het beeldscherm trok. 'Kun je me iets toesturen?'

'Ik ben er al mee bezig. Ik stuur je een informatiepakket dat we hebben gemaakt om uit te delen. Nottingham heeft er al een en Manchester ook. Steeds meer delen van het land krijgen hiermee te maken. Ik doe het niet via het archief, ik stuur het vandaag nog per koerier. Er staan een paar bibliografieën in, contactgegevens van deskundigen en beoefenaars, dat soort dingen. Maar het zijn voornamelijk communiqués en krantenknipsels.' Ze zweeg even. 'En Jack?'

'Ja?'

'Je kijkt toch wel uit wat je doet, hè? In Londen is dit op het moment een heel gevoelige kwestie. De rechtse pers heeft er een rassenzaak van gemaakt, alsof elke Afrikaan, elke zwarte kerk en elke voorganger van een pinkstergemeente aan rituele mishandeling doet, aan exorcisme en wat je nog meer kunt bedenken. Je kunt je vast wel voorstellen hoe dat gegaan is. In werkelijkheid zijn er de laatste paar jaren misschien een handvol gevallen geweest en twee of drie die de mensen zijn bijgebleven, maar omdat er kinderen bij betrokken waren, is de pers meteen in alle staten.'

Caffery knikte traag. Er heerste zoveel spanning in de grote steden van het land dat je op straat het gevoel kreeg dat elke vonk de hele boel in vuur en vlam zou kunnen zetten. De computer voor hem toonde steeds meer resultaten: er waren al vijf links. Hij zette zijn bril op en trok de stoel nog dichter naar het beeldscherm. 'Marilyn,' zei hij, 'zorg jij nu maar dat dat pakket bij de koerier komt en zeg iedereen daar gedag van mij. Oké?'

'Ja,' zei ze droog. 'Ik bedoel, jij hebt natuurlijk geen familie om gedag te zeggen.'

'Marilyn,' zuchtte hij, half lachend om haar brutaliteit, 'het is altijd zo fijn om je te spreken. Bedankt voor de steun.'

Toen ze elkaar gedag hadden gezegd, keek hij weer naar het scherm. De computer was klaar met zoeken en van de tien opgegeven websites zag hij meteen welke hem het meest zou interesseren. Het was een heel beknopt rapport met slechts een minimum aan gegevens omdat de zaak nooit was voorgekomen, maar hij moet alarmbellen hebben doen rinkelen bij de inlichtingenman die hem had geregistreerd, want er waren een heleboel gedetailleerde bijlagen. Caffery bladerde ze door. De zaak was negen maanden eerder begonnen met iemand van de verkeerspolitie bij de Clifton Suspension Bridge. Hij had iemand aangehouden van wie de remlichten niet naar behoren functioneerden en toen hij naast de auto stond om iets tegen de chauffeur te zeggen, bleek er een rottende gierenkop aan een lint aan de achteruitkijkspiegel te hangen.

Caffery opende de foto in de bijlage: een verweerde kop als van een enorm, mismaakt kuiken. Om de dunne hals was zorgvuldig een rood lint geknoopt en in zijn snavel zat een lot van de National Lottery. De politie had de gier naar de dierentuin van Bristol gestuurd om geïdentificeerd te worden en had een serie foto's teruggekregen en een sarcastisch briefje. De 'gier' was vals. De sectiefoto's die aan het rapport waren toegevoegd toonden aan dat het, nadat de huid was weggenomen, de schedel van een klein schaap bleek te zijn, waarvan de snuit was bijgeschaafd om op een snavel te lijken. Het geheel was verpakt in dunne stukjes kippenvlees. Hilariteit alom, maar het punt was dat de chauffeur had gedacht dat het een gier was. Hij weigerde te zeggen waar hij hem vandaan had en waarom. Hij zei dat hij in de auto had gehangen toen hij die had gekocht en dat hij nooit de moeite had gedaan hem weg te halen, maar de politiebeambte, die de avond tevoren een programma had gezien over hekserij, was van mening dat het een fetisj was.

Caffery nam het rapport door, op zoek naar de naam van de chauffeur. Kwanele Dlamini. Hij kneep zijn ogen half dicht en las de naam nog eens, met een glimlachje om zijn mondhoeken. Dlamini. Het klonk als de naam van een Zoeloe-opperhoofd. Afrikaans.

Nou – hij duwde zijn stoel achteruit en pakte zijn jasje – het leek erop dat hij een bezoekje moest afleggen.

27

16 MEI

Thom wilde per se een briefje voor Flea schrijven, zodat ze niet zou vergeten dat hij haar auto zou lenen. Hij moest zelf altijd herinnerd worden aan dergelijke afspraken en dat gaf hem het idee dat dat ook voor haar gold, dus stond hij erop aan tafel te gaan zitten en met zijn moeizame handschrift een Post-it voor haar te schrijven. Flea stond aan het aanrecht met haar armen over elkaar naar zijn ogen met hun blauwe wallen te kijken, naar de donkere wimpers die diagonaal over zijn bleke huid lagen en naar de manier waarop hij over het papiertje gebogen zat om te schrijven. Zijn kleur was teruggekomen, maar op de een of andere manier wist ze dat hij die nooit helemaal zou terugkrijgen. Als iemand haar had gevraagd wanneer ze haar broer voor het laatst had gezien, had ze naar waarheid geantwoord: op de dag van het ongeluk, twee jaar geleden.

Niet dat ze hem sinds die tijd niet gezien had; ze was juist niet van zijn zijde geweken, niet toen hij in het ziekenhuis lag in Danielskuil en ze haar hadden gezegd dat hij misschien dood zou gaan en niet tijdens de vreselijke reis naar huis via Kaapstad, waarbij de stewardess hem geen paracetamol wilde geven omdat de luchtvaartmaatschappij bang was voor een rechtszaak, en ook niet gedurende de acht weken durende juridische afwikkeling van de dood van hun ouders. Ze had Thom wel gezien, zijn lichaam, de huls waarin hij zich bevond, maar haar broer was weg. Ze kon in zijn ogen kijken zonder iets te zien. Daarom zou ze zeggen dat ze hem voor het laatst had gezien op die dag bij het Boesmansgat, toen hij huilend en brakend en met maaiende armen uit het water was gekomen.

Onder hem gaapte het donkere gat, honderdvijftig meter breed en driehonderd meter diep. Als een kerker voor een slapend roofdier. Het was ook een graf. Het Boesmansgat had in de laatste tien jaar het leven gekost aan drie duikers en nu waren er daar nog twee bij gekomen: David en Jill Marley. Pa was eerst gegaan en recht het donker in verdwenen. Mam was hem gevolgd. Thom had wanhopig geprobeerd hen te pakken, en een paar tellen had hij mams rechterenkel vast gehad, maar hij had haar los moeten laten. Het was alsof ze in hun vastberadenheid om de bodem te bereiken allebei hun gezicht naar de duisternis en de diepte hadden gekeerd. Maar dat was ondenkbaar, want de bodem bevond zich honderdvijftig meter dieper dan ze van plan waren geweest te gaan en ze hadden allebei geweten dat het zelfmoord was om ook maar tien meter dieper dan het duikplan te gaan.

Ze hadden het heel nauwgezet gepland, want als David en Jill Marley iets hadden, was het wel respect voor het water. Het Boesmansgat was een hoogtepunt voor hen, een climax in een levenslange verslaving aan extreem sportduiken. Die was lang voor de kinderen waren gekomen al begonnen, zo lang geleden dat Flea niet precies wist waar hij vandaan kwam. Maar ze wist wel dat het iets van haar vader was. Mam was erin meegegaan en was zelfs min of meer enthousiast geraakt, maar pa was degene met de verslaving, die de fatale aantrekkingskracht voelde, en het was pa die op rustige momenten in zijn studeerkamer droomde dat hij zich in diep water bevond.

Hij had een videocamera op zijn helm gehad in het Boesmansgat. Hij moest zijn afdaling en zijn eigen dood gefilmd hebben. Maar de Zuid-Afrikaanse politie had de lichamen en de camera nooit gevonden, en omdat ze alleen Thoms onvolledige herinneringen hadden om op af te gaan, konden ze niet veel meer doen dan de dood van de Marleys toeschrijven aan stikstofnarcose door een verkeerde berekening van het gasmengsel, of misschien zuurstofvergiftiging. De Britse lijkschouwer, die van de minister van Binnenlandse Zaken toestemming had gekregen een gerechtelijk onderzoek te houden zonder de lichamen, had stikstofnarcose, het desoriënterende, euforische effect dat stikstof bij te hoge druk kan hebben, uitgesloten geacht, omdat het gasmengsel 'trimix', dat door de Marleys was gebruikt, speciaal bedoeld was om stikstofnarcose tegen te gaan. De lijkschouwer vond het waarschijnlijker dat David Marley te snel en te diep was gaan ademen, waardoor de gevoelige kooldioxidereceptor achter in zijn nek was uitgeschakeld en hij bewusteloos was geraakt. Toen hij begon te zinken, had Jill geprobeerd hem tegen te houden – dat wisten ze – en was ze misschien zo snel afgedaald dat ze haar adem had ingehouden, waardoor de zuurstofsensor van het trimix-systeem te veel zuurstof had geleverd. Daardoor was ze op precies dezelfde manier gestorven als David, door hyperoxie of zuurstofvergiftiging.

Hij was een vriendelijk man geweest, de lijkschouwer, en hij had in zijn eindpleidooi opgenomen dat Thom, de zoon van de Marleys, er wijs aan had gedaan om hen te laten gaan. Hoe moeilijk het ook was, dat was de eerste regel van het technisch duiken en daar had hij zich aan gehouden. Dat was prijzenswaardig en hij zou er trots op moeten zijn. Maar in plaats daarvan ging hij er natuurlijk aan kapot. Hij had zijn ouders laten sterven.

Flea wist niet waar ze zich het meest schuldig over voelde. Dat ze niet met Thom in het Boesmansgat was geweest toen het was gebeurd of dat ze diep in haar hart blij was geweest dat Thom was meegegaan naar Danielskuil. Zij was altijd degene geweest die door haar vader werd aangespoord en uitgedaagd. 'Zie je die boom, die grote? Ik wed dat je daar wel in komt, Flea Marley!' Ze had er nooit aan gedacht nee te zeggen en altijd gewoon gedaan wat haar gezegd werd. In een donker hoekje van haar hart had ze geweten dat ze als 'anders' bestempeld zou worden als ze het niet deed. Zwak of zo. Geen echte Marley. Maar toen was Thom gekomen, een verlegen jochie dat pas leerde lopen toen hij bijna twee was, en pa concentreerde zich voortaan op Thom in plaats van op haar. De boodschap die pa overbracht was duidelijk: *laat nooit blijken dat je bang bent. In deze familie is geen plaats voor lafaards*. Het werd een instinct, hetzelfde instinct dat Thom jaren later had voortgedreven toen hij met zijn ouders in het koude, roerloze oog van het Boesmansgat was geklommen.

Nadat zijn ouders waren verdwenen had Thom er zes uur over gedaan om aan het oppervlak te komen, omdat hij om de paar meter had moeten stoppen voor de decompressie, zodat de opgehoopte gassen uit zijn lichaam konden verdwijnen, omdat helium niet in het zachte weefsel bleef zitten, zoals stikstof, maar in de botholten en dus langer nodig had om te vervliegen. Zijn duikbril zat vol tranen en hij had een heliumbel in zijn binnenoor, waardoor hij duizelig was. Een van de politieduikers die waren gekomen toen er alarm was geslagen had hem moeten vastmaken aan de verzwaarde lijn en had bij hem moeten blijven, omdat hij geen gevoel meer had in zijn handen en niet meer wist wat boven of beneden was. De laatste tien meter waren de ergste, de gevaarlijkste en de meest frustrerende geweest, omdat elke stop meer dan een uur moest duren en hij het oppervlak kon zien, het zonlicht door het water kon zien schijnen, maar toch moest wachten, in het kille water moest blijven en maar aan één ding kon denken: dat hij gefaald had en erger, wat er driehonderd meter onder hem gebeurde.

Voor zover men wist, en de waarheid was dat niemand het zeker wist, was er geen uitgang onder in het gat waar een lichaam door zou kunnen, dus moesten ma en pa roerloos op de bodem liggen. Afgaand op Thoms verklaring had de politie bepaald waar ze ongeveer terecht moesten zijn gekomen en had ze een ROV, een op afstand bestuurd onderzeebootje met een camera erop, naar beneden gestuurd om de wand en de allerdiepste hoek van het Boesmansgat te onderzoeken, maar de ROV had niets gezien. Het had geen zin om te wachten tot de lichamen zouden gaan drijven. De meeste lijken komen naar het oppervlak als ze tot ontbinding overgaan, maar dat zou bij de Marleys nooit gebeuren. De rottingsgassen zouden onder te grote druk staan om ze omhoog te brengen en bovendien zou de duikuitrusting ze beneden houden tot ze helemaal vergaan waren en er niet meer van hen over was dan wat botten. De politie had verder niets kunnen doen. Er waren geen manieren om ze boven water te halen.

Over de hele wereld lagen verstilde lichamen, aangeraakt en heen en weer geschud door vissen en stromingen, van duikers die op zulke verraderlijke plekken waren gestorven dat het andere duikers het leven zou kosten als ze hen zouden willen redden. De Zuid-Afrikaanse politie, haar psycholoog en Kaiser hadden haar voorgehouden dat ze moest accepteren dat de laatste rustplaats van haar moeder en vader onder in het Boesmansgat was. En ze had er min of meer vrede mee. Maar ze dacht er altijd aan.

Soms zag Flea ze voor zich, vleesloze, oogloze omhulsels, die ronddraaiden om hun as. Als ze niets te doen had, draaide ze ze om en om, probeerde ze te plaatsen, probeerde zich voor te stellen hoe ze erbij lagen. Thom had gezegd dat pa eerst was gegaan, maar dat had ze niet van hem hoeven horen. Ze wist instinctief dat het zo gegaan moest zijn, dat pa eerst moest zijn gegaan. Dat had op de een of andere manier te maken met zijn meditaties in de studeerkamer en met de lange uren die hij met Kaiser had doorgebracht. En dus had ze voor zichzelf vastgesteld dat pa met zijn gezicht naar beneden zou liggen, met zijn armen tot de schouders in het zand alsof hij de bodem van de grot omhelsde, terwijl mam altijd op haar rug lag en met haar armen omhoog naar het oppervlak keek, alsof ze nog steeds hoopte dat iemand haar vergissing zou bemerken en haar terug zou trekken naar de wereld.

Maar nu ze aan het aanrecht stond en de middagzon elk stofje en elk detail in de keuken verlichtte, dacht Flea meer over de manier waarop ze gezonken waren. Konden ze in de andere richting zijn gedreven, weg van de hoek van het gat die was doorzocht? Was dat wat mam had willen zeggen?

Thom zat aandachtig aan tafel te schrijven. Ze stelde zich voor dat ze tegen hem zou zeggen: *kan er iets mis zijn met jouw herin-*

neringen aan het ongeluk? Misschien moeten we er eens voor gaan zitten en het allemaal nog eens doorpraten.

Maar nee. Het had geen zin hem naar aanleiding van zoiets onbenulligs van streek te maken. Een hallucinatie. Ze draaide de kraan open en liet de gootsteen vollopen. De zeepbellen wentelden rond in het zonlicht. Ze keek nog eens naar de grijzige aderen die over de binnenkant van haar armen liepen. De ibogaïne zou haar schedel openen en licht naar binnen laten, en misschien zou ze vanavond weten wat ze gemist had. Ze zou er niet met Thom over praten, maar één ding was zeker: ze ging mam vragen aan welke kant van het gat ze terecht waren gekomen.

28

16 MEI

Het laatst bekende adres van Kwanele Dlamini was in Nailsea: een vrijstaand bakstenen huis met drie slaapkamers in een omheinde wijk uit de jaren 1990. De huizen waren bijna identiek met hun zandstenen gevels, grasveldje voor de deur, garage en Amerikaanse postbus bij de oprit. Het huis van Dlamini stond aan het eind van de weg, met uitzicht op de verkeerstoren van Backwell Hill, maar toen Caffery aanbelde, werd de deur niet opengedaan door Dlamini, maar door een blonde vrouw in een lage spijkerbroek met riem en een roze T-shirt met de woorden PORN STAR erop in glinsterende letters.

'Die woont hier allang niet meer,' zei ze toen hij naar Dlamini vroeg. 'Terug naar waar hij vandaan kwam, van die vent zal ik niets meer horen. Vraag me niet contact met hem op te nemen. Ik heb het geprobeerd, neem dat maar van mij aan.'

Maar ze nodigde Caffery toch uit binnen te komen. Ze leek verlegen te zitten om gezelschap en door de manier waarop ze door het open jasje keek of hij in vorm was en de manier waarop ze voor hem uit liep, zich zeer bewust van haar heupen, wist hij meteen dat hij haar kon hebben als hij wilde.

Ze gingen naar de woonkamer achter in het huis, waar twee kleine meisjes in identieke joggingpakjes en met roze zijden bloemen in hun opgestoken blonde haar op de vloer *Lazy Town* lagen te kijken op het plasmascherm. Op de billen van de joggingpakjes stond 'Barbie'. Volgens Caffery konden de meisjes niet ouder zijn dan zes of zeven.

'Hé.' De vrouw tikte met een gebruinde voet in een roze tennissok tegen de voet van een van de kinderen. 'Zet dat ding zachter. Ik ga naar de serre en ik wil niet gestoord worden.'

Ze gaven geen antwoord, maar een van de meisjes tilde de afstandsbediening op en zette het geluid iets zachter. De vrouw ging hem voor door een dubbele deur met gegraveerd glas naar een serre vol palmen, die uitzicht bood op een tuin met hekken erom en een schommelbank in roze en lavendel midden op de patio.

'Leuke kinderen,' zei hij.

'Ja.'

Ze duwde een dobermann van een rieten bank. Het dier liep naar de woonkamer en zijn nagels klikten over de tegels. Toen bukte ze om de kussens op te schudden en de hondenharen eraf te blazen.

'Hij importeerde dingen en hij deed zijn uiterste best, maar toen het niet werkte, was het alsof zijn hele wereld in elkaar stortte.' Ze duwde het kussen weer op de bank en ging achteruit om Caffery ruimte te geven om te gaan zitten. 'Ik kan je niet vertellen waar hij is. Ik heb geprobeerd contact met hem op te nemen, maar hij is verdwenen. Terug naar huis.'

'Is dit zijn huis?'

Ze snoof. 'O, alsjeblieft. Doe me een lol. Het was van mijn ex, voor Kwanele in beeld kwam, maar nu is het van mij en de meisjes. En ik hoop dat dat nog lang zo blijft.'

'De meisjes zijn niet zijn dochters?'

Ze keek hem aan alsof hij een grapje maakte. 'Je neemt me zeker in de maling. Zien ze eruit alsof ze van hem zijn?'

'Dat weet ik niet. Ik heb zelfs nog nooit een foto van hem gezien.'

'Nou, hij is zwart,' zei ze neerbuigend. 'Heel zwart. Zuid-Afrikaans.' Ze ging aan een glazen tafeltje zitten en sloeg elegant haar benen over elkaar. De lange blonde paardenstaart hing over haar schouder. Ze zag eruit alsof ze veel geld uitgaf in zonnestudio's. 'Wat wil je over hem weten? Kijk, het kan mij niet schelen hoeveel problemen ik hem bezorg. Ik vertel je alles wat je wilt.'

Caffery deed zijn jasje uit, legde het over de armleuning van de stoel, ging zitten en rolde zijn mouwen op. Warm hier. Het was nog maar mei, maar de serre ving elk zonnestraaltje op. 'Wie ben jij?'

'Rochelle,' zei ze, en ze stak hem een goed gemanicuurde hand toe. 'Rochelle Adams.'

Hij schudde haar de hand. 'Rochelle,' zei hij. 'Ik wil met je praten over religie. Dat is eigenlijk de voornaamste vraag die ik heb over Kwanele. Ik vraag me af waar hij in geloofde.'

'Hij had geen geloof. Geen kerk, als je dat soms wilt weten.'

'En andere overtuigingen? Uit zijn vaderland?'

'O, dát.' Ze zette een lange nagel in haar pluizige haar en krabde met haar ogen half dicht. 'Ja, dat was een deel van onze problemen. Ik bedoel, hij hield van me en hij hield van de meisjes, maar hij had al dat gedoe van vroeger nooit echt opgegeven.' Ze liet haar hand zakken en keek hem aan alsof haar plotseling een lichtje was opgegaan. 'Het gaat om die gier, is het niet? Daarom ben je hier. Ik haatte dat ding. Het stonk in de auto alsof er iemand dood was gegaan. Ik liet de meisjes er niet in, niet met dat bungelende ding dat altijd naar je leek te kijken.'

'Wat was dat met die gier? Weet je wat die voor hem betekende?'

'De loterij, toch? Een gier ziet in de verte, snap je. Dus volgens Kwanele was het idee om het zicht van de gier te krijgen. Dan kun je in de toekomst zien, de getallen of zo. En het ergste is, twee weken nadat hij dat smerige ding had opgehangen won hij. Precies zoals hij had gezegd, bijna duizend pond, dus ik had geen poot om op te staan. En hij zegt: "Dit is fantastisch. Ik ga er soep van maken en als ik die opdrink, krijg ik er nog meer macht van." Maar ik zeg: "Absoluut niet, Kwanele, daar komt niets van in." Dus maakt hij er geen soep van, maar hij wil hem ook niet uit de auto halen. Maar toen hebben jullie hem het ding afgepakt en bleek het helemaal geen gier te zijn. Ik heb me rot gelachen. Dat kun je je zeker wel voorstellen.'

'Was dat het enige bijgeloof dat hij uit zijn vaderland had meegebracht?'

'God, nee. Hij was er voortdurend mee bezig. Hij had een stukje dolfijnenstaart aan een gouden kettinkje om zijn nek. Een klein stukje maar.' Ze stak haar vingers uit met een ruimte van ongeveer drie centimeter tussen de dik in de lak gezette nagels om te laten zien hoe groot het was. Haar armbanden rinkelden en schoven tegen elkaar aan over haar gebruinde arm. 'Hij zei dat je er een sociaal mens van werd en toen ik vroeg, waarom een dolfijn, want ik persoonlijk ben dol op dolfijnen, had hij een heel verhaal dat dolfijnen in een groep rondzwemmen en dat dat stukje blingbling ervoor zou zorgen dat hij ook altijd in een groep rondzwom, en ik was razend, want ik ben dol op dolfijnen, zo ben ik nu eenmaal.' Ze stak haar hand op zodat de palm naar de denkbeeldige Dlamini wees, hield haar hoofd scheef en was opeens heel fel. 'Het is mij of die ketting, Kwanele.' Ze zuchtte en liet haar hand half glimlachend en half geïrriteerd zakken. 'Je hoort altijd die verhalen, hè? Over dat de zwarten worden onderdrukt in Zuid-Afrika en zo, maar dan ontmoet je iemand als Kwanele en dan denk je toch, ja, ik zou je verdomme ook onderdrukken, makker, met al dat gelul van jou. Ik wil maar zeggen, dolfijnen, jezus christus. Wat hebben die dieren hem ooit aangedaan?'

Ze ging staan, liep naar een lange lage rand die langs de hele serre liep en pakte een aardewerken pot met geometrische dessins erop. Hij was ongeveer zo groot als een flinke grapefruit en er zat een dekseltje op, dat ze er voorzichtig af haalde. 'Dit heeft hij afgelopen november in huis gehaald, toen hij het in zijn hoofd had gehaald dat hij gevolgd werd door een duivel.' Ze bracht de pot bij Caffery en hield hem op haar vlakke hand voor zijn neus. Hij keek erin. Hij zat vol donkere vlekken.

'Het is een soort amulet. Ter verdediging. Hij zei dat het voor een vrouw niet erg was, zij hoefde alleen maar met de Tokoloshe naar bed te gaan om er een eind aan te maken, maar voor een man was het veel moeilijker hem kwijt te raken.'

'Om wat kwijt te raken?'

'De To-ko-loshe. Vraag me niet hoe je het schrijft. Het is een Afrikaans woord, toch?'

'Wat is de Tokoloshe?'

'Zo heette de duivel die volgens hem achter hem aan zat. Hij zat altijd in de piepzak voor de Tokoloshe. Hij zei dat hij alles zou doen om hem kwijt te raken.' Ze zette het dekseltje weer op de pot. 'Ik heb hem gehouden omdat ik de pot mooi vind.' Ze hield hem bewonderend omhoog. 'Mooi, vind je niet? Ik persoonlijk hou van die etnische dingen.'

'Mag ik hem eens zien?'

Ze gaf de pot aan hem. Hij woog hem in beide handen. Hij was zwaar en vreemd warm, alsof hij de warmte van de lentezon op het kozijn had geabsorbeerd. Hij tilde het deksel weer op.

'Wat zijn die vlekken?'

'Bloed. Dat moet een man offeren aan de Tokoloshe. Een kom met bloed.'

Caffery keek op. 'Bloed?'

'Alleen maar kippenbloed of zoiets,' zei ze. 'Na een dag stonk het als een bezetene, dus moest hij hem van mij in de tuin zetten, en de volgende morgen lag de pot op zijn kant en was het bloed weg, en wij dachten dat er 's nachts een beest aan was geweest. Dat, of de hond.' Ze keek argwanend naar de dobermann, die in de zon met zijn ogen lag te knipperen. 'Kwanele zei natuurlijk dat het mensenbloed was om me bang te maken, maar ik dacht, ja, waar moet jij nou mensenbloed vandaan halen? Van dezelfde plek als die zogenaamde gier, zeker?'

'Zei hij dat het mensenbloed was?'

Ze snoof. 'Ja, hoor. Maar Kwanele was er helemaal van overtuigd. Hij heeft er een godsvermogen voor betaald en zei dat hij zeker wist dat het waar was, want hij had een video gezien waarin het bloed werd afgetapt.'

'Is daar een video van?'

'Nee. Dat zei hij maar, snap je? Ik bedoel, als hij bestond zou het een soort snuffmovie zijn, of niet soms? En ik geloof nooit dat snuffmovies bestaan.' Ze krabde bedachtzaam over de punt van haar neus. 'En jij? Jij bent van de politie. Heb jij ooit een snuffmovie gezien?'

'Nee,' zei Caffery rustig. 'In ieder geval niet het soort waar jij het over hebt.'

Ze glimlachte. Toen haar mond openging, hield de glinsterende lippenstift haar lippen een fractie langer tegen elkaar dan normaal, maar toen ze uiteenweken, onthulden ze volmaakte tanden. 'Ja, ik wed dat jij heel wat gezien hebt. Dat zal best.'

Toen Caffery had geregeld dat iemand uit Portishead de pot zou komen oppikken, bleef hij Rochelle nog een halfuur vragen stellen. Ze was beleefd en tegemoetkomend, maar ze was niet dom. Hij wist wat er omging in haar hoofd, hij zag het aan de manier waarop ze haar voeten op de bank trok en haar vingernagels cirkeltjes beschreven over haar sleutelbeen terwijl ze praatte. Hij liet de vraag of hij met haar naar bed zou gaan open. Het kon hem niet veel schelen. Hij deed het of hij deed het niet. Maar tegen de tijd dat ze waren uitgesproken, besloot hij dat hij haar nu wat meer mocht dan toen hij het huis was binnengekomen en dat ze de ellende die hij met zich meebracht niet verdiende, dus liet hij het idee varen. Na een halfuur stond hij op en bedankte hij haar. Ze waren bijna bij de voordeur en hij kon zien dat het haar ergerde dat hij niets geprobeerd had. Toen hij aarzelde, wist hij dat zij dacht dat hij het haar nu zou gaan vragen.

'Ja?' Ze legde haar hand op de radiator in de hal, zette een knie een beetje voor de andere en duwde haar heup opzij. 'Ben je nog iets vergeten?'

Hij keek naar haar hals, naar de armbanden om haar bruine armen en toen naar haar gezicht. 'Als je het je soms afvraagt, ik vind je heel knap.'

Ze bloosde. Hij had niet gedacht dat ze dat in zich had. 'Echt?'

'Echt.'

'Nou, daar heb ik wat aan.' Ze streek haar haar achter haar oor, sloeg haar ogen neer en wachtte af wat hij daarop zou zeggen.

Toen hij zweeg, glimlachte ze. 'Wil je, eh... Wil je nog een kop koffie?' Ze draaide haar knie iets naar de radiator, zodat haar been naar buiten wees. 'Of bier. Ik heb nog wat in de koelkast.'

Hij keek naar haar heup in de spijkerbroek. Daarna keek hij naar haar gemanicuurde hand op de radiator. Ze had hem eerder verteld dat ze manicure was en veel met acrylnagels werkte. Ze had gezegd dat een goede set acrylnagels het meest sexy accessoire was dat een vrouw kon kopen om haar man te behagen.

'Dank je, maar ik moet weg.' Hij haalde zijn sleutels voor de dag. 'Dat moet je niet zien als een gemiste kans.'

'O, nee?'

'Helemaal niet. Zie het maar als een gelukkige ontsnapping.'

29

16 MEI

Flea had geen idee hoe de ibogaïnetrip zou verlopen. Stel dat ze besloot een eindje te gaan wandelen of, nog erger, probeerde te rijden? Ze moest zichzelf opsluiten, dus hadden ze besloten dat Kaiser erbij zou blijven, niet waar zij zat – op de bank in zijn grote, rommelige woonkamer – maar binnen gehoorsafstand, in de keuken of in de studeerkamer. Hij had de plastic lamellen in de deuropening opgerold zodat hij haar kon horen, drie elektrische kacheltjes rond de bank gezet om de kou te weren en nu hoorde ze hem rondschuifelen in de andere kamer op zijn versleten slippers.

De ibogaïne smaakte naar bitter zoethout, een homp vezelige wortel die haar pijn in haar kaken bezorgde en waar ze van moest kokhalzen. Ze at het op en ging toen op Kaisers bank zitten wachten. Ze zat een hele tijd water te drinken en ging met haar tong langs de achterkant van haar tanden om de aanslag die zich daar had gevormd weg te krijgen.

Door het smerige raam zag ze dat het onverzorgde veld vol paardenbloemen en winde overspoeld werd door zonlicht. Zelfs overdag kon je vanhier af niet veel zien, alleen de toppen van de bomen in de Mendips, een streek vol neolithische geesten, middeleeuwse kathedralen en legendarische grotten. Kaisers overwoekerde tuin zat zo vol gaten en kraters van de oude Romeinse openluchtmijnen dat haar moeder hen daar als kinderen niet wilde laten spelen. Ze zei dat er gangen waren waarin een kind dood zou kunnen vallen en dat ze het net iets voor Kaiser vond om ze gewoon open te laten. Gek, dacht Flea, dat Jill nooit beseft had dat zij en niet haar kinderen dood op de bodem van een put zou belanden.

Ze zuchtte, trok haar voeten op en legde het stoffige dekbed over haar benen. Even deed ze haar ogen dicht en probeerde de positie van de lichamen in het Boesmansgat voor zich te zien. Ze stelde zich voor hoe pa eruit moest hebben gezien toen hij begon aan zijn afdaling naar de bodem. Ze had er een wiskundige formule op losgelaten en was tot de conclusie gekomen dat haar ouders met hun volledige uitrusting met twintig meter per minuut omlaag waren gegaan. Met bijna honderdvijftig meter te gaan moest die lange afdaling naar de bodem van het gat acht lange minuten hebben geduurd. Op welk moment ze gestorven waren, wist niemand.

Nu ze nadacht over die acht minuten besefte ze iets wat eerder nooit bij haar was opgekomen: ze kon de tijd zien. Normaal gesproken viel dat niet op, maar nu was duidelijk dat de tijd was onderverdeeld in zichtbare stukjes als je wist hoe je ernaar moest kijken, en dat het altijd zo geweest was, sinds het begin van de tijd. Sommige porties tijd waren groot en andere waren klein, en elk had een andere kleur die overeenkwam met de omvang: de kleinste, die net genoeg tijd vertegenwoordigden om een kogel of een vuistslag te ontwijken, waren klein en kersrood – tijdsplinters. De stukken die lang genoeg waren om te voorkomen dat iemand stikte of om achter een bal aan te rennen en hem te vangen, of om de macht over het stuur te verliezen en een aanrijding te krijgen, waren sappig oranje en een beetje wollig aan de randen. Slaap gebruikte lichtgele kubussen, stukken van acht uur die op onnatuurlijke wijze in stukken vielen en opengespleten werden als ze te vroeg wakker was. Daarom voelde alles op zo'n dag verkeerd.

Ze hield haar ogen dicht en bestudeerde de stukken tijd en de manier waarop ze haar toekomst vormden door zich in de verte uit te strekken, een heleboel kleine pakjes in een lange rij. Uit de verte, achter de pakjes, klonk een geluid. *Wa wa wa*. Eerst zachtjes, maar het werd steeds luider. *Wa wa wa*. Ze wendde haar hoofd af, want het was een geluid dat ze haatte als duiker. Het soort geluid dat het begin aanduidde van een vergiftiging, maar dit keer leek het van buiten haar hoofd te komen, van over de velden en door het dichte raam. *Wa wa wa. Wa wa wa.* Ze deed haar ogen open in de verwachting dat ze het geluid naar binnen zou zien drijven, maar in plaats daarvan zag ze dat de kamer onherkenbaar veranderd was.

Er was een scheur ontstaan in de tegenoverliggende muur. Ze staarde er geboeid naar terwijl hij langer werd, zilver glanzend alsof de hele kamer werd afgepeld. Er klonk een geluid alsof de kern van de aarde spleet en ze begreep net op tijd wat er gebeurde. Haar handen schoten omhoog toen het plafond opeens instortte en opzij rolde. In haar oren klonk een daverend geluid. Er viel een zwaar, ondraaglijk licht op haar dat haar onderdompelde, zodat ze zich wanhopig vastklampte aan de bank in de wetenschap dat niets haar terug zou kunnen brengen als ze werd meegespoeld.

Toen het lawaai eindelijk was opgehouden, liet ze haar armen voorzichtig zakken en draaide haar hoofd om. Niets was zoals het was geweest. Alles was anders. Zelfs de lucht was anders: in plaats van helder was ze nu zilverkleurig en ze trilde. Er kwamen stralen wit licht van boven, waardoor modder kolkte. Alleen al door het gevoel van kou en angst wist ze waar ze was. Ze bevond zich in het Boesmansgat. Een plek voor dwazen en doden. Boesmansgat.

Ze probeerde weg te komen, maar in plaats van naar achteren te gaan en zich in de bank te drukken, leek het water haar op te tillen en om te rollen, en voor ze wist wat er gebeurde zwom ze snel door de kou. Ze wapperde een beetje met haar linkerhand om een kringetje te maken, want ze kon zich niet meteen oriënteren en in het begin wist ze niet eens zeker wat boven was en wat onder. De lichtstralen waren er weer, maar dit keer waren ze scherp, als ondergedompelde stalagmieten, en ze durfde er niet in de buurt te komen omdat ze bang was dat ze zich zou snijden. Ze bracht zich in evenwicht en begon langzaam te zwemmen, waarbij de mooiste, absolute helderheid tegen haar gezicht spatte, geen bubbels, alleen de stromingen die rond het droogpak wervelden. Kristalhelder. Nu begreep ze wat die woorden betekenden. Kristal. Helder.

Ze had al een tijdje gezwommen zonder ergens te komen en ze wist hoe het was om een vis te zijn toen ze een schittering zag aan de rechterkant. Ze kwam tot stilstand en keek ernaar. Het was de ingang van een grot, fel verlicht, en na een korte aarzeling zwom ze ernaartoe. Toen ze tot tien meter afstand genaderd was, zag ze dat zich gestalten in de grot bevonden, die verlicht was als een kerststal in een kerk. Drie gezichten in het gele licht, dat van pa, dat van Thom en dat van Kaiser. Ze keek naar een kamer; er stonden twee bedden en een stoel met een koffer erop, boven pa's hoofd hing een afbeelding van een orchidee aan de muur en voor de ramen hingen stoffige gordijnen. Ze herkende de kamer: het was de hotelkamer in Danielskuil waar ze de nacht voor het ongeluk hadden doorgebracht.

'Pa?' zei ze aarzelend. Haar mond bewoog traag. 'Pa?'

Het geluid kwam terug, luider dit keer, *wa wa wa*, en de gestalten in de kamer begonnen te bewegen alsof een film was stilgezet en weer op gang kwam. Ze bogen zich naar elkaar toe en praatten zachtjes terwijl ze hun duikuitrusting controleerden, en ze merkte aan de manier waarop haar voeten pijn begonnen te doen dat dit geen hallucinatie was, maar een herinnering, dat zij ook in deze kamer geweest was. Ergens paste ze in dit tableau, een beetje opzij, buiten het centrale beeld, maar ze was er toch, want ze had die avond met haar voeten in het verband op het bed zitten kijken hoe de mannen hun spullen controleerden.

Kaiser en haar vader gingen een stukje opzij en wendden zich iets af van Thom, die misschien zo dichtbij stond dat hij hun gesprek had kunnen horen, maar zo druk was met het terugplaatsen van de scrubbers in de *rebreathers* dat hij niet op hen lette. Ze deden nonchalant terwijl ze zachtjes met elkaar mompelden. Het was een privégesprek; ze deelden een geheim, maar Flea kon liplezen. Ze begreep elk woord dat ze zeiden.

Is het niet vreemd? zei vader, die naar Kaiser opkeek.

Is wat niet vreemd?

Je weet wel. Om terug te zijn. In Afrika.

Dit is Zuid-Afrika. Niet Nigeria. Dit is niet de plaats waar het gebeurd is.

Flea kon elk woord aflezen; het was alsof haar herinnering schoon geschrobd was en met een hogere beeldkwaliteit weer werd afgespeeld. Elke pixel was kristalhelder en het beeld was heel stil en werd niet verstoord door waterstromingen en modder.

Maar toch, het moet vreemd zijn na al die jaren. Denk je dat je hier weer zou kunnen wonen?

Nee, zei Kaiser, en zijn gezicht was oud en triest. *Je weet dat dat niet kan. Je weet hoe ze geprobeerd hebben een voorbeeld te stellen door mij te pakken.*

De twee mannen gingen verder met wat ze aan het doen waren, brillen schoonmaken en luchtflessen controleren, en een tijdlang heerste er een kameraadschappelijke stilte. Pa keek de banden van zijn loodvest na en legde het tevreden opzij. Toen hij klaar was met zijn taken, keek hij over zijn schouder om te zien of Thom niet luisterde en boog zich toen naar Kaiser toe.

Luister, fluisterde hij. *Dit is belangrijk.*

Kaiser leek verbaasd om de toon van zijn stem. *Wat? David? Wat is er?*

Pa boog zich dichter naar hem toe en zei iets. Maar dit keer kon Flea de helft van zijn mond niet zien en kon ze maar een paar woorden onderscheiden: *daarbeneden... beloofd... zeker weten... ervaring...*

Ze staarde hem met bonzend hart aan, maar net toen ze dichterbij wilde zwemmen en hem wilde vragen zijn woorden te herhalen, zag ze iets vanuit haar ooghoek dat haar ervan weerhield. Ze draaide zich ernaar om, heel voorzichtig omdat ze het gevoel had dat ze zou moeten spugen als haar hoofd te veel bewoog.

Aan haar rechterkant lag een lange reep zand in het donker.

Terwijl haar ogen zich aanpasten begonnen er heel langzaam vormen op te duiken. Eerst het skelet van een hand, opgeheven en met gespreide vingers in het ijskoude water. Aan de pols begon een neopreen pak. Toen nog een hand, waarbij het licht vreemd tussen de vingers door kwam. Haar hart bonsde. Er kwam nog iets uit de duisternis, vlak bij de eerste gedaante: de ineengedoken, ellendige gestalte van een duiker, stijf doormidden gebogen, met het gezicht begraven in de modder en het woord INSPIRATIE op de zuurstofflessen. Twee lichamen, slechts tien meter uit elkaar. Ze kon ze bijna aanraken. Haar keel zat dicht toen ze ernaartoe zwom en naar de verschrikkelijke lichaamshoudingen keek. Ze wist dat ze mam en pap voor zich zag.

'Nee,' probeerde ze te zeggen, maar er kwam geen geluid uit haar mond. Ze bewoog haar armen naar achteren, raakte in paniek, probeerde iets te schreeuwen. Mam en pap, in hun graf. Maar voordat ze een kreet kon slaken, klonk er een ander geluid. Het was als de wind die door een spleet in de bergen joeg, oorverdovend, en toen werd het kolkend water en een lichtflits, alsof er een deur openging, en toen waren de lichamen opeens weg en was het stil in haar hoofd.

Ze deed haar ogen open en bleef roerloos liggen terwijl ze registreerde wat ze kon zien. Voor haar was een gordijn, van achteren verlicht, smerige ramen, een thermosfles koffie op de tafel, de kastjes aan de muren, die altijd op slot waren. Kaisers maskers, de maskers van zijn familie, waar hij haar als kind mee had laten spelen, keken van wat een grote afstand leek op haar neer. Ze hoorde een eenmotorig vliegtuigje overvliegen en er scheen licht in haar ogen, en ze zag hoe stom ze was geweest en dat ze zich helemaal niet in het Boesmansgat bevond, maar in Kaisers huis op een bank lag.

Ergens hoorde ze een vlieg zoemen en Kaiser op een toetsenbord rammelen. Maar toen ze haar hoofd ernaartoe bewoog, ging alles draaien en ze dacht dat ze zou moeten overgeven, ondanks het middeltje tegen reisziekte. Dus ging ze voorzichtig verliggen en toen ze comfortabel lag, hield ze zich heel stil en concentreerde zich op de thermosfles. Toen ze er zeker van was dat ze niet meer duizelig was, deed ze haar ogen weer dicht. Meteen borrelden er kleuren uit de hoeken, als olie die zich onder haar oogleden over water verspreidde. De pulserende vlekken werden groter en groter, tot ze haar hoofd vulden en overgingen in haar neusholten, zodat ze bijna stikte en het leek of de druk haar schedel uit elkaar zou splijten.

Ze bracht halfslachtig haar hand omhoog en bewoog hem zwakjes naar haar gezicht om de kleuren weg te vegen. Uit haar keel kwam een geluidje, een smekend geluidje. Ze wilde dat het ophield. Maar net toen ze dacht dat ze het niet meer kon verdragen, spatten de kleuren uit elkaar als bellen en lieten niets achter. Alleen een koude, heldere duisternis. Het duurde even voor ze besefte dat ze zich weer in het ijskoude water van het Boesmansgat bevond.

'Mam?' Ze probeerde iets te zeggen, maar haar tong was zwaar. 'Mam?'

Ze bewoog haar armen in het water, omdat ze het gezicht van haar moeder door de duikbril heen wilde zien, omdat ze haar ogen wilde zien.

'Mam?'

Plotseling verscheen er een gezicht op slechts een paar centimeter van dat van haar. Het was gedeeltelijk een doodshoofd met een duikbril op en er dreef blond haar omheen en iets wat wit en doorzichtig was – een wit shirt dat in het water opbolde als een wolk. Flea ging geschrokken achteruit.

'*O, Flea...*' zei de stem. '*Ben jij dat, Flea? Mijn kindje... Waar ben je?*'

'*Mam?*' Ze stak in wanhoop haar handen uit en opende en sloot ze in het donker voor het geval ze een andere menselijke hand in de hare zou voelen. '*Mam*, ik ben hier. Hier. Mam, *alsjeblieft*, ik probeer het al zo lang. O, *mamma*, ik mis je zo.'

In weerwil van zichzelf, in weerwil van het feit dat ze zich in het water bevond en probeerde niet naar achteren te tuimelen, wist Flea dat haar lichaam huilde. Dat gebeurde niet in de grot, maar waar haar lichaam lag, op Kaisers bank. Haar wangen waren nat.

De modder kolkte rond het afschuwelijk gehavende gezicht. Flea werd overvallen door een golf van misselijkheid en hield haar hoofd ter compensatie achterover. Toen hield alles op met draaien en hoorde ze haar moeder weer: 'Flea. Niet huilen.' De stem klonk vreemd, niet zoals eerder. Hij was zacht, teder en een beetje vlak. 'Niet huilen, Flea.'

'Mam, wat probeer je me te vertellen? Wat bedoelde je met "we zijn de andere kant uit gegaan"?'

'Kijk naar beneden, Flea.' Ze wees naar beneden met het skelet van haar hand. 'Zie je dat?'

Met bonzend hart keek Flea in de richting waarin haar moeder wees, terwijl ze haar handen bewoog om in positie te blijven. Nu zag ze dat ze zich helemaal niet op de bodem van het gat bevonden: ze zaten op de zacht hellende zijkant. En daar, vreemd verlicht in het donker, zag ze het: de bodem. Hij moest meer dan twintig meter verder naar beneden liggen.

'Jullie zijn niet helemaal naar beneden gegaan. Daarom konden we jullie niet vinden.'

'Dat klopt. Luister goed, Flea. Ze hebben ons vorige keer niet gevonden, maar dit keer zullen ze dat wel doen. Dit keer zullen ze ons vinden...'

'Dit keer?'

Flea stak haar hand weer uit naar de modder. Ze kon haar moeder niet meer zien en daardoor raakte ze in paniek.

'Het is belangrijk, Flea, zo belangrijk. *Laat ons niet naar het oppervlak brengen*. Hoor je me?'

'Mam? *Mam?*' De tranen blokkeerden haar keel. 'Mam? Kom terug. Alsjeblieft.'

'Laat ons niet uit het Gat halen, wat er ook gebeurt. Laat ons liggen. Laat ons gewoon liggen.'

'Ga niet weg, mam. *Mamma...*'

Maar de modder dekte alles af, zelfs de stem, en er zat modder in haar mond en er spoelde smerig water door haar lichaam en de misselijkheid kwam terug. Alles draaide weer, het was erger dan elke stikstofnarcose of overdosis koolstofdioxide die ze ooit had meegemaakt, en ze moest haar ogen opendoen en zich vastklampen aan de bank. Boven haar begon het plafond steeds sneller te draaien en het leek wel of de smerige gele fitting in een centrifuge zat. Het daglicht flitste in en uit haar ogen en ze hoorde een vreemd geluid, een hoog gejank dat uit haar eigen mond kwam. Ze probeerde overeind te komen, maar terwijl ze dat deed, wist ze dat ze moest overgeven.

'O mijn god,' mompelde ze. 'O mijn god.'

Ze wist nog net de kom te pakken die Kaiser had klaargezet en bleef er kokhalzend en huilend boven hangen tot het voorbij was en ze zich weer in haar lichaam bevond, voorovergebogen en met een lange sliert speeksel tussen haar en de kom. De stem van haar moeder verdween als in een lange tunnel achter haar: *Wat er ook gebeurt... laat ons liggen...*

30

16 MEI

'Het enige wat Jack Caffery me nog steeds niet heeft verteld, is waarom hij juist met mij wil praten. Ik ben geen helderziende en ook geen gedachtelezer. Ik heb geen magische krachten, geen ogen als van een god. Ik geloof niet dat je hier komt voor politiezaken.'

'Nee, niet voor politiezaken. Voor mijn zaken.'

'En wat zijn dat voor zaken?'

Caffery wreef over zijn neus. Het was een vreemde dag geweest. Hij kon er niet bij dat sommige mensen zouden willen betalen om mensenbloed in huis te kunnen hebben. Maar nu de aardewerken kom op het hoofdkwartier werd onderzocht en Ndebele in de gaten werd gehouden, kon hij op het bureau niet veel meer doen. Hij was naar huis gegaan om te slapen, maar hij kon het gevoel niet afschudden dat iemand hem in de gaten hield, dat de schaduwen rond zijn huis helemaal verkeerd waren, dus was hij in de auto gestapt en was hij de Wandelaar gaan zoeken. Hij had niet verwacht hem zo snel te vinden. En hij had ook niet verwacht dat de Wandelaar zo snel de waarheid uit hem zou gaan trekken.

'Jack Caffery?' De Wandelaar droeg zijn slippers van schaapsleer. Hij had in elk van zijn schoenen een doek gepropt en nu deed hij ze in een plastic zak, die hij dicht bond en in een greppel langs de heg zette. Hij veegde zijn handen af. 'Ik vraag je iets, Jack Caffery. Wat zijn dat voor zaken?'

Caffery keek naar het vuur, waarin sommige houtblokken aan de onderkant witte en rode korsten van de hitte vertoonden, als bloedkorstjes. 'Er is iemand verdwenen,' zei hij uiteindelijk. 'Er is iemand weggenomen. Uit mijn leven.'

'Je dochter?'

'Nee, nee. Niet mijn dochter. Ik heb geen kinderen en zal ze ook nooit hebben.'

'Je vrouw?'

'Nee, ik ben bij haar weggegaan. Twee maanden geleden. Ik ben gewoon weggelopen.'

'Wie dan?'

'Mijn broer. Dat was in de...' Zijn stem stierf weg. 'Het is lang geleden.'

'Toen jullie nog kinderen waren?'

'Ja, inderdaad. Het was in Londen. We... Nou, je weet hoe dat gaat.' Hij stak zijn vingers in de holte onder zijn onderkaak en drukte zachtjes, omdat hij geleerd had dat hij zo kon voorkomen dat hij ging huilen. 'We, eh... We hebben hem nooit gevonden. Iedereen wist wie hem had meegenomen, maar de politie kon niets bewijzen.' Hij slikte, haalde zijn hand weg van zijn keel, stak zijn duimnagel op naar het licht van het vuur en draaide hem om. 'Op de dag dat hij verdween, heb ik een blauwe plek op mijn duim gekregen die niet weg wil gaan. Hij had er allang uit gegroeid moeten zijn, maar dat is niet gebeurd. Niemand kon het verklaren, de dokters niet, niemand.' Hij glimlachte triest. 'Ik heb er al die jaren naar gekeken en gedacht dat mijn nagel weer zou gaan groeien op de dag dat ik mijn broer terugvond. En moet je nou eens kijken.'

Hij stak zijn duim uit. De Wandelaar kwam overeind en liep op zijn slippers naar hem toe om naar de nagel te kijken.

'Niets te zien.'

'Bijna vier jaar geleden. Na al die tijd begon hij plotseling weer te groeien. De blauwe nagel is uitgegroeid. En daarmee is ook het gevoel verdwenen. Het gevoel voor de plek waar het was gebeurd was weg, zomaar. Helemaal weg, alsof me verteld was dat het antwoord niet was waar ik me bevond, in Zuidoost-Londen, maar ergens anders.'

'Hier?'

'Ik weet het niet. Het platteland. Misschien hier, misschien ergens anders.' Hij liet zijn hand zakken en keek naar de lichtjes van Bristol terwijl hij dacht over het oosten, over Norfolk.

'Er is nog iets gebeurd,' zei de Wandelaar. 'Er is vier jaar geleden nog iets gebeurd.'

'Misschien.' Caffery haalde zijn schouders op. 'Ik denk dat ik hem bijna gevonden had. Meer niet.'

'Er is iemand doodgegaan. Ik denk dat dat ook is gebeurd.' De Wandelaar haalde twee of drie keer diep adem. 'Ik denk dat er iemand is doodgegaan rond de tijd dat je het gevoel kwijtraakte.'

Caffery knikte. 'Ja,' zei hij zachtjes. 'Er is ook iemand doodgegaan.'

'Ja?'

'Degene die het gedaan had. Penderecki. Ivan Penderecki. Hij is gestorven. Zelfmoord. Als je je dat soms afvroeg.'

'Dat deed ik niet.' De Wandelaar porde in het vuur.

Er gingen een paar minuten voorbij waarin Caffery het nieuwe idee probeerde te bevatten dat de dood van Penderecki de band misschien had doorgesneden. Hij had zich dat nooit eerder afgevraagd. Toen de Wandelaar weer het woord nam, klonk zijn stem volledig anders. 'Hoe heette hij?' zei hij zachtjes.

Caffery werd door de vraag overvallen. Dat had niemand hem in jaren gevraagd. Ze noemden hem gewoon 'je broer' of 'hij', alsof ze dachten dat het te verschrikkelijk zou zijn om zijn naam uit te spreken. 'Hij heette... Ewan.'

'Ewan,' zei de Wandelaar. 'Ewan.'

De manier waarop hij de naam voorzichtig uitsprak, alsof hij het tegen een kind had, bezorgde Caffery een brok in zijn keel. Hij moest zijn vinger weer onder zijn kaak drukken tot het gevoel voorbij was en hij weer lucht kreeg. Hij maakte een fles cider open, dronk er iets van en trok de kraag van zijn jas omhoog. Hij keek naar de sterren en liet de gedachten komen, niet aan Ewan, maar aan Flea bij de havens, die iemands hand vasthad en naar hem opkeek alsof ze wilde zeggen: 'Maak je geen zorgen, dit handel ik wel af. Ga jij maar zitten. Ga je even met jezelf bezighouden.' Om een onverklaarbare reden wilde hij rusten in die blik in haar ogen.

Hij pakte het bruine zakje uit zijn jaszak. De krokusbollen waren kleine, korrelige balletjes met een papierdunne bruine huid die loskwam als hij ze aanraakte. Toen de Wandelaar zijn sokken aantrok, stak hij zijn hand uit met het zakje op zijn vlakke palm. Het licht van het vuur deed de donkere vormen in het bruine papier gloeien als kooltjes.

De Wandelaar stopte met wat hij aan het doen was. Hij bleef even naar het zakje zitten kijken. Toen stond hij zonder iets te zeggen op en nam het aan. Hij haalde er een bolletje uit, hield het op naar het licht en draaide het tussen zijn zwarte vingers.

'De Remembrance.' Hij bekeek het bolletje eerbiedig, alsof er een boodschap op stond geschreven. 'Als hij uitkomt, de Remembrance, is hij volmaakt Delfts blauw. Met een heel klein beetje oranje in het midden, als een eidooier. Of een ster.'

Hij deed het bolletje weer in het zakje en porde er wat met zijn vinger in, als een kind dat snoepjes telt op zaterdagmorgen op een straathoek. Toen vouwde hij het zakje zorgvuldig dicht en stak het in de borstzak van de smerige jas die hij droeg, en daarna begon hij het vuur weer op te stoken alsof er niets was gebeurd.

Een paar minuten zeiden ze geen van beiden iets. Caffery dronk cider en keek toe hoe de Wandelaar aan zijn avondritueel begon door zijn kleren uit te trekken, op te vouwen en ze onder de slaapzak te leggen, waar ze niet vochtig zouden worden. Hij droeg 's nachts speciaal ontworpen nachtgoed. Het was smerig, maar je kon zien dat het duur was en heel geavanceerd. Het kwam uit een van die zaken voor extreme sporten. Er stond een o^3-logo op dat Caffery herkende van Flea's droogpak. Toen hij klaar was, trok de Wandelaar een jas aan en begon het vuur op te stoken voor de nacht.

Caffery wist dat zijn tijd bijna om was. 'Hoor eens,' zei hij nadat hij zijn keel had geschraapt. 'Ik heb je gegeven wat je wilde hebben. Nu ben jij aan de beurt. Je moet me vertellen hoe het was om Craig Evans aan te pakken.'

'In mijn eigen tijd. In mijn eigen tijd.'

'Je hebt gezegd dat je het me zou vertellen.'

De Wandelaar snoof. '*In mijn eigen tijd*, zei ik. Ik moet eerst over jou nadenken.' Hij gooide nog een houtblok op het vuur en veegde toen zijn handen af. 'Vertel me eens, wat zie je als je naar de gezichten van die meisjes kijkt? Die prostituees met wie je niet vaak genoeg naar bed gaat.'

Caffery fronste. Hij moest zijn tabakszak pakken en een sigaret rollen voordat hij antwoord gaf. 'Ik kijk niet,' zei hij, terwijl hij de sigaret opstak. 'Ik probeer ze niet te zien. Ik bedoel, wat er ook gebeurt, ik wil mijn eigen spiegelbeeld niet zien.'

'Ja. Want weet je wat je echt zou zien als je wel zou kijken?'

'Nee.'

'Je zou de dood zien.'

'De dood?'

'Ja. De dood. O, je hebt nog steeds een keus. Maar op het moment maak je dezelfde keus als ik.'

'Dezelfde keus? Ik maak in niets dezelfde keus als jij.'

De Wandelaar glimlachte en gooide het laatste houtblok op het vuur. 'Nou en of wel. Voorlopig kies je de dood. Ja. Dat zoek je. Je zoekt de dood.'

Caffery deed zijn mond open om iets te zeggen, maar de woorden van de Wandelaar weerhielden hem daarvan. Hij bleef met halfopen mond zitten.

De Wandelaar lachte erom. 'Ik weet het. Een schok, nietwaar, als je je voor het eerst omdraait en de brug ziet die je oversteekt. Een schok om te beseffen dat je het leven opgeeft. Dat je eigenlijk hoopt op de dood.'

Caffery deed zijn mond dicht. 'Nee. Dat is niet zo. Ik ben niet zoals jij.'

'Jawel, Jack Caffery, politieman. Je bent precies hetzelfde als ik. Het enige verschil is dat ik mijn ogen open heb.' Hij duwde met zijn smerige duim en wijsvinger zijn oogleden uit elkaar, zodat de rode onder- en bovenkant van de oogbal te zien waren. Plotseling zag hij er monsterlijk uit in het licht van het vuur, als elk nachtmonster, elk schrikbeeld. 'Zie je? Ik kijk niet de andere kant uit. Ik weet dat ik dood wil. En jij?' Hij lachte. 'Jij hebt er zelfs geen vermoeden van.'

31

17 MEI

Toen Caffery samen met Rebecca in zijn ouderlijk huis was gaan wonen, een rijtjeshuis met drie slaapkamers in Zuidoost-Londen, had ze eens na een bijzonder akelige ruzie zijn gezicht tussen haar handen genomen en met een tedere in plaats van boze stem gezegd: 'Jack, bij jou zijn is niet als bij iemand zijn die nog leeft. Het is net alsof je bij iemand bent die stervende is.'

Vier jaar lang had hij die woorden ergens in zijn achterhoofd opgeslagen om ze niet te vergeten, maar meer nog om er niet te veel over na te hoeven denken, zodat ze zoiets waren geworden als de herinnering aan haar parfum of aan een half herinnerd deuntje. Maar toen kwam de Wandelaar, die de herinnering weer helemaal tot leven bracht.

Er was iets in hem opengegaan. Het was alsof er een nieuw kanaal in zijn hoofd was opgedoken, dat hem pijn in zijn nek bezorgde. Zonder te begrijpen waarom, wist hij dat de Wandelaar over Keelie en de andere meisjes op City Road zou zeggen dat ze te maken hadden met de dood, met het feit dat hij op de dood wachtte. En daarna zou hij naar Caffery's werk wijzen. 'Wat dat aangaat,' zou hij zeggen, 'dat gaat meer dan al het andere over de dood.'

Toen hij de volgende morgen in zijn kantoor in Kingswood zat met een kop koffie en een broodje van de buurtwinkel op zijn bureau en het oranje koerierspakje openmaakte dat Marilyn had gestuurd, dacht Caffery na over zijn werk als over een soort dood. Marilyn had een briefje aan hem geschreven op een stukje briefpapier van de Londense politie: 'Bel me als je nog advies nodig hebt. Liefs M x.

'Bedankt, Marilyn,' zei hij met een wrange glimlach. Hij maakte een propje van het papiertje en wilde het in de afvalbak gooien, maar veranderde toen van gedachte. Hij pakte het plakband en plakte het briefje tegen de muur, zodat Marilyn kon doen wat ze altijd zo graag wilde doen: hem constant in de gaten houden. Daarna richtte hij zijn aandacht weer op het pakje, waar hij langzaam verschillende mappen en gebonden documenten uit trok. Hij trof er alles in aan wat hij zich kon wensen: gefotokopieerde proefschriften over Afrikaanse rituelen, een folder met krantenknipsels over Adam, de jongen in de Theems, een lijst contacten op universiteiten in Groot-Brittannië en het buitenland. Hij zag dat er ook een adres in Bristol bij was. Er was ook een diskette met het etiket 'Swalcliffe.pdf' in een doorzichtig roze hoesje. Een presentatie in Adobe Acrobat. Hij schoof de diskette in de computer.

Marilyn had deze diskette zelf samengesteld, besloot hij toen het logo van de Metropolitan Police op het scherm verscheen. Ze had data ingevoerd voor HOLMES toen ze hadden samengewerkt en ze had altijd van haar computers gehouden. Het geheel was in de vorm van een lezing en aan de presentatie waren grotere documenten bijgevoegd via hyperlinks, en terwijl de zon die morgen steeds hoger aan de hemel kwam te staan, het bureau op Broadbury Road om hem heen tot leven kwam en de mensen kwamen en gingen in de winkels in de straat zegende hij Marilyn in stilte voor haar computergekte. In twee uur leerde hij meer dan hij ooit had geweten over een continent dat jaren een mysterie voor hem was geweest.

Zoals ze al gezegd had, hadden *muti* veel meer om het lijf dan hij had gedacht. Alles begon met heksenmeesters die heilige voorwerpen, botten, bonen of stenen in een cirkel op de grond wierpen om achter de behoeften van hun cliënt te komen. Het oordeel van de heksenmeester leidde tot een remedie, en de lijst remedies was verbijsterend lang en varieerde van galagobont voor een huilbaby, chitons om te zorgen dat je partner je niet langer bedriegt, en pangolin, egelvissen en aardvarkenspoten. Elk onderdeel van bijna elk dier leek dienst te kunnen doen als *muti*.

Caffery probeerde de pagina helemaal tot het eind door te lezen, maar na twintig artikelen begonnen de woorden door elkaar te lopen, dus ging hij terug naar de hoofdpresentatie. Toen hij erop klikte, wist hij meteen dat hij bij een akeliger onderwerp was gekomen: menselijke lichaamsdelen. Het eerste wat voorbijkwam was een foto van een menselijke schedel op de tafel van een patholoog, met een meetlint ernaast. Hij las de tekst zorgvuldig en nam de tijd om die in zich op te nemen. De meeste menselijke *muti* kwamen van lijken, maar een *muti* van iemand die al dood was, was zwak in vergelijking met een *muti* van iemand die nog leefde. Het medicijn was veel krachtiger als het slachtoffer leefde terwijl het lichaamsdeel werd afgezet, en hoe luider hij gilde, hoe beter het was. Het allerkrachtigste medicijn van een levende mens was dat van een kind. Het ging allemaal om zuiverheid.

Hij keek weg van het scherm omdat hij er plotseling genoeg van had en vermoeide ogen kreeg. Hij nam de tijd wat suiker in zijn koffie te doen en het kleine eilandje suiker langzaam te zien zinken. Hij herinnerde zich vaag dat hij gehoord had dat in Zuid-Afrika zes mannen waren aangeklaagd wegens verkrachting van een baby van negen maanden. Ze geloofden dat seks met de baby hen zou genezen van aids. Iets in zijn hoofd deed pijn bij de gedachte en hij schoof de koffie weg omdat hij er plotseling van walgde.

Het volgende deel van de lezing ging over het verschil tussen mensenoffers, waarin de dood van die mens het belangrijkste was en een godheid daarmee tevredengesteld kon worden, en *muti*-moorden, waarbij het doel het bemachtigen van lichaamsdelen was, die werden gebruikt in de traditionele magie. *Hersenen geven de cliënt kennis. De borsten en genitaliën van beide seksen schen-*

ken viriliteit. Een neus of ooglid kan worden gebruikt om een vijand te vergiftigen. Daarna werd een beeld getoond van een stuk mensenvlees op een handdoek. Pas toen hij het onderschrift las, begreep hij waar hij naar keek. *Een penis kan succes brengen bij de paardenraces.*

'Jezus,' mompelde hij, en hij verschoof ongemakkelijk op zijn stoel. Hij had best whisky gelust in plaats van de koffie, maar als hij er één nam, zou er meteen een tweede volgen en voor hij het wist zou de rest van de dag verloren gaan. Hij scrolde naar beneden, op zoek naar iets over mensenbloed, maar hij kon niets vinden, dus ging hij met zijn bezoek aan Rochelle in zijn achterhoofd op zoek naar de Tokoloshe.

Eerst gebruikte hij de verkeerde spelling, TOCKALOSH, en kwam de zoekmachine met nul resultaten. Hij probeerde twee andere varianten en daarna TOKOLOSHE en die laatste keer knipperde en zoemde de computer en kwam hij met een website. Hij klikte de link aan en had een eindje gelezen toen hij plotseling de drang voelde op te staan en de luxaflex naar beneden te trekken, want opeens voelde hij zich niet meer op zijn gemak in zijn kantoor en vond hij het maar niets dat iedereen op straat hem kon zien.

Een Tokoloshe, vertelde het Acrobat-dossier, was een boze geest, de huisgeest van een heks. Op zichzelf was hij niet meer dan lastig, maar als hij in de macht van een heks was, werd hij gevaarlijk, angstaanjagend en verachtelijk. Zoals Rochelle al had gezegd, geloofden sommige mensen dat de Tokoloshe met een kom mensenbloed te vermurwen was, maar er waren nog andere manieren om je te beschermen: een kat of een afbeelding van een kat die zijn snuit waste was genoeg om hem op afstand te houden, of je kon je huid bedekken met een smeersel van Tokoloshe-vet, dat je kon kopen van een heksenmeester. Marilyn had een artikel ingescand over twee mannen die in Zuid-Afrika waren gearresteerd omdat ze een gewapende overval hadden gepleegd. In hun auto had de politie een menselijke schedel aangetroffen met een stuk vlees erin. De overvallers hadden de schedel uit een graf gestolen en het vlees was een maaltijd voor de Tokoloshe die hen naar hun overtuiging beschermde.

Caffery klikte de volgende afbeelding aan en er verscheen een ruwe tekening op het scherm van een dwergachtige figuur met de tong uit zijn mond, die trots zijn penis aan de toeschouwer toonde. Toen Caffery het bijschrift las, met zijn stoel dicht bij het beeldscherm getrokken en de zonnestralen die door de jaloezieën in zijn gezicht drongen, werd hij helemaal kil vanbinnen. 'De penis van een Tokoloshe is een symbool van zijn mannelijkheid en gevaarlijkheid. Vrouwen zetten hun bed op bakstenen om buiten zijn bereik te blijven. Hij is traditioneel een watergeest en huist in rivieroevers.'

... een watergeest en huist in rivieroevers. Caffery las het nog eens, met bonzend hoofd. Hij dacht aan de serveerster van The Station, aan de jongen die ze naakt op de kade had zien staan. En toen moest hij onwillekeurig denken aan een vage schaduw in een steeg, het rood van Keelies lippenstift en het gevoel dat er iemand over de motorkap van de auto was gelopen. Hij kwam overeind en trok zijn jasje van de rugleuning van zijn stoel. De Tokoloshe op het scherm grijnsde naar hem.

'Rot op,' mompelde hij, en hij drukte op de knop van het beeldscherm in plaats van het dossier te sluiten. 'Loop naar de hel.'

Het was tijd om Rochelle nog eens een bezoek te brengen. Tijd om haar nog wat vragen te stellen.

Ze vond het leuk hem te zien. Dat merkte hij meteen. In een roze vest met rits en capuchon en haar haar in een witte haarband zag ze eruit alsof ze op het punt stond te gaan sporten, ondanks de volledige make-up. Ze zette haar handen in haar rug en leunde met haar billen tegen de muur, zodat haar borsten naar voren werden geduwd. 'Hallo,' zei ze. 'Kom je toch een biertje halen?'

'Mag ik binnenkomen?'

Ze wenkte met haar hoofd en ging een pas naar achteren om hem te laten passeren. Hij liep door de keuken naar de woonkamer. De twee meisjes keken naar *America's Next Top Model.* Ze lagen nog in precies dezelfde houding als de vorige dag. Als ze geen andere kleren hadden aangehad, zou hij gedacht hebben dat ze daar de hele nacht hadden gelegen. Hij stapte over hun benen heen en liep de serre achter het huis in.

'Kan ik je iets te drinken inschenken?' vroeg Rochelle, die achter hem aan kwam en vooroverboog om de kussens op te schudden. 'Ik heb een smoothieapparaat. De meisjes en ik hebben vanmorgen aardbei met perzik gehad.'

'Nee, dank je. Ik heb net koffiegedronken.' Hij stak zijn hand in zijn tas, zoekend naar de plastic map die hij had meegebracht. De dobermann lag op de vloer in de zon en keek hem met vage belangstelling aan. 'Het duurt niet lang.' Hij vond de foto. Hij was genomen bij een feest van de Kamer van Koophandel en Ndebele stond erop met een glas rode wijn in de hand, in diep gesprek met een raadslid. Hij droeg een pak en een traditionele *mokorotlo* op zijn grijzende haar. Caffery haalde de foto uit het mapje en hield hem haar voor. 'Deze man. Ooit eerder gezien?'

Rochelle keek naar de foto en toen weer naar Caffery. 'Ja, dat is Njabulu, een vriend van Kwanele.'

Caffery deed even zijn ogen dicht.

'Wat is er?' vroeg Rochelle. 'Wat heb ik gezegd?'

'Niets,' zei hij, en hij stopte de foto in zijn zak. Wat een stomme idioot was hij geweest dat hij haar dit gisteren niet had gevraagd. Hij legde de tas neer, ging op de bank zitten en wierp een blik door de kamer, naar de prulletjes en de vaasjes en de ingelijste foto's van de kinderen. Er was ook een foto van een kat – een kitten eigenlijk – die zijn snoet waste in een plek zonlicht.

'Rochelle,' zei hij, 'weet je nog dat je me hebt verteld dat Kwanele bang was voor een duivel?'

'Een duivel? Dat zal ik niet gauw vergeten, of wel soms? De Tokoloshe. Hij dacht aan niets anders.'

'Ja,' zei hij, en hij keek haar recht aan. 'De Tokoloshe. En wat heeft hij jou daarover verteld?'

'Nou, dat is het juist. Hij heeft me er nooit echt over verteld. Hij praatte altijd met Teesh.' Ze riep naar de woonkamer: 'Hé, Letitia?'

'Wat?'

'Kom even hier, schoonheid.'

Even later verscheen een van de meisjes nors en met haar kin naar beneden in de deuropening.

'Wat nou?'

'Zeg meneer Caffery eens gedag.'

'Hoi,' zei ze.

'Soms denk ik dat ze meer van Kwanele hielden dan van mij. Is het niet zo, Teesh, schoonheid? Hield je niet van Kwanele?'

'Ja. Best wel.'

'Hij kocht een Wii voor je, hè?'

'Ja. Hij was cool.'

'Nou, meisje,' zei Rochelle. 'Weet je nog van die Tokoloshe? Ik wil dat je meneer Caffery er alles over vertelt.'

Letitia keek over haar schouder naar de plint achter haar, alsof die heel interessant was. 'Heel klein. Woont in de rivier. Is zwart.'

'Vertel.'

'Ik zeg het toch. Ik zei dat hij klein is. Hij is zwart. Hij is mismaakt. Hij woont in de rivier en is altijd naakt, oké?'

'Letitia,' zei Caffery langzaam, 'hoe weet je dat allemaal? Heeft Kwanele je dat verteld?'

'Ja-a.' Ze liet het woord op en neer gaan alsof het een zin was. *Ja, jezus, wist je dat niet? Waar heb je je hele leven gezeten, sukkel?* 'Hij had het er altijd over.'

'Wat vertelde hij dan allemaal?'

'Van alles. Hij eet mensen. Ik heb hem ook een keer gezien.'

'Teesh,' zei Rochelle waarschuwend, 'meneer Caffery is van de politie. Vertel de waarheid. Niet wat Kwanele heeft gezegd dat je moest vertellen.'

Letitia keek naar haar moeder en toen naar Caffery. 'Ik heb hem echt gezien,' zei ze. 'Het was heel gek. Mam gelooft nooit een woord van wat ik zeg.'

'O, daar gaan we weer.'

Caffery stak zijn hand op om ze te sussen. 'Letitia, waar heb je hem gezien?'

'Bij de rivier. Waar Kwaneles pakhuis stond.'

'En heeft iemand anders hem ook gezien?'

'Alleen hij en ik. Het was avond. Hij had me meegenomen voor een... Hoe noem je dat ook weer, mam?'

'Een inventarisatie.'

'Inventarisatie. Het was laat en toen we uit het pakhuis kwamen, klonk er een geluid in de bosjes, alsof er een vogel zat of zoiets, en daar stond dat ding, zo'n beetje voorovergebogen. Er liep water af. Daarom dachten we allebei dat hij uit de rivier kwam.'

'Oké,' zei Caffery, die dacht aan de dwerg in Marilyns presentatie en aan de ponton voor The Moat, laat op de avond. 'Dus Kwanele zag hem ook?'

'Ja, en hij was zó bang. Hij deed helemaal zo.' Ze legde een hand op haar borst en ademde snel in en uit, alsof ze hyperventileerde. Het was gewoon eng om hier in de zon te zitten en te zien hoe dit meisje het allemaal naspeelde. 'En toen legde hij zijn hand over mijn ogen en zette me in de auto, en hij sprong achter me aan. En toen gingen we naar huis en hij bleef maar trillen en huilen en Afrikaans spreken en zeggen dat hij er iets aan ging doen. Eng, hè?'

'Maar hij wist dat het de Tokoloshe was?'

'O, ja. Hij zei dat hij geluk had dat hij en zijn vriend iemand kenden die wist wat ze eraan moesten doen.'

Caffery boog naar voren. 'Wat bedoelde hij daarmee?'

Ze haalde haar schouders op. 'Iemand die de Tokoloshe kwijt kon raken, snap je. Die kon zorgen dat hij niet te dicht bij hem kon komen en zo.'

'Zei hij wie die vriend was?'

'Nee, daar zei hij niet veel over.'

Caffery wendde zich tot Rochelle. 'Heeft hij omstreeks die tijd de kom gekocht? Die ik gisteren heb meegenomen?'

'Ja,' zei ze. 'Toen is het allemaal begonnen.'

Caffery zette zijn elleboog op de armleuning, liet zijn kin op zijn hand rusten, met een vinger onder de punt van zijn neus, en dacht diep na. Iemand had Kwanele Dlamini geholpen. Die vriend, dat moest Ndebele zijn.

'Letitia,' zei hij na een tijdje, 'weet je zeker dat je die Tokoloshe echt hebt gezien?'

'Natuurlijk. Dat zeg ik toch net?'

'Teesh,' siste Rochelle. 'Denk eraan. De waarheid.'

'Het is de waarheid, dat heb ik al zo vaak gezegd.'

'Dit is wat je van Kwanele moest zeggen.'

'Nee,' hield het meisje vol, en ze kleurde langzaam toen ze haar moeder echt aankeek. 'Het is niet wat ik van hem moet zeggen. Het is wat er gebeurd is. Ik vertel de waarheid.' Ze zuchtte diep en ongeduldig. 'Waarom luister je verdomme nooit naar me?'

Voordat Rochelle nog iets kon zeggen, draaide Letitia zich met gebalde vuisten op haar hielen om en liep ze terug naar de zitkamer. Ze zei iets tegen haar zusje, die opstond en haar moeder verontwaardigd aankeek. Toen klonk het geluid van voetstappen op de trap en het slaan van een deur.

Na een paar tellen ademde Rochelle uit. Ze keek Caffery wanhopig aan. 'Heb jij kinderen, Caffery? Kleintjes?'

Hij schudde zijn hoofd. Hij dacht aan wat Letitia had gezegd. *Hij zei dat hij geluk had dat hij en zijn vriend iemand kenden die wist wat ze eraan moesten doen*. Het gaf hem een heleboel nieuwe dingen om over na te denken.

'Nou,' zei Rochelle, 'ik zal je een goede raad geven. Doe het niet. Haal het zelfs niet in je hoofd.'

Buiten was het een koele lentedag; de gifgroene sierbomen en het goed verzorgde gras in de wijk bewogen af en toe licht in het briesje. Maar voor Caffery, die met zijn handen op het stuur in de auto zat, had het net zo goed half januari kunnen zijn. Hij dacht niet aan de bloesem op de takken of de zon die hoog aan de hemel stond of de lichte stijging in temperatuur. Hij dacht aan cirkels. Aan kringen.

Crimineel gedrag was als een spons: het zoog mensen op. Bijna iedere idioot die hij in de loop der jaren had opgepakt had een kringetje mensen om zich heen. Als je erover nadacht, verschilde het niet veel van elke andere sociale groep. Elke kring had een andere structuur, een andere omvang, andere satellieten eromheen, maar ze hadden één ding gemeen: ze hadden allemaal een leider. Soms hing de groep zo als los zand aan elkaar dat het middelpunt zich niet eens realiseerde dat hij de baas was. Maar in de meeste kringen wist degene die de leiding had over het algemeen precies wat hij deed.

Ergens hier in Bristol wist iemand meer over het Afrikaanse continent dan goed voor hem was. Het kon een Brit zijn, maar ook een Afrikaan. Hij wist in ieder geval iets te veel over Afrikaanse rituelen en overtuigingen, hij wist heel goed hoe diep het bijgeloof geworteld was in de mensen en wat nog belangrijker was, hij wist hoeveel geld er met die angst te verdienen was. Het zou niet moeilijk zijn om rijke Afrikanen in dit land op te zoeken. En het zou ook niet moeilijk zijn om een arme schooier in te huren die zo te horen nooit de luxe zou kennen van het normaal zijn en hem een enorme dildo voor te laten binden, zich in te laten vetten en zich op het juiste moment aan de juiste persoon te laten zien. Niet al te opvallend, een vluchtige glimp. Een schaduw. Net voldoende om iemand die bijgelovig genoeg was ervan te overtuigen dat hij werd nagezeten door een duivel. En dan kwam het brein achter de operatie in actie door de spullen te leveren waarmee de Tokoloshe kon worden afgeweerd en weggehouden kon worden van de zaken. Mensenbloed. En om te bewijzen dat het spul echt was, een video, echt of een slimme vervalsing.

Ndebele. Caffery had hem niet ontmoet, maar hij herinnerde zich zijn stem; nogal effen en afgemeten, een beetje te beschaafd om normaal te zijn. Hij haalde zijn telefoon voor de dag en toetste een nummer in. Hij zou Dlamini laten opsporen door Interpol en daarna liet hij de mannen die Ndebele in de gaten hielden bij hem aankloppen. Ze zouden heel beleefd vragen of hij ermee wilde instemmen dat het huis werd doorzocht. En dan zouden ze hem even beleefd een lift naar het bureau aanbieden. Want het gesprek dat Caffery met hem zou hebben, zou iets eerder plaatsvinden dan hij had gehoopt.

Het nummer werd gedraaid en hij liet zijn blik over de contouren van Nailsea gaan. Hij dacht aan een mens met dwergenbenen, een gedrongen dierlijk wezen dat op kniehoogte door de straten rende. En hij dacht aan Afrikaanse hekserij, aan geheime rituelen achter gesloten deuren. Iemand zette het hele zaakje in scène, daar was hij zeker van, maar hij moest toch even met zijn ogen knipperen om zich ervan te vergewissen dat hij alleen de hemel en gebouwen zag, want hoewel hij in het zonnetje zat, wist hij niet of hij het beeld van de Tokoloshe ooit nog uit zijn hoofd zou krijgen.

32

17 MEI

Op Kaisers bank, achttien uur nadat de ibogaïnetrip was begonnen, kwam Flea weer tot leven en begon ze zich te herinneren wie ze was en wat ze daar deed. Ze voelde zich alsof ze naar een andere planeet was geweest en alsof de helft van haar wezen zich daar nog bevond en moest worstelen om de weg terug naar haar lichaam te vinden. Ze ging voorzichtig zitten en knipperde tegen het eerste grijze licht van de morgen, dat door het raam viel. Na een tijdje trok ze haar voeten op de bank en begon heel langzaam haar sokken uit te trekken.

Het probleem met haar voeten was een paar dagen na het ongeluk begonnen en was nu zo verergerd dat ze zich te veel schaamde om haar schoenen uit te trekken als er iemand bij was.

Haar voeten leken vol aderen te zitten en mismaakt te zijn, onhandig in elkaar gedrongen als die van een aap of een maki. Ze deden haar denken aan de hand die ze uit de haven had gehaald, aan de wrede manier waarop die van het lichaam was gescheiden. Ze kneep voorzichtig met haar duim en wijsvinger in de vliezen en even leken ze op te lossen, weg te lopen en haar tenen vrij en onafhankelijk achter te laten. Ze bleef stil zitten en wachtte tot de drugs waren uitgewerkt. Na een tijdje kon ze weer helder zien en waren de vliezen die haar tenen met elkaar verbonden weer terug. Het leven was zo onvoorspelbaar. De dingen die je het langst bijbleven, waren altijd de dingen die je niet had voorzien.

Ze trok haar sokken weer aan en wilde zich net weer op de bank laten rollen toen iets haar daarvan weerhield. Er stond iemand naar haar te kijken. In de deuropening, onder het opgerolde plastic, stond een volmaakt roerloze gestalte.

Even was het alsof niets in haar lichaam bewoog, haar hart niet en haar longen niet, want ze keek naar dat wezen, een dood wezen dat op de grond had moeten liggen, maar dat in plaats daarvan rechtop in de deuropening stond. Er golfden kleren omheen, net als die van mam in het Boesmansgat. Het gezicht was een benige massa.

'Mam?' fluisterde ze. 'Mam?'

'Rustig nou maar,' zei het dode dier, en de stem was niet die van haar moeder, maar die van Kaiser. 'Flea?'

Er viel een stilte, want ze wist niet wat ze moest zeggen. Toen fluisterde ze hees: 'Kaiser?'

Het wezen bewoog en draaide zijn hoofd, en toen het dat deed, kwam Kaiser voor de dag en glimlachte hij haar vanuit het lijk toe. Haar blik verhelderde en toen was het gewoon Kaiser, gekleed in een onbekend wit overhemd en met een heel moe gezicht. 'Phoebe?' zei hij, en hij kwam de kamer in. 'Hoe voel je je?'

Ze schudde haar hoofd zonder haar blik van hem af te wenden.

'Is alles goed met je?'

'Ja. Ik bedoel... het is er nog. De drug, die is er nog.' Ze likte langs haar lippen en probeerde niet aan dat doodsmasker te denken. 'Ik bedoel jou. Daarnet. Ik dacht...'

'Ja?' zei hij langzaam, en hij kwam nog een stap de kamer in. Ze was vergeten hoe lang hij was. Hoe lang en hoe zwaar zijn hoofd was.

'Niets.' Ze wreef in haar ogen en stopte haar voeten onder zich op de bank. 'Het kwam door de drugs.'

Hij had een glas water in zijn hand en gaf dat nu aan haar. Toen ging hij naast haar op de bank zitten, zodat die doorzakte onder het gewicht. Ze probeerde niet naar hem te kijken. Ze wilde zeggen: 'Ze liggen niet op de bodem.' Maar ze deed het niet. In plaats daarvan dronk ze van het water en hield hem vanuit haar ooghoeken in de gaten, denkend aan de dierlijke schedel.

'Ik heb overgegeven,' zei ze na een tijdje. 'Je zei al dat ik misselijk zou worden.'

'Dat gebeurt bij de meeste mensen.'

Ze keek naar de kom op de grond. 'Je hebt het voor me opgeruimd. Ik heb je niet eens binnen horen komen.' Ze knipperde met haar ogen. Alles was vertrouwd en toch vreemd; de randen van alle voorwerpen waren wazig en bruin en bewogen een beetje, alsof er een rij mieren langsliep.

'Wil je nog wat water?'

'Ik heb hoofdpijn,' zei ze dof. Er was iets aan zijn overhemd waar ze volgens haar iets over zou moeten zeggen, maar haar hoofd deed te veel pijn. 'Hoofdpijn.' Ze veegde met haar handen langs haar gezicht. Toen haalde ze een paar keer diep adem. 'Kaiser. Weet je nog... weet je nog van mijn voeten?'

'Nee.'

'Bij het Boesmansgat. Ik ging niet duiken omdat...'

'Omdat je je voeten had gesneden aan glas. Ja. Dat weet ik nog wel.'

'Alleen,' mompelde ze. 'Alleen... was dat niet zo. Ik had ze niet gesneden.'

Hij lachte zachtjes. 'Nou, ik heb het bloed gezien. Ik heb je geholpen ze te verbinden. Ik heb een stuk glas tussen je tenen vandaan gehaald. Ik geloof niet dat je je dat verbeeld hebt.'

'Nee. Het was wel gebeurd, maar het was geen ongeluk. Het was helemaal niet per ongeluk.' Ze duwde haar vingers hard tegen haar slapen om alles in haar hoofd stil te houden. 'Ik ben glas gaan zoeken. Ik pakte een fles uit de hotelbar en die heb ik op het parkeerterrein kapotgeslagen. Daarna ben ik op het glas gaan staan.'

Kaiser zweeg. Geen dierenschedel. Gewoon Kaiser. 'Weet je

dat er... dat er iets anders is aan Thom?'

'Anders?'

'Ja. We hebben er nooit iets van gezegd, maar we hebben altijd geweten dat er iets niet helemaal goed was. Arme knul. Maar het gaat wel met hem, hoor. Zolang je hem zegt wat hij moet doen, doet hij het ook. Het enige wat er mis is met hem, is dat hij niet flexibel is. Hij is niet opgewassen tegen noodgevallen.' Ze duwde haar vingers harder tegen haar slapen en zei langzaam en duidelijk: 'Hij had nooit, nooit bij hen mogen zijn. Niet in zijn eentje en zo diep. Ik liet hem gaan omdat...' Ze schudde haar hoofd alsof ze probeerde de schuldgevoelens weg te schudden als een losse huid. 'Ik was bang, Kaiser. Zo bang. Je weet niet hoe pa was. Hij was... We mochten van hem nooit zwak zijn. Als we blijk gaven van angst of zwakte, dan... dan was het gewoon afgelopen voor hem. Ik wilde niet in dat gat duiken, dus ben ik op dat glas gaan staan.'

Het was de eerste keer dat ze het onder woorden bracht, de vergissing die ze had gemaakt, de hoek die ze om was gegaan en waar ze altijd de prijs voor zou blijven betalen; ze zou voor altijd lijken uit diep water blijven halen omdat ze de lijken van de twee mensen die ze had laten verdrinken er niet uit kon krijgen. Het voelde vreemd om het uitgesproken te hebben. Alsof ze wachtte op een oordeel.

Ze boog voorover en legde haar kin op haar knieën en haar handen op haar buik. Er viel een lange stilte. Kaiser verbrak hem toen hij zachtjes zei: 'Weet je, je lijkt zo veel op je vader.'

Ze keek hem van opzij aan. 'Echt waar?'

'Ja.' Hij glimlachte triest. 'O, ja. Zo ontzettend veel.'

'Hoezo?'

Hij lachte en sloeg een arm om haar schouders. 'O, daar kan ik geen antwoord op geven. Het antwoord op die vraag is een lange, lange weg.' Zijn grote geitengezicht vertrok tot een spijtige glimlach. 'Dat is een weg die alleen jij af kunt gaan.'

33

17 MEI

'Wanneer hebt u Kwanele Dlamini voor het laatst gesproken?'

'Dlamini?'

'Ja. Kwanele Dlamini. Uw vriend. Kent u die nog?'

Ndebele en Caffery zaten tegenover elkaar en in de hoek zat een andere agent met over elkaar geslagen armen. Er stond een bord koekjes op tafel en beide mannen hadden een kop koffie voor zich. Polystyreen bekers, geen aardewerk, want dit was een arrestantencel. Hoewel Ndebele niet gearresteerd was en hij zo meegaand was geweest om een dag vrij te nemen van het restaurant en punctueel op tijd te arriveren, netjes gekleed in een pak en met zijn bril zonder montuur op, was de arrestantencel een goede plek als het gesprek wat verhitter werd en ze een arrestatie zouden moeten verrichten. Het was de polystyreen beker die Ndebele nu verraadde. Alleen al het horen van de naam Dlamini zorgde ervoor dat hij zijn blik neersloeg en nerveuze halvemaantjes uit het polystyreen drukte met zijn nagels.

'Meneer Ndebele? Ik vroeg wanneer u Kwanele Dlamini voor het laatst hebt gezien?'

'Dlamini?' Ndebele likte snel langs zijn lippen. Hij hield zijn hoofd gebogen en zijn ogen gingen rusteloos heen en weer over de tafel. 'Dlamini, dat is lang geleden. Heel lang geleden.'

'Lang geleden? Sorry, help me even. Is dat een week? Een maand? Een jaar?'

'Een halfjaar. Zes maanden.'

'En waarom hebt u hem in die periode niet gezien?'

'Hij is naar huis gegaan, terug naar het thuisland.'

'Zuid-Afrika?'

'Dat klopt. We zijn elkaar uit het oog verloren.'

'Ik had de indruk dat uw vriendschap met hem hechter was dan dat.'

'Nee. Niet zo hecht. Hij was een kennis.'

'Geen nieuw adres?'

'Nee.'

'Kijk, ik wil ons onderzoek een kant uit sturen die wat oplevert, begrijpt u?' Caffery boog zijn hoofd en probeerde de man in de ogen te kijken om te zien wat daar gebeurde. 'Ik wil op de juiste prooi jagen en geen druk op u leggen. Een nieuw adres zou helpen.'

Ndebele schudde zijn hoofd.

'Of de namen van familieleden. Hij kwam toch uit Johannesburg?'

'Ja,' mompelde hij. 'Maar meer weet ik niet van hem. Ik heb hem hier ontmoet. We praatten nooit over thuis.'

Caffery sloeg zijn arm over de rugleuning van zijn stoel en keek naar Ndebeles kruin. De vriendschap tussen de twee mannen was niet de enige reden voor dit verhoor: Ndebele had eerder die morgen formulieren ondertekend die de politie toestemming gaven zijn huis te doorzoeken en in de eerste twee uur had het team een paar dingen gevonden waar hij Ndebele naar wilde vragen. Hij keek neer op de vellen papier onder zijn vingers. Er was ook iets bij van het lab, iets wat nog interessanter was dan het team in het huis had aangetroffen.

'U was zo vriendelijk om ons toestemming te geven uw huis te doorzoeken,' zei hij toen ze bijna een minuut hadden gezwegen. 'We hebben een paar dingen aangetroffen die ons wel aanstonden.'

'Ik heb niets te verbergen,' mompelde Ndebele.

'We hebben bijvoorbeeld wat vezels van het vloerkleed meegenomen. Uit de voorkamer.' Caffery pakte het rustig aan en nam de tijd om ieder woord goed te laten doordringen. Hij had ernaar gestreefd dat iedereen zou zien dat hij de vezels legaal had meegenomen: de resultaten van het onderzoek naar de handvol vezels die Flea had meegepikt zou voor het eind van de dag bij hem zijn, dus had hij de mensen die het huis doorzochten opdracht gegeven een monster te nemen van het vloerkleed in de woonkamer. 'En zorg dat mevrouw je het ziet doen, als je snapt wat ik bedoel.' 'Weet u iets over vezels?' vroeg hij aan Ndebele. 'Hoe ze gebruikt worden in de forensische wetenschap? Stel bijvoorbeeld dat iemand op een vloerkleed heeft gezeten of erover heeft gelopen, al was het maar heel even, dan zouden vezels van dat vloerkleed op die persoon terecht zijn gekomen. Wist u dat?'

Ndebele fronste. 'Wat wilt u nou zeggen? Stelt u me een vraag?'

Caffery deed alsof hij nadacht over wat de man had gezegd. 'U hebt gelijk. Het is een beetje uit de koers, nietwaar? Vooral gezien de tijd die het lab tegenwoordig nodig heeft om dat soort dingen te onderzoeken. Weet u, ik moest expres bevel geven die vezels mee te nemen en zelfs toen konden ze de resultaten pas aan het eind van de dag doorgeven.' Hij keek op zijn horloge en schudde spijtig zijn hoofd, alsof hij de domme werkwijze van de politie zat was. 'Maar gelukkig voor mij zijn ze met iets anders sneller geweest.'

'Neem me niet kwalijk?'

Hij duwde met zijn wijsvingers de papieren in het rond, half fronsend alsof het allemaal heel verwarrend voor hem was. 'Bij Dlamini thuis stond een pot. Een aardewerken pot. Wist u dat?'

'Een pot? Wat voor pot?'

'Ongeveer... zo groot? Met een deksel? Nou, die pot op zich is niet zo bijzonder, maar wat ik wel interessant vond, was wat het lab erin heeft gevonden.'

Ndebele had zijn mond opengedaan om iets te zeggen. Hij deed hem weer dicht. Hij keek op naar Caffery en toen naar de papieren op het bureau. Het duurde maar een of twee seconden, maar in die seconden was er iets gebeurd. Iets wat Caffery inwendig deed glimlachen.

'Ja,' zei hij langzaam, en hij keek Ndebele recht aan. 'We hebben bloed aangetroffen. Mensenbloed. En vanmorgen hebben ze bevestigd van wie dat bloed was. Moet ik u vertellen van wie het was, of weet u dat al?'

Ndebele slikte. Er stond wat zweet op zijn voorhoofd. 'Nee,' zei hij met een klein stemmetje. 'Dat weet ik niet.'

'Het was het bloed van Ian Mallows.' Hij tikte met zijn wijsvinger tegen het papier. 'Die naam kent u natuurlijk, want dat was de arme sukkel wiens handen onder uw restaurant zijn beland. Hier staat het zwart op wit. Ian Mallows.' Hij zweeg even, nog steeds glimlachend. 'En dat noem ik toch wel al te toevallig.'

Ndebele haalde een zakdoek voor de dag om zijn voorhoofd af te vegen en keek intussen steeds naar de deur. Caffery herkende de tekenen: dit was een getuige die op het punt stond zijn medewerking op te zeggen. De adviseur had gezegd dat dit een goed moment zou zijn voor een versnelling: als ze hem moesten arresteren, bombardeerden ze hem eerst met vragen waarvan ze wisten dat die tegen het zere been zouden zijn.

'Meneer Ndebele,' zei Caffery, 'wat vindt u van het gebruik van illegale drugs? Als iemand van uw personeel toe zou geven dat hij verslaafd was aan heroïne, wat zou u dan zeggen?'

Ndebele knipperde met zijn ogen. Deze wending had hij niet verwacht. 'Pardon? Als iemand van mijn personeel verslaafd was aan drugs?'

'Ja. Hoe zou u daarop reageren?'

'Dat is het kwaad, meneer. Drugs zijn het kwaad.'

'Geeft u daarom twintigduizend pond per jaar aan de verslaafdenopvang? Of is dat alleen voor de belastingen?' Hij hield een ander stuk papier omhoog. 'Uw bankafschriften,' legde hij uit. 'Het zoekteam heeft ze in uw huis gevonden.'

Ndebele liet de zakdoek zakken. 'Hebt u mijn financiële gegevens bekeken?'

'U hebt ons toestemming gegeven uw huis te doorzoeken.'

'Maar niet daarvoor.'

'U sponsort minstens vijftig vrijwillige afkickprogramma's.' Caffery boog wat naar voren. 'De som die u eraan spendeert, is niet niks. Ian Mallows ging ook naar praatgroepen. Hij was verslaafd aan heroïne. Wist u dat?'

'Wat kan het u schelen waar ik mijn geld aan uitgeef?'

'Houdt u dan geen contact met de verslaafdenopvang omdat ze een goede bron zijn van slachtoffers? Kwetsbare mensen? Die niet gemist zullen worden?'

Ndebele stak de zakdoek in zijn zak en ging staan. Hij was klein en tenger, maar in zijn gezicht lag een felheid die hem voor even groter deed lijken. 'Ik heb die jongen met geen vinger aangeraakt. Ik weet niet hoe zijn handen op de plaats zijn gekomen waar ze zijn gevonden en ik heb hem niet aangeraakt.' Hij trok zijn jasje van zijn stoel en begon het aan te trekken. 'Het wordt tijd dat ik ga.'

'Alstublieft. Ga alstublieft zitten. Ik wil hier niet nog verder mee hoeven gaan. Niet nu we allemaal onze hakken in het zand hebben gezet.'

Maar Ndebele knoopte zijn jas dicht en trok met woedende gebaren de mouwen recht. 'U hebt me beledigd. Het wordt tijd dat ik ga.'

Caffery zette zijn handen plat op de tafel en zei heel zachtjes: 'Als u probeert weg te gaan, zal ik u moeten arresteren.'

Ndebele bleef staan met zijn jasje half dicht. De agent in de hoek stond overeind, klaar om in te grijpen. 'Neem me niet kwalijk, meneer,' zei Ndebele. 'Wat zei u daar?'

'Ik zei dat ik geen andere keus zal hebben dan u te arresteren. Plaatselijke zakenman; zit in het bestuur van de school, heb ik gehoord? De plaatselijke pers zou ervan smullen.'

Ndebele staarde hem aan. Zijn lippen werden donkerblauw, alsof zijn bloed niet meer stroomde.

'U kunt ook blijven. Dan doen we dit vriendelijk en rustig en helpt u de politie slechts. Niemand hoeft er iets van te weten.'

Er viel een lange stilte terwijl Ndebele hierover nadacht. Achter hem wachtte de agent met scheefgehouden hoofd. Toen liet

Ndebele zich op zijn stoel zakken, zijn blik op de tafel alsof hij het niet aankon om op te kijken. Toen hij weer begon te spreken, klonk zijn stem gedwee. 'Weet u wat er met mijn zoon is gebeurd?'

'Nee,' zei Caffery eerlijk en hij opende zijn handen. 'Nee, dat weten we niet.' Hij bestudeerde Ndebeles grijzende kruin. 'Hoezo? Heeft hij problemen, uw zoon? Is hij verslaafd?'

'Was,' zei Ndebele. 'Hij was een junk. Maar hij is nu weer clean, dank u.' Hij zuchtte diep, alsof het leven soms te zwaar voor hem was. 'Het was moeilijk voor hem toen we naar dit land kwamen. Zo moeilijk. We hadden niet zoveel racisme verwacht. Dat hadden ze ons in Zuid-Afrika niet verteld. Het komt van mensen van wie je het nooit zou verwachten. Die uit de Caraïben, uit Jamaica, kinderen uit St. Lucia, Trinidad, kinderen met wie mijn zoon op school zat, kinderen die er precies zo uitzien als hij. Mijn zoon is een goede jongen, heel rustig. De jongens met wie hij in contact komt, die denken dat dat betekent dat ze hem aankunnen. En dat konden ze ook een tijdje.' Ndebele leek zich te laten meeslepen. Hij hield zijn hoofd scheef en zijn gezicht vertrok bij de herinnering. 'Maar er was iemand die hem hielp,' ging hij verder. 'Iemand van de verslaafdenopvang. Als hij dat niet had gedaan, zou mijn zoon nu dood zijn.'

Caffery zei niets. Zijn boosheid verdween langzaam. Iets aan het verhaal over de zoon klonk een beetje overdreven, een beetje gespeeld, maar de blik op het gezicht van de man en zijn gedrag vertelden Caffery dat het verband met de verslaafdenopvang een doodlopende weg was. De bankafschriften waren toeval.

Hij stond op, liep naar het raam en tilde de jaloezieën een eindje op. Het was halverwege de middag en de straat werd overspoeld met schoolkinderen die vrolijk duwend en trekkend voorbijliepen. Toen het zoekteam met de bankafschriften was gekomen, had hij er meteen twee man op gezet. Die waren nu een tweede bezoek aan het brengen aan de twintig centra voor verslaafdenopvang in de verklaring. Maar op dit moment leek dat vergeefse moeite, verspilling van mankracht, en kon hij misschien beter afgaan op de vezels uit de vloerbedekking. Iemand van het bureau had beloofd meteen te komen als de resultaten van het lab kwamen. Misschien moest hij het zo doen: wachten en Ndebele om de oren slaan met de vezels. Soms kwam er een fax om vier uur 's middags. Nog een halfuur te gaan.

Net toen hij zich wilde omdraaien, zag Caffery de Wandelaar voor zich. *Je zoekt de dood, Jack Caffery. Je zoekt de dood.* Caffery liet de jaloezieën zakken en wreef in zijn ogen om het beeld kwijt te raken. Hij draaide zich om naar Ndebele, die ineengedoken aan de tafel zat en zijn nagels weer in de koffiebeker zette. Aan zijn mouwen kleefden kleine balletjes polystyreen. Hij is zo nerveus, dacht Caffery, maar wat hij niet beseft, is dat het helemaal niet uitmaakt. Het maakt niet uit wat er gebeurt of wat we met ons leven doen, want we gaan allemaal dood. Ik ga dood en jij gaat dood, Ndebele. Je gaat dood en alles wat je gedaan hebt sterft samen met jou.

Wat maakt het dan allemaal nog uit?

34

10 MEI

Dit is een plek van verschrikking, een niemandsland waar onbeschrijfelijke, onzegbare praktijken worden beoefend. Een plaats waar de lichamen van vermiste jongetjes levend gevild en zonder organen op braakliggend terrein bij hun dorpen worden gevonden. Een nier levert tweehonderd pond op, een hart vierhonderd. Hersenen of geslachtsdelen kunnen oplopen tot vierduizend pond.

'Meer voor een kind en meer voor een blanke,' zegt Skinny. 'Hij is slimmer, de blanke. In zaken is hij succesvoller dan wij.'

Het duurt lang voor Mossy de situatie waarin hij beland is kan accepteren. Maar heel langzaam krijgt hij overzicht in zijn hoofd. Ten eerste is er de plek zelf, zo te zien het hoofdkwartier van de operatie. Mossy heeft geen idee waar hij zich precies bevindt. Alles wat hij zich kan herinneren, is dat hij uit de auto stapte en meteen een deur door werd geleid, en daarna door nog een en nog een. Hij weet zelfs niet of hij zich nog in Bristol bevindt. Ten tweede heeft hij afgeleid dat er andere mensen in de stad zijn die de dingen kopen die Oom zijn slachtoffers afneemt, mensen uit Afrika, zegt Skinny, die hier wonen en de rituelen van hun thuisland niet zijn vergeten. Ten derde zijn er nog de video's. Die worden door Oom gemaakt om de pijn vast te leggen. En dat is wat Mossy maar niet uit zijn hoofd kan krijgen, want Skinny heeft hem verteld dat de video's niet voor Oom alleen zijn.

Ja, het is waar, Oom geniet ervan om mensen pijn te zien lijden. Maar daar houdt het niet mee op. De video's zijn bedoeld om aan de klanten te bewijzen dat de lichaamsdelen afkomstig zijn van levende slachtoffers, want, en dit deel verkilt Mossy tot op het bot, *hoe luider er geschreeuwd wordt, des te sterker is het medicijn...*

'Dat bloed dat we bij je afgetapt hebben,' geeft Skinny op een avond toe. 'Dat verkoopt hij beetje voor beetje. Er is nog wat van. In de ijskast.'

'Dat is gewoon walgelijk,' zegt Mossy met dikke stem. 'Walgelijk. Wat doen ze met mensenbloed? Stelletje vampiers.'

'We bewaren het alleen maar. Als bescherming tegen duivels.'

'Duivels?'

Skinny knikt. Zijn ogen zien roze in het zwakke licht. 'Oom, hij stuurt een duivel om mensen bang te maken.' Hij staat op van de bank en hurkt vlak bij het hek. Hij trekt er een tas door die daar al de hele middag staat. Mossy heeft hem wel gezien, maar heeft er niet echt bij nagedacht. Op zijn hurken pakt hij de tas uit. Er komt een pruik uit, een paar laarzen en iets glads dat glanst. Mossy denkt even dat het een ledemaat is, een arm of zoiets. Maar dan houdt Skinny het omhoog en ziet hij wat het is. Het is gemaakt van hout: een lang, glad ding met aan de bovenkant een uitgesneden eikel.

'Waar is dat verdomme voor,' zegt hij, en hij komt op een elleboog overeind. 'Blijf uit mijn buurt met dat ding.'

'Nee, nee,' mompelt Skinny, die het voorwerp zo draait dat het licht erop valt. 'Daar is het niet voor. Het is om mensen bang te maken, om ze te laten denken dat hij de duivel is. Zodat ze het bloed kopen.'

Mossy likt langs zijn lippen en kijkt naar de laarzen en de pruik. 'Wat? Moet jij dat buiten dragen? Je bindt het voor en gaat naar buiten en geeft een show weg, is dat het? Werkt het zo?'

Maar Skinny kijkt Mossy niet aan. 'Nee,' zegt hij uiteindelijk. 'Ik niet.'

'Jij niet. Wie dan?'

Weer zwijgt Skinny. Mossy denkt dat hij geen antwoord gaat krijgen, want hij kijkt zo afwezig. Als hij eindelijk wat zegt, klinkt zijn stem triest en peinzend. 'Mijn broer.'

'Je broer?' Mossy gaat rechtop zitten. 'Je hebt nooit gezegd dat je een broer had. Is hij ook hier?'

'Kijk naar me.' Skinny brengt een hand omhoog en gebaart vaag naar zijn lichaam. 'Ik ben klein. Mijn broer, hij is ook klein, net als ik, kleiner nog.' Hij kijkt naar de kooi achter de muur en Mossy voelt een rilling over zijn rug gaan bij het idee dat iemand plotseling zijn gezicht tegen de tralies zou kunnen drukken. 'Maar hij,' fluistert Skinny, 'hij is slecht geboren. Slecht hier.' Hij gaat met zijn vingers over zijn gezicht. 'En hier.' Hij houdt zijn handen tegen zijn rug. 'Hij is gewoon slecht geboren. Als een baviaan.'

Mossy wil iets zeggen, maar er zit een brok in zijn keel en hij krijgt er geen woord uit. Het woord 'baviaan', dat zo zacht werd gefluisterd, bezorgt hem kippenvel op zijn hele lichaam. Hij denkt aan het gevoel dat hij soms krijgt dat er nog iemand anders aanwezig is, iemand die komt en gaat in de nacht. 'Dus hij is hier, je broer?' weet hij uiteindelijk uit te brengen. 'Hier? Op deze plek?' Hij gebaart naar de kooi. 'Slaapt hij daar?'

Skinny knikt. Hij kijkt even naar de kooi en draait zich dan om naar het hekwerk voor het raam, dat een beetje is omgebogen. Het gat is niet groot genoeg om een volwassene door te laten. Maar wel voor iemand anders. Iemand met de grootte van een kind, misschien.

Uiteindelijk schraapt Mossy zijn keel en probeert terug te komen bij de realiteit. 'Het is hier anders, hoor. We zijn hier in Engeland. De regels zijn niet hetzelfde. Niet zoals thuis.'

'Dat weet ik.'

'Dat moet je beseffen. Wat jij doet, de dingen die je gedaan hebt, die zullen de mensen niet aanstaan. Helemaal niet.'

'Ik weet het, ik weet het,' zegt Skinny, en zijn stem klinkt zo gelaten, zo moe, dat Mossy wel kan huilen. 'En ik weet dat ik na alles wat ik hier doe zal moeten vluchten. Vluchten tot het eind van de wereld.'

35

17 MEI

De zon bewoog langzaam over de vallei. Flea zat thuis naast het open raam onder de blauweregen met het tuinjasje van haar moeder om zich heen en keek hoe de schaduwen van de bomen over het bovenste grasveld liepen. Hoewel ze nog steeds vergif in haar lichaam had – ze voelde het achter in haar keel en zag het aan de manier waarop de wereld af en toe zijdelings uit haar ooghoeken verdween – voelde haar lichaam schoon en licht, alsof de drug lagen had weggehaald die ze niet nodig had en haar gedachten helder had gemaakt en van onnodige ballast had ontdaan.

Om de een of andere reden dacht ze steeds weer terug aan een bepaald deel van de trip en aan wat pa en Kaiser in het hotel hadden gezegd.

Is het niet vreemd om weer in Afrika te zijn?

Dit is Zuid-Afrika, niet Nigeria. Dit is niet de plek waar het gebeurd is.

Ze wist dat dit gesprek een herinnering was. Geen hallucinatie, maar een herinnering die ze met de hulp van de ibogaïne weer naar boven had gebracht. Maar het had haar doen denken aan een andere herinnering, iets vreemds dat haar vader had gezegd op de dag dat hij haar aan Kaiser had voorgesteld, iets wat bij haar de vraag opwierp of pa dieper betrokken was geweest bij wat er in Nigeria was gebeurd dan hij ooit had laten blijken.

Het was jaren en jaren geleden gebeurd, toen zij en Thom nog klein waren en Kaisers huis op de heuvel nog nieuw, onaangeroerd door zijn oneindige aanpassingen en bouwwerkzaamheden en door zijn onophoudelijke pogingen als een termiet in de heuvel te graven. Dus begreep ze niet waarom ze nu steeds moest denken aan die dag in de jaren 1980 en aan het gesprek van haar ouders toen ze de oprit op reden in hun Cortina.

'Vind je het geen slag in het gezicht van de wetenschap?' David Marley zat aan het stuur, gekleed in een corduroy jasje met een zigeunersjaal om zijn hals. 'Wat ze in Afrika met hem gedaan hebben? Door hem en zijn team immoreel te noemen. Ik wil maar zeggen, sinds wanneer heeft de moraal een stoel gehad aan de eettafel van de wetenschap?'

Flea zag het allemaal in heldere kleuren voor zich. Ze herinnerde zich dat ze met Thom op de achterbank had gezeten, allebei met een korte broek aan en Start-rite sandalen. Ze herinnerde zich dat ze uit het raampje had gezien hoe de vallei van Kaisers huis in het niets verdween. Ze herinnerde zich het huis en zelfs de roze blouse met stippen van haar moeder. Maar ze kon zich niet herinneren dat iemand precies had gezegd wat er in Afrika met Kaiser was gebeurd. Alsof ze het niet onder woorden hadden durven brengen.

'Vind je niet dat de universiteit een berisping zou moeten krijgen van de internationale gemeenschap omdat hij ontslagen is?'

'Niet echt,' zei Jill Marley. 'Ik vind dat het echt immoreel was wat hij heeft gedaan. Het was buiten alle perken. Onmenselijk.'

'Onmenselijk?' David Marley bracht de auto boos met een bocht voor het huis tot stilstand. Hij zette de motor af en keek naar zijn vrouw. 'Hoe kun je dat zeggen? Hoe kun je dat nou zeggen? Soms denk ik dat je net zo slecht bent als de rest.'

'O, lieveling,' had Jill met een licht schouderophalen gezegd. 'Ik weet zeker dat je dat niet meent...'

Zo kenmerkend voor mam, dat lichte schouderophalen, de

nonchalante manier waarop haar schouders iets omhooggingen. Het was altijd hetzelfde: pa wilde ruziemaken en mam suste hem, haalde de angel uit het gesprek en dreef hem in een hoek met dat kleine gebaar, dat lichte schouderophalen.

Er kraakten wielen over het grind buiten. Flea kwam terug in het heden en ging met haar ogen knipperend overeind zitten. Er was een auto voor het huis gestopt. Na een paar tellen stond ze op en ging naar het raam. Haar brein werkte langzaam en houterig. Ze trok het gordijn opzij en was zich ervan bewust hoe korrelig de stof voelde tussen haar vingers. Thom stapte uit een gehavende zwarte auto. Ze bleef een beetje dromerig staan denken hoe vreemd het was dat ze was vergeten dat hij zou komen. Hij had gelijk gehad toen hij had gezegd dat ze het zou vergeten.

Hij stapte uit de auto en liep om het huis heen, waarbij hij bleef staan om de tuin in te kijken, en even bevond ze zich in zijn hoofd en zag ze door zijn ogen; de bomen en het meer, de Brug der Zuchten, de terrassen die naar beneden liepen en uit het zicht verdwenen tussen de overwoekerde velden. Hoe verwaarloosd alles eruitzag.

Ze ging naar de achterdeur en deed hem open. Het was buiten warmer dan binnen. De zon scheen op het zwarte dak van de auto.

'Hoi.'

'Hoi.'

Hij was een beetje onhandig gekleed in een versleten pak en een das. De tenen van zijn schoenen waren een beetje kaal. Ze dacht eraan hoe hij erbij had gezeten in haar hallucinatie van die avond in de hotelkamer, met al hun spullen om hen heen, hoe Kaiser en haar vader zich van hem hadden afgewend om even onder elkaar te kunnen praten. Thom. Altijd degene die buitengesloten werd.

Ze pakte de sleutels van de Ford Focus van de binnenkant van de deur, nog steeds een beetje losgekoppeld van haar lichaam, alsof het niet echt haar hand was die zich naar het haakje uitstrekte, en gaf ze aan Thom.

'De tank is vol,' begon ze, maar toen moest ze stoppen omdat er tranen in haar ogen stonden.

'Flea?'

Ze schudde haar hoofd, legde een hand op zijn arm en bekeek die nauwkeurig tot ze haar tranen verdrongen had. 'Wees voorzichtig,' zei ze met een klein stemmetje. 'Wees alsjeblieft voorzichtig.'

Hij sloeg zijn armen om haar heen en hoewel hij tenger was en niet erg gespierd, voelde ze zich heel even beschut, beschermd. Hij rook naar zeep, een belachelijk bloemig zeepje, geraniums of zo, omdat hij nooit iets mannelijks wist te kiezen. 'Maak je om mij geen zorgen. Ik ben nu een grote jongen.'

Ze wilde zeggen: *nee, dat ben je niet. Je bent nog steeds mijn kleine broertje*, maar ze deed het niet. Ze glimlachte en knikte, en toen hij weg was, bleef ze nog een hele tijd in de deuropening staan kijken naar de namiddagzon die over de terrassen trok en ze bedacht hoe anders hun leven eruit had gezien als dat gat niet had bestaan, duizenden kilometers ver weg in de woestijn.

Die middag in de arrestantenkamer was er een moment waarop Ndebeles bezorgdheid overging in iets diepers. Als Caffery het had moeten beschrijven, had hij gezegd dat het het enige moment was waarop hij zag dat Ndebele echt bang was. Misschien had hij bij alle dingen waarover ze praatten reden om bang te zijn, maar hij bereikte dat diepere niveau alleen toen het gesprek op de Tokoloshe kwam.

'Heeft Dlamini ooit belangstelling getoond voor *muti*?' vroeg Caffery. 'Hekserij? Heeft hij het gehad over dingen die slechte geesten op afstand moesten houden?'

Ndebele keek recht voor zich uit. Maar dat maakte niet uit, want Caffery had hem zien slikken. Zijn harde grijze adamsappel ging pijnlijk op en neer en Caffery hoefde niet naar beneden te kijken om te weten dat zijn greep op de polystyreen beker verstrakte. Hij wist dat hij beet had.

'Nee,' zei Ndebele snel. 'Niet meer dan ieder ander uit ons land.'

'Weet u waar hij een gierenkop te pakken kan hebben gekregen? Het is namelijk behoorlijk ernstig om zoiets in je bezit te hebben. Gieren staan op de lijst van bedreigde diersoorten.'

'Geen idee, meneer.' Zijn ogen gingen naar de deur en toen weer naar Caffery's gezicht. 'Echt geen idee.'

'Neem me niet kwalijk. Werd u nerveus van die vraag?'

Ndebele beet op zijn onderlip. 'U weet niet waar u zich mee inlaat, meneer. Het gaat om iets wat u niet begrijpt.'

'O, nee?'

'U hebt het over iets Afrikaans. Iets wat bij Afrika hoort.' Hij duwde de mouw van zijn overhemd omhoog en kneep in zijn arm. 'Het zit hierin. In ons vlees en bloed. En niet...' Hij gebaarde met zijn kin naar Caffery en de agent in de hoek. '... niet in dat van jullie. U moet zich niet bemoeien met die dingen. Bemoei u er niet mee.'

'Is dat vet op uw arm?'

Ndebele knipperde met zijn ogen. Hij keek ernaar alsof hij verbaasd was hem daar te zien. Toen stopte hij zijn armen onder de tafel.

'Veeg het niet af, ik weet wat het is. Het is voor de Tokoloshe, nietwaar? Om hem af te weren.'

Nu werd Ndebele heel stil. Zijn ogen leken uit hun kassen te komen en Caffery dacht dat hij weer overeind zou springen. Maar hij liet zijn hoofd zakken en mompelde zachtjes fluisterend een aantal woorden in een taal die Caffery niet herkende. Er verscheen zweet op zijn voorhoofd.

Caffery keek zwijgend toe, wetend dat dit iets was, een soort angst en bezorgdheid, die hij nooit zou begrijpen. Toen hij de LPD had gevraagd of Ndebeles vrouw had gezien dat hij een monster van de vloerbedekking nam, had de LPD gezegd: 'Ze zag het me doen, net zoals ze alles kon zien. Ze deed alsof ze vreesde voor haar leven, om eerlijk te zijn.' En de reactie van Ndebele was nu ook angst. Echte angst. Wat hij ook had gezien op de ponton voor het restaurant, hij had geloofd dat het echt was.

'Oké,' zei Caffery langzaam. 'Ik zal u vertellen wat ik denk. Ik denk dat u iets hebt gezien dat u niet kunt verklaren. Daarom hebt u aan iemand geld betaald, een heleboel geld, om dat iets af te weren. U denkt dat u een duivel hebt gezien, een Tokoloshe, nietwaar? U denkt dat hij uw zaak bedreigt en u zult alles doen om dat te voorkomen.'

'Bemoei u er alstublieft niet mee.' Ndebele trok aan zijn kraag. Het zweet kwam door zijn overhemd en vormde kringen op zijn borstkas. 'Ik verzoek u dringend u er niet mee te bemoeien.'

Caffery tikte eenmaal met zijn pen op de tafel, zodat er ruimte ontstond voor zijn vraag. 'Kent u het bijgeloof dat handen die onder de ingang van een bedrijf begraven worden zorgen voor goede zaken? En de schade van de Tokoloshe ongedaan kunnen maken?'

Ndebele keek wanhopig op. Er zaten vage vlekken om zijn ogen: tranen van angst. 'U moet hiermee stoppen.'

'Ik weet absoluut zeker dat u precies weet hoe die handen onder uw restaurant terecht zijn gekomen.' Hij glimlachte. 'Ik weet niet hoe ik u ga pakken, maar vertrouw er maar op dat ik u ergens op ga pakken. Want u weet dat het verkeerd is wat u gedaan hebt. Het is absoluut verkeerd dat een mens moet sterven voor uw bedrijf. Dus volgens mij kunt u het beste gewoon vertellen wie u hebt betaald.'

'Ik heb niemand ergens voor betaald. Ik weet niet hoe die handen onder mijn restaurant terecht zijn gekomen.'

'Het moet iemand zijn die veel weet over Afrikaanse tradities of die informatie krijgt van iemand die daar veel over weet. Misschien een illegaal die zijn wetenschap inruilt voor bescherming en geld. Iemand op het werk? Een van uw personeelsleden?'

'Nee. Neem me niet kwalijk, u hebt me dit zo vaak gevraagd. Het antwoord is nee. Als u wilt weten hoe die handen onder mijn restaurant zijn gekomen, vraagt u het aan de verkeerde.'

Caffery tikte nog eens met zijn pen en dacht aan de angst op het gezicht van de man. Hij zou de schoft bijna willen geloven. 'O, ja? Aan wie zou ik het dan moeten vragen?'

Ndebele veegde langs zijn ogen en slikte. 'De intellectuelen.'

'De intellectuelen? Wat heeft dat te betekenen?'

'De mensen van de universiteit. Zij hebben dit beraamd. Ik heb vijanden. Dit is een complot om mijn naam te bezoedelen.'

'Zou u me wat namen willen geven? Iets waarmee ik kan werken.'

'Weet u, meneer...' Hij haalde een zakdoek voor de dag en veegde zijn voorhoofd af. Hij trilde nog steeds. '... ik heb nooit een sterke maag gehad. En wat u onder mijn restaurant hebt gevonden... Dit is geen goede dag voor mij. Helemaal geen goede dag.' Hij keek hem met vochtige ogen aan. 'Hoe komt die hand onder mijn restaurant, meneer? Betekent dat dat ik mijn zaak wel kan sluiten?'

Er werd op de deur geklopt. Caffery kwam overeind en deed hem open. De kantoormanager stond in de deuropening met een stuk faxpapier dat hij meteen herkende. Het was van het lab. Hij nam het aan, ging weer zitten en legde het papier gevouwen op tafel, waar ze het allebei konden zien. Hij liet een paar seconden voorbijgaan voordat hij iets zei.

'Sorry.' Hij hield het papier omhoog. 'Dit komt van het lab. Het rapport over de tapijtvezels.' Hij leunde achteruit en vouwde het papier langzaam open, zoekend naar de juiste zin, wetend dat hij dicht bij de oplossing was. 'Zoals ik al eerder zei, hebben we vanmorgen...'

'Wat is dat?' vroeg Ndebele.

Maar Caffery had net het relevante vakje bereikt. Overeenkomsten nul. De tapijtvezels op Mallows' handen waren niet van de vloerbedekking in het huis van Ndebele. Caffery liet het papier zakken en glimlachte wrang tegen de agent in de hoek. Soms win je, soms verlies je.

'Wat is er?' herhaalde Ndebele. Zijn tranen waren verdwenen en zijn gezicht stond strak.

Caffery ging met zijn vingers door zijn haar en liet zijn nagels over de hoofdhuid glijden. Hij voelde zich plotseling zo moe als hij de hele week nog niet geweest was. 'Niets,' zei hij. Hij stond op en schopte de stoel onder de tafel. Buiten werd het donker. De mannen zouden nog niet alle centra voor verslaafdenopvang afgegaan zijn; ze zouden morgenochtend verder moeten gaan. En dat was beroerd, want nu de vezels niet overeenkwamen, wist hij dat die centra het enige spoor waren dat hij nog had. 'Helemaal niets.'

36

17 MEI

Zorg dat ze ons niet omhooghalen...

Het was laat in de middag en de schaduw van de plafondlamp was lang en reikte bijna tot aan de muur toen Flea opstond en de oude leren stoel naar de computer sleepte. Ze trok een trui om haar schouders, zette de computer aan en typte 'Boesmansgat' in.

De eerste tijd na het ongeluk had ze voortdurend het internet in de gaten gehouden. Toen het gerechtelijk onderzoek was afgesloten, raakte ze verslaafd aan de kletspraat in de duikgemeenschap en de theorieën over wat er verkeerd was gegaan bij die speciale duik. Het interesseerde iedereen, zowel sportduikers als beroepsduikers; ze waren bang voor en opgewonden over wat het kon betekenen. Mensen van Tasmanië tot aan Bermuda en de Hebriden, met handtekeningen als 'je hoeft een goede duiker nooit te vragen naar beneden te gaan', en uit elke tijdzone bemoeiden zich met de discussie en voegden hun ervaringen toe aan het geheel. Soms bleef Flea 's nachts op en hield ze stilletjes de fora in de gaten om hen te zien praten, hopend dat er iets zou worden gezegd over ma en pa, hopend dat het meer zou zijn dan technische theorieën. Ze vond het leuk als ze mam 'Jill' en pa 'David' noemden in plaats van het over 'de Marleys' te hebben en ze scheidde het kaf van het koren, op zoek naar verwijzingen naar wie ze geweest waren voordat ze de beroemdste slachtoffers van een duikongeluk ter wereld waren geworden.

Ze riep DiveNet op, een van de grootste internationale duikwebsites, en scrolde naar de Trimix-fora. Ma en pa hadden Trimix gebruikt om honderdvijftig meter af te dalen, een omstreden methode waar mensen onophoudelijk over praatten. Soms hadden ze het hier ook over het Boesmansgat. Misschien was er iemand die wist hoe het eruitzag, die de helling kende die ze in haar hallucinaties had gezien.

Zodra ze op het forum kwam, zag ze dat er meer activiteit was dan normaal. Er was in de laatste twee dagen door vijftig mensen gepost – normaal gesproken kreeg de chatroom slechts vijf of zes berichten per dag. Iemand moest een bijzonder moeilijke duik hebben gemaakt en schouderklopjes krijgen. Ze wilde niet denken aan de andere mogelijkheid: dat iemand anders op dezelfde manier als haar ouders het leven had verloren.

Ze klikte door naar het forum en scrolde naar beneden. Terwijl ze dat deed gingen de haartjes op haar armen overeind staan. Ze zette de muis op het eerste bericht en klikte weer, en haar hart bonsde toen de tekst op het scherm verscheen. Ze las het bericht door en toen ze zag dat ze zich niet vergiste, duwde ze de muis opzij en staarde ongelovig naar het scherm zonder iets te zien of te voelen. Het was onmogelijk. Onmogelijk.

Het duurde even voor ze besefte dat de telefoon ging. Ze pakte hem versuft op.

'Hallo,' zei de stem. 'Hallo.'

Flea boog naar voren en klikte op het volgende bericht in de discussie. De vrouw aan de telefoon praatte, maar Flea hoorde het niet. Ze kon haar ogen niet van het beeldscherm afhouden en las het volgende bericht en toen nog een. Haar hart bonsde zo luid dat ze er hoofdpijn van kreeg.

'Hé, Flea? Ben jij dat? Met Mandy. Flea?'

Flea bracht langzaam de telefoon naar haar oor en hield hem

daar, haar blik nog steeds op het beeldscherm gericht. 'Mandy?' zei ze flauwtjes. 'Ja, met mij.'

'Je klinkt vreemd.'

'Nee...'

'Buiten adem.'

'Nee...'

'Mooi. Kan ik dan je broer spreken?'

'Mijn broer?'

'Ja, Flea. Je broer, Thom. Ken je die nog?'

En toen kwam het allemaal weer terug. De afspraak. Thom en de auto.

'Flea? Is hij daar?'

'Eh, ja. Natuurlijk is hij eh... hier.'

'Kan ik hem even spreken?'

'Nee. Hij is... hij is in de tuin.'

'Hij heeft zijn telefoon uitgeschakeld.'

'O,' zei Flea flauwtjes. 'Echt?'

'Ja.' Er viel een stilte. 'Is alles goed met je, schat?'

'Prima.'

'Zo klink je anders niet...'

'Toch wel.'

'Roep Thom dan even, wil je?'

'Nee.'

Het werd weer stil, met een geschokt inademen. Toen zei Mandy zachtjes: 'Nee? Zei je "nee"?'

'Dat gaat niet. Hij is...' Ze keek over haar schouder naar de gesloten gordijnen. 'Hij is helemaal achteraan. Bij het meer.'

'Bij het meer?'

'Daar staat een jeneverbes, die... Nou ja, die is hij voor me aan het snoeien. Ik zal... ik zal hem vragen terug te bellen als hij weer hier is.'

En voor Mandy nog iets kon zeggen liet Flea de telefoon op het toestel vallen, zakte tegen de rugleuning van de stoel en staarde strak naar het beeldscherm. De woorden brandden in haar ogen. 'Mam,' mompelde ze. Ze greep de muis en schoof iets naar voren. '*Mam?*'

Ben Crabbick en Andy Pearl waren in de twintig en doken al sinds hun vroege jeugd. De twee Australiërs van de Westkust, fitnesstypes en altijd op zoek naar uitdagingen, hadden in bijna elke bekende grot gedoken en hadden samen vijfhonderd duikuren met Trimix op hun naam staan. Op een keer was Crabbick in de beruchte John's Pocket in Florida met zijn zuurstofflessen vast komen te zitten in een gat, net vijftien meter van het oppervlak. Pearl gaf hem twintig minuten lang lucht met zijn eigen masker terwijl ze worstelden om hem te bevrijden. Omdat ze in paniek raakten, hadden ze nog maar vijf bar zuurstof tegen de tijd dat ze bovenkwamen. Maar zelfs die ervaring, zei Pearl op het forum van DiveNet, was niets in vergelijking met wat er nu gebeurd was in het Boesmansgat.

Pearl was online vanuit Danielskuil, de stad die het dichtst bij het Boesmansgat lag. Hij zat er veilig en droog met een biertje in zijn hand en nu alles weer rustig was vertelde hij zijn verhaal voor een geboeid publiek, dat hem bekogelde met vragen. 'Ik en Crabbick zijn al jaren gefascineerd door het Boesmansgat,' typte hij. 'Het is alsof die plek feromonen afgeeft, weet je wel, alsof al die arme zielen die daar gestorven zijn de rest van ons aantrekken.' Dat, zei hij, was de enig mogelijke verklaring voor het feit waarom andere duikers per se de verraderlijke, bodemloze watertrechter in wilden.

Pearl en Crabbick hadden in West-Australië sponsors gezocht voor de duik. Pearl droeg het logo van Suunto op zijn zuurstofflessen, terwijl Crabbicks droogpak blauwe en witte bliksemschichten op de armen en de rug had, de bedrijfskleuren van een Australische breedbandprovider. Elke minuut die ze doorbrachten op meer dan driehonderd meter diepte voegde uren toe aan de tijd die het zou kosten om weer aan het oppervlak te komen, en elke seconde maakte de kans op stikstofnarcose groter, dus hadden ze afgesproken dat twintig seconden op de bodem, net lang genoeg om elkaar en hun logo's te fotograferen, voldoende was om de duik te rechtvaardigen. Pearl bleef helder genoeg om zich aan het duikplan te houden. Crabbick, die minder ervaring had, was niet zo standvastig.

Ze bevonden zich op tweehonderdvijftig meter toen Pearl vermoedde dat er iets mis was met zijn duikmaatje. Crabbick klaagde dat hij steeds *wa wa* hoorde in zijn helm, een geluid dat voor Pearl betekende dat er nog stikstof in Crabbicks gasmix zat en dat dit het begin van een stikstofnarcose was. De moed zonk hem in de schoenen. Hij kon hem niet alleen naar het oppervlak laten gaan, ook al betekende dat dat de duik mislukt was. Heel even haatte hij zijn oude vriend zelfs. Maar hij wist wat ze moesten doen.

'Hé,' zei hij door zijn onderwatermicrofoon. 'Laten we naar boven gaan.'

'Nee,' klonk het antwoord in zijn oor.

'Ja,' zei Pearl. Het was pikkedonker daarbeneden en hij hield de lamp op Crabbicks borst gericht omdat hij hem niet wilde verblinden door in zijn gezicht te schijnen. 'We gaan terug.'

Hij richtte zijn lamp naar boven en voerde een berekening uit: de eerste reddingsduiker zou naar de flessen op honderd meter komen, dus het dichtstbijzijnde menselijke wezen was honderdvijftig meter van hen vandaan, wat hun met de juiste decompressiestops bijna een uur zou kosten. Pearl zou Crabbick aan een lijn vastmaken en hem zo vasthouden terwijl ze naar boven gingen. Hij vond het vreselijk om terug te moeten gaan, maar hij wist dat hij nog sterk genoeg was om hen allebei boven te krijgen. Als ze nu meteen gingen. 'We breken de duik af, Ben.'

'Nee. Ik wil naar beneden.' Crabbick sprak met een dikke tong. Nog een teken van stikstofnarcose. Zijn gasmengsel was beslist verkeerd. 'Anders heeft het geen zin.'

'Sorry, Ben, maar we doen wat ik zeg.'

Pearl draaide net naar het oppervlak toen een sterke, vastbesloten hand zijn arm greep. Zijn lamp kwam omhoog en bescheen Crabbicks gezicht, dat zich maar een paar centimeter van hem af bevond en hem met grote pupillen aankeek. Hij schudde zijn hoofd. Hij zei niets, maar staarde zijn vriend aan alsof hij een vreemde was. Pearl schreef op DiveNet dat het was alsof hij in de ogen van een bezetene keek. Als iemand hem zou vertellen dat er een duivel op de bodem van het Boesmansgat huisde die in het hoofd wilde zwemmen van elke duiker die zich daar waagde, zou hij het alleen al door die blik in Crabbicks ogen geloven, schreef hij.

'Ben, luister. Ik ben Andy. Weet je nog? Ik ben Andy, en ik zeg je dat we teruggaan. Je kunt niet weigeren.' Hij schudde langzaam zijn hoofd tegen Crabbick. Een beweging die druk op zijn oren zette en hem deed duizelen. 'Je zegt altijd ja en je gaat altijd terug als ik het zeg.'

Maar in plaats van iets terug te zeggen, maakte Crabbick zich dit keer los en zwom naar de bodem. Zo snel ging het: het ene moment was hij er nog en het volgende was hij in de duisternis verdwenen en zag Pearl alleen nog vaag een zwemvlies in het licht van zijn lamp.

'Ben? Ben, stommeling,' riep hij. 'Stop. *Stop*.'

Pearl bleef zo'n twintig seconden waar hij was. Zijn hart bonsde, het geluid van zijn ademhaling klonk steeds benauwder in zijn oren en alle regels die hij ooit had geleerd schoten door zijn hoofd. Duik nooit verder dan je kunt om een andere duiker te pakken, zelfs niet als zijn leven ervan afhangt. Dat was een onwrikbare wet. Je zult je te veel inspannen, vergeten om je gasmengsel en de duikcomputers te controleren en het is bijna zeker dat er dan niet een, maar twee doden zullen zijn. Je moet ze laten gaan. Dat wist Pearl allemaal, maar Crabbick was zijn beste vriend. Ze hadden samen op de middelbare school gezeten en je gaf een vriend niet zo gemakkelijk op. Zijn ademhaling werd nog moeizamer. Hij voelde het bloed bijna door zijn aderen stromen, alsof het dik was geworden door de druk. Maar als Crabbick de bodem bereikte en nog bij bewustzijn was, zou hij hem ervan kunnen overtuigen dat de duik een succes was en dan konden ze naar het oppervlak gaan, bedacht hij.

Misschien had Pearl inderdaad de bodem kunnen bereiken en daarna zijn vriend naar het oppervlak kunnen brengen, wat hem twaalf uur zou kosten. Maar toen hij op de bodem kwam, kon hij Crabbick niet vinden. Hij gaf zichzelf dertig seconden om te kijken en geen tel langer, maar het was bij lange na niet genoeg om zijn vriend te vinden. De vloer van de put was donker en onuitsprekelijk eenzaam, en toen hij modder onder zijn voeten voelde, bezorgde dat Pearl zo'n schok dat het hem tien seconden lang duizelde. Maar zelfs toen de duizeligheid en de misselijkheid verdwenen waren, was hij nog steeds gedesoriënteerd. Het licht van zijn lamp trilde over spookachtige woestijnlandschappen, over de lange zandduinen, leeg zover zijn oog reikte. Geen teken van Crabbick.

Met een ziek gevoel en een oncomfortabel bonzend, vermoeid hart gaf hij het lijnsignaal dat hij naar boven kwam.

Het was het ergste moment van zijn leven, schreef hij op Dive-Net.

37

17 MEI

'Het moeilijkste was om hem stil te houden.' De Wandelaar zat met opgetrokken knieën en een mok warme cider in zijn smerige handen. Het licht van het vuur speelde over zijn gezicht en wierp schaduwen tussen de bomen achter hem. 'Eerst probeerde ik hem aan een stoel vast te binden, maar ik zag meteen al dat dat niet ging werken.'

'Wat heb je toen gedaan?'

'Plakband.'

'O ja, het plakband. Dat heb ik in het rapport gelezen. Van dat spul voor pakjes, nietwaar?' Caffery rolde op een zij en legde zijn hoofd op zijn hand. 'Met HANDLE WITH CARE erop. Dat heeft de pers gehaald. De media vonden het prachtig.'

De Wandelaar gromde. 'Ik heb het niet gekozen om de tekst. Het lag toevallig bij de hand.'

'Dus plakte je hem vast aan de stoel.'

'Maar dat werkte ook niet. Ik kon er niet bij. Toen dacht ik eraan dat er een strijkplank in de garage tegen de muur stond, dus haalde ik de poten eraf en plakte hem daaraan vast. Ik moest hem natuurlijk weer bewusteloos slaan.'

'Maar dat werkte?'

De Wandelaar glimlachte. 'O, ja. Dat werkte. Ik legde hem op de werkbank en het ging prima.'

Caffery had het kamp van de Wandelaar half bij toeval gevonden. Het was al laat. Hij had een agent uit Broadbury bij Ndebele in huis gezet en gezegd dat het was om hem te beschermen, en daarna was hij rechtstreeks van het bureau naar een van de meisjes op City Road gegaan. Het had niet lang geduurd, en naderhand voelde hij zich eerder slechter dan beter. Hij bleef maar denken aan wat de Wandelaar had gezegd: *je zoekt de dood.* Hij vroeg het zich af terwijl hij naar huis reed. De zon ging onder, de eerste sterren verschenen en Bristol vervaagde tot een oranje gloed in zijn achteruitkijkspiegel.

Hij zocht niet bewust naar het kamp, maar hij wist dat hij niet naar huis wilde, waar hij geen ander gezelschap zou hebben dan de tv en de schaduwen tussen de bomen, dus reed hij naar het oosten, bijna tot in Wiltshire. Hij nam wegen die hij niet kende en bevond zich ten zuiden van Bath op de A36 toen hij een kampvuurtje zag tussen een paar bomen, op honderd meter van de weg. Hij stopte, stapte uit en liep langzaam over het veld naar het bosje. Meestal sliep de Wandelaar op dit uur, maar deze avond niet. Hij was wakker en zat midden op het veld over het vuur heen in de richting van het meer van Farleigh Park te kijken, dat onder aan de helling lag en de maan weerspiegelde. Aanvankelijk leek hij ergens mee te zitten – hij stak een hand op naar Caffery, maar keek niet naar hem. Hij krabde peinzend in zijn baard en staarde langs hem heen naar de weg waarop de auto geparkeerd stond. Pas toen Caffery vertelde wat hij wilde en hem nog een zak krokusbollen gaf, reageerde de Wandelaar. Hij voegde nog een liter cider toe aan het mengsel in zijn ketel en toen ze allebei zaten, met stomende bekers en aangestoken sigaretten, begon hij te praten.

'Toen ik de eerste snee in zijn neus maakte, beet hij me.' Hij hield een vuile, gebalde hand op en draaide hem om in het licht van het vuur. 'Ik weet niet hoe, maar hij wist zijn hoofd van de strijkplank te tillen en me te bijten. Hij klemde zijn kaken om mijn pols als een haai. Even dacht ik dat het voorbij was.'

Caffery, die languit op de grond lag met de sigaret tussen zijn tanden, deed zijn ogen dicht en probeerde het voor zich te zien: Craig Evans die met plakband aan de plank was vastgemaakt, met een gezicht vol bloed. Hij wist hoe Evans er voor die tijd had uitgezien omdat hij de foto's bekeken had, maar als hij zijn ogen stijf dichtkneep, kon hij zijn gezicht vervangen door het gezicht dat hij in zijn fantasie daar wilde hebben. Dat van Ivan Penderecki.

'Ik stompte hem tegen de zijkant van zijn hoofd en hij verloor bijna weer het bewustzijn. Hij liet los en toen heb ik hem bij zijn haar gegrepen en zijn hoofd aan de plank vastgeplakt. Het enige wat je van hem kon zien waren zijn gezicht, zijn handen en...' Hij zweeg even. '... zijn ballen en zijn lul. Die had ik meteen voor de dag gehaald. Rits open en daar waren ze. Ze hingen daar de hele tijd, als geheugensteuntje of zo, snap je.'

'En toen?' Hij concentreerde zich in gedachten op Penderecki's gezicht. 'Wat gebeurde er toen?'

'Toen ging ik verder met het afsnijden van zijn neus.'

'Hoe was dat?'

'Heb je ooit een kip aangesneden op zondag? Dat deed ik voortdurend, voor Evans. Weet je nog hoe het voelt als je een poot afsnijdt? Dat scheuren? Zo was dit ook.'

Caffery's handen trokken. Hij klemde zijn tanden zo hard op elkaar dat het glazuur bijna barstte onder de druk. Hij zag het helemaal voor zich: de gillende Penderecki, het knappen en schuren van het kraakbeen toen het mes door zijn neus ging.

'Zijn ogen waren gemakkelijker dan ik had gedacht. Ik had nooit gedacht dat ik mijn duimen zo in iemands hoofd kon zetten, maar ik deed het toch. Hij viel flauw.'

'En toen wachtte je?'

'Ik wachtte tot hij weer bijkwam. Hij probeerde te bewegen, om zich heen te slaan, maar dat kon hij niet. Hij bleef ook maar spugen, hij moest elke tien minuten of zo overgeven.' Er viel een korte stilte. Toen zei de Wandelaar met een glimlach in zijn stem: 'Maar we zijn nog niet eens bij het beste deel gekomen.'

'Nee?'

'O, nee.' En dit keer grinnikte hij. Caffery vocht tegen de aandrang om zijn ogen open te doen. Hij kon best geloven dat hij een grijnzende dwerg voor zich zou zien als hij dat deed. 'Nee. Het beste was om zijn lul eraf te snijden. Daar heb ik meer plezier aan beleefd dan aan al het andere.'

'Plezier?'

'Ja, Jack Caffery, politieman. Plezier. Want daar praten we hier over. Over het plezier dat ik erin had. Ik ga er geen traan om laten, ik zal nooit ofte nimmer berouw tonen, wat je ook mag verwachten. Ik zit hier om je te vertellen dat ik nog nooit zoveel plezier heb gehad in mijn leven als toen ik die man zijn ballen eraf sneed. Ik hield ze in mijn handen. Ik trok eraan, zo ver mogelijk naar me toe. En toen liet ik het mes over de huid gaan. Het ging erdoorheen zonder dat ik zelfs maar hoefde te duwen, en de huid schoot terug naar zijn lichaam als elastiek en daar stond ik met zijn ballen in mijn hand.'

Caffery slikte. Hij probeerde zijn stem in bedwang te houden. 'En toen? Wat toen?'

'Toen zijn penis. Die deed ik langzaam. Hij viel steeds flauw, dus moest ik iedere keer wachten tot hij weer bijkwam.'

'Hoe was dat?'

'Het was alsof je een biefstuk doorsnijdt. Niet moeilijk. Ik kantelde de plank achterover en legde een houten blok op zijn bovenbenen om mijn armen op te leggen. Zo kon ik meer kracht zetten. Ik had een kartelmes en dat gebruikte ik. Het bloed werd opgezogen door het houten blok.'

Lange tijd zeiden ze geen van beiden iets. Er klonk geen ander geluid dan het verre gerommel van de snelweg en af en toe reed er een auto langs op de weg. Caffery lag zo stil mogelijk en liet het maanlicht over zijn ogen spelen. Hij zag Penderecki op de plank liggen, alleen zijn gezicht en zijn geslachtsdelen waren te zien en de vloer om hem heen en de plank zaten vol bloed. Hij zou het in de achterkamer hebben gedaan, een van de kamers die uitzicht boden over de spoorweg, want dat was de laatste plek waar Ewan gezien was. Hij moest zijn eigen huis hebben gezien met de lampen aan, de plekken waar hij en Ewan als kinderen speelden. Caffery dacht dat hij het ook op video zou hebben gezet, net zoals de Wandelaar had gedaan, hoewel hij er niet zeker van was.

'Waarom heb je hem gekruisigd?'

'Waarom ik hem heb gekruisigd?' Hij lachte hol. 'Dat, meneer de politieman, is iets tussen mij en hem.'

'Het was vreemd om dat te doen.'

'Ja,' zei de Wandelaar rustig. 'En het is ook vreemd dat een man een kind van acht verkracht. Dat hij haar in drie uur vier keer verkracht en dat hij haar daarna, als hij klaar is, vermoordt.'

Caffery deed zijn ogen open. De Wandelaar zat nog steeds in dezelfde positie met de cider in zijn handen naar de verre horizon te staren. Hij kreeg een metalige smaak in zijn mond toen hij zich afvroeg of de Wandelaar de dood van zijn enige kind kon zien zonder zijn ogen dicht te doen. Hij had zelf altijd Ewans dood kunnen zien, dus waarom zou het anders zijn voor de Wandelaar?

'En?' zei hij na een paar minuten, toen hij er zeker van was dat zijn stem vaster zou klinken. 'En toen?'

'Toen ging ik de ambulance bellen.'

'Je klonk heel kalm op het bandje. De aanklager zei dat je praatte alsof er niets was gebeurd.'

'Dat klopt.'

'En Evans gilde op de achtergrond.'

'Ja. Hij gilde. Weet je wat hij gilde? Je kon het niet horen op het bandje en het is bij het proces nooit ter sprake gekomen. Maar weet je om wie hij gilde?'

Caffery aarzelde. Hij deed zijn ogen weer dicht en liet zich diep in zichzelf wegzinken. Hij voelde iets trekken in zijn borst, waar hij wist dat er waarheden te vinden waren. 'Ik weet het niet, maar ik denk...'

'Ja, je denkt?'

'Ik denk dat hij om zijn moeder riep.'

De Wandelaar ademde diep uit in de duisternis. 'Je hebt gelijk. Hij gilde om zijn moeder.'

38

17 MEI

De avond was gevallen. Flea zat in de studeerkamer naar het scherm te staren zonder de moeite te nemen het licht aan te steken of het raam dicht te doen. Er gingen uren voorbij waarin de elektronische discussie werd gevoerd en de computer elke keer als er een nieuw bericht was piepte. Andy Pearl probeerde uit te leggen hoe hij zich voelde op de eerste luchtstop langs zijn lijn, waar hij een paniekerig briefje krabbelde aan de hulpduiker, die geen communicatieset had, dat Crabbick dood was, maar een hoofd nee zag schudden en een hand in de richting van het oppervlak zag wijzen. Nee, Crabbick lag helemaal niet op de bodem van het gat. Hij leefde en hield zich een paar meter boven hen in het donker vast aan zijn lijn.

Hij had de stikstofnarcose overwonnen. Op de een of andere manier – niemand wist precies hoe – was hij op de bodem beland, had daar een paar seconden doorgebracht en was toen weer op weg gegaan naar het oppervlak. Ja, hij was er slecht aan toe, en toen ze tien uur later eindelijk bovenkwamen, moest hij door de hulpduikers uit het water worden getrokken. Hij zag bleek, er waren adertjes in zijn ogen en rond zijn neusgaten gesprongen, schreef Andy Pearl, en zijn ademhaling klonk alsof hij een oud luchtbed wilde opblazen, moeizaam en traag, maar hij was bij bewustzijn. Hij leefde. Hij kon nog even wat zeggen voordat hij met een ambulance naar het ziekenhuis werd gebracht. En wat hij tegen Pearl zei, zorgde ervoor dat Flea de muis niet meer wilde loslaten. Crabbick had zich op de brancard naar zijn duikmaatje gewend, had een hand naar hem uitgestoken en had met een dikke stem gezegd: 'De Marleys. Ik heb de Marleys op een richel vlak bij de bodem zien liggen.'

Ze bracht haar hand naar haar hoofd, masseerde haar haarwortels en probeerde zich voor te stellen wat Crabbick had gezien. Ze stelde zich het geluid voor van zijn ademhaling via de zuurstofflessen, de eenzame straal van zijn zaklamp, en ze zag het skelet van een hand verschijnen in de warrelende modder daaronder. Ma en pa, op de helling van het Boesmansgat. Ergens, besefte ze nu, had ze een klein sprankje hoop levend gehouden, een onlogische droom dat ze waren ontsnapt aan het ongeluk, dat Thom en de hulpduikers en de ibogaïne het allemaal mis hadden, dat ze een uitweg uit het Boesmansgat hadden gevonden en op de een of andere manier in veiligheid waren.

Ze wilde typen, ze wilde vragen stellen: *Weet Crabbick zeker dat het de Marleys waren? Heeft hij een foto genomen? Heb je enig idee van de coördinaten? En het allerbelangrijkste, hoe dicht is de richel bij de bodem? Vijf meter? Tien meter?*

Maar Pearl zou geen antwoord kunnen geven. Dat zag ze aan zijn antwoorden op andere vragen. Crabbick lag nog in het ziekenhuis en kon niet praten. *Zullen we hem even de tijd gunnen?* bleef hij maar op het forum schrijven als iemand hem om meer informatie vroeg. *Geef hem even de ruimte om te herstellen, of in ieder geval tot hij uit het ziekenhuis is, dan kunnen we het hem zelf vragen.*

Ze keek de berichten door om erachter te komen wanneer dit allemaal gebeurd was. De eerste onsamenhangende melding dat ze gezien waren, was van twee dagen geleden. Dit stond al twee dagen op het openbare internet en ze had er niets van geweten. Ze had het niet geweten, maar toch had ze gedroomd dat haar moeder haar ervoor waarschuwde. *Dit keer zullen ze ons vinden.*

Ze wreef over haar armen, want ze had het opeens koud. Dit kon toch helemaal niet? Het naar boven halen van herinneringen, van ideeën die ze nooit helemaal onder woorden had gebracht, oké. Maar echt met de doden praten? Was het niet waarschijnlijker dat ze de laatste twee dagen op deze site geweest was en dat ze dat door de ibogaïne vergeten was? Ze dwong zichzelf terug te denken: Kaiser had de computer gebruikt, ze herinnerde zich dat ze hem op het toetsenbord had horen tikken. Was er een moment geweest waarop hij het huis uit was gegaan en zij gedreven door instinct was opgestaan van de bank, naar de computer was gegaan en op DiveNet was geweest? Kaiser, dacht ze, terwijl de maan boven de rij cipressen uit steeg, Kaiser, wat zou jij zeggen? Als ik zou zeggen dat ik met de doden gesproken heb, wat zou jij dan zeggen?

Ze haalde haar mobieltje voor de dag en belde zijn nummer. Op dit uur was hij meestal wakker, maar dan rommelde hij wat in de bijgebouwen en sloeg overal spijkers in, dus hoorde hij de telefoon vaak niet. Dus gaf ze hem de tijd om terug te lopen naar het huis. Ze liet de telefoon dertig keer overgaan en telde voor zichzelf mee, maar nog nam hij niet op. Ze hing op en ging Thoms autosleutels pakken. Ze zou zijn auto moeten nemen en naar hem toe moeten rijden. Ze trok net haar jas aan toen er een zin bij haar opkwam.

Ze denken dat ze met de doden kunnen spreken omdat ze rotzooi in hun arm spuiten...

Tig, dacht ze. En jij? Wat zou jij ervan denken? Terwijl ze haar jas aantrok, toetste ze zijn nummer in. Hij nam op toen de telefoon zes keer was overgegaan. Hij klonk buiten adem en ze stelde zich voor dat hij met zijn moeder in haar slaapkamer had gezeten, waar ze eenzame dingen deed met haar dromen en haar politiescanner en Freeview TV.

'Ja,' zei hij, en hij slikte om zijn ademhaling rustiger te krijgen. 'Ja, wat is er?'

'Tig.' Ze ritste haar jas dicht. 'Er is iets vreemds gebeurd.'

Er viel een korte stilte en toen snoof hij. 'Ik ben blij dat je belt,' zei hij kortaf. 'Ik ben blij omdat je zei dat je zou bellen. Altijd fijn om te zien dat je doet wat je belooft.'

Ze aarzelde, want ze was even van haar stuk gebracht. Had ze beloofd te bellen? En toen wist ze het weer: nadat ze bij Ndebele waren geweest, was 'bel me alsjeblieft' het laatste wat hij tegen haar had gezegd, en zij had gezegd: 'Ja, dat doe ik.'

'Ik heb zitten wachten.' Ze hoorde Tig aan de andere kant van de lijn rondlopen en met dingen ratelen, alsof hij in de keuken was. 'En nu bel je. Dat is goed, dat wil ik zeggen, dat toont respect van jouw kant.'

Ze deed verslagen het laatste stukje van haar rits dicht. 'Het spijt me.'

'Hoe is het met je vriendje de smeris? Strak in het pak en op zoek naar wat actie?'

'Wat?'

Tig lachte. 'Hij houdt van meegaande vrouwtjes, als je weet wat ik bedoel.'

'Nee, dat weet ik niet.'

'Vraag hem maar eens of hij al een beetje wegwijs raakt. Vraag hem of hij een gids nodig heeft. Neem hem mee naar City Road en laat hem daar eens rondkijken.'

'Tig, alsjeblieft. Ik belde omdat ik je nodig heb. Ik heb je echt nodig. Het spijt me dat ik niet eerder heb gebeld, maar praat alsjeblieft tegen me alsof ik een mens ben. Niet in code. Anders kunnen we er beter mee ophouden en een andere keer praten. Ik ga net weg.'

Er viel een korte stilte. Toen snoof hij. 'Goed dan,' zei hij luchtig. 'We doen het een andere keer.' En voordat ze hem kon tegenhouden, had hij de verbinding verbroken.

Ze staarde naar het schermpje van haar telefoon alsof ze bijna niet kon geloven dat hij had opgehangen. Verdomme. Ze zocht zijn nummer op en bleef met haar jas aan in de hal staan om op haar moeizame wijze een tekstbericht aan hem te schrijven. Het was half af toen ze schrok van het rinkelen van de vaste telefoon op tafel. Ze liet de sleutels in haar zak vallen en nam op.

'Kaiser?'

‘Nee. Met Mandy. Wat is er aan de hand?’

‘Mandy.’

‘Ja, Mandy. Hoor eens, Flea, ik probeer hem de hele avond al te bellen, en hij heeft hem uit staan of anders neemt hij niet op. Ik moet hem spreken.’

Flea krabde hard op haar hoofd en probeerde na te denken. ‘Wacht even.’ Ze legde de telefoon op het bureau en ging de gang in. Het was pikkedonker; ze had niet beseft dat het al zo laat was. ‘Thom?’ riep ze in het donker. ‘Thom? Waar zit je?’ Ze wachtte en telde inmiddels voor zichzelf tot vijftig, en toen ging ze terug naar de telefoon. ‘Mandy, hij geeft geen antwoord. Hij moet in de schuur zijn of zo. Ik zal hem...’

‘In de schuur? Het is bijna elf uur. Het is daar pikkedonker. Wat doet hij daar?’

‘Dat weet ik niet. Ik zal zeggen dat hij je moet bellen zodra hij...’

‘Maar je zou hem uren geleden al vragen me te bellen. Waarom liegt hij tegen me?’

‘Hij liegt niet.’

‘Weet je het zeker? Want als hij tegen me liegt, vermoord ik hem.’ Flea haalde adem om antwoord te geven, maar Mandy ging meteen verder. ‘Ik meen het,’ zei ze. ‘Ik vermoord hem als hij tegen me liegt.’

Flea stond rechtop naar de donkere tuin te kijken waar zij en Thom als kinderen hadden gespeeld. Er was iets geknapt in haar hoofd. ‘Zal ik je eens wat vertellen, Mandy?’ zei ze met kille stem. ‘Laat hem verdomme met rust. Hij belt je als hij klaar is.’

Toen hing ze op. Haar handen trilden en er schoot van alles door haar hoofd. Ze haalde de sleutels uit haar zak en liep net naar de deur toen de koplampen van een auto vanaf de voorkant de woonkamer in schenen. Ze ging naar de zijkamer en trok het gordijn opzij: de Focus draaide de oprit op en reed naar de achterkant van het huis. Thom. Eindelijk.

Ze voelde zich opeens zwak en ging naar de achterdeur om hem van het slot te doen. Ze had hem zo veel te zeggen dat ze niet wist waar ze moest beginnen.

Aanvankelijk besefte ze niet dat er iets mis was, zelfs niet toen ze zag hoe snel de auto over de oprit schoot. Ook toen ze het grind zag opspatten toen hij de auto tot stilstand bracht, hem hoorde schakelen en hem de auto achteruit onder een breed uitgegroeide jeneverbes zag parkeren, dacht ze er niet aan dat er iets mis zou zijn met hem. Ze dacht aan wat ze op het internet had gezien. Pas toen hij langs haar heen drong, zijn jas van zich af trok en rechtstreeks in het toilet verdween begreep ze dat hij huilde.

Ze bleef in de deuropening staan terwijl hij de kraan opendraaide, zijn gezicht eronder hield en trillend over zijn hele lijf naar adem hapte. Achter haar klonk het geluid van een andere auto, en nog een stel koplampen veegde over de zijkant van het huis.

'Dat is de politie.' Hij kwam overeind, nam een handdoek van de plank en wreef ermee over zijn ogen. 'Politie,' snotterde hij. 'D-die volgt me al vanaf de A36.'

Flea zag aan de koplampen dat de auto voor de achterdeur was gestopt. 'De politie?' mompelde ze, alsof ze het woord nooit eerder had gehoord. Dit was zo onwerkelijk. 'Wat moet die?'

'O, verdomme,' zei Thom. Hij drukte de handdoek stevig tegen zijn ogen.

'Thom?' Langzaam begonnen de gedachten te komen. 'Thom, wat is er...' Er kwam een verschrikkelijke gedachte bij haar op. Ze greep naar de handdoek en trok hem naar beneden. Zijn gezicht was dik en rood, zijn ogen waren bloeddoorlopen en zijn adem rook zuur. 'Jezus, Thom.' Hij probeerde zich beschaamd af te wenden, maar ze hield zijn pols vast, zodat hij haar wel aan moest kijken. 'Thom? Hoeveel heb je er gehad? Je stinkt er helemaal naar. Ben je niet goed wijs?'

'Het spijt me. Het spijt me.' Hij maakte een ellendig gebaar met zijn hoofd. 'Het is gewoon allemaal verkeerd gegaan... Zo verdomde verkeerd...'

Achter hen in de hal ging de bel. Er stond een donkere gedaante voor de deur, vervormd en vlekkerig door het gekleurde glas. Flea staarde ernaar zonder hem te zien.

'Ga alsjeblieft met hem praten,' zei Thom geagiteerd. 'Alsjeblieft, alsjeblieft, Flea, laat hem weggaan. Ik zal je nooit meer ergens om vragen, dat beloof ik.' Hij greep haar arm. 'Alsjeblieft,' siste hij, en er klonk angst door in zijn stem. 'Zorg dat hij ons met rust laat. Snel.'

In de studeerkamer ging de telefoon weer. Mandy, waarschijnlijk. Buiten klopte de politieman op de deur en toen belde hij nogmaals. Flea deed haar ogen dicht en telde tot twintig om iets van rust te vinden in haar hoofd. Ze haalde diep adem en duwde haar haar achter haar oren.

'Het komt wel goed,' zei ze. 'Ga jij maar naar boven.'

'Het spijt me zo.' Hij huilde weer. 'Het spijt me echt.'

Ze draaide hem naar de trap, wat heel gemakkelijk ging, omdat ze altijd zoveel sterker geweest was dan hij. 'Ga naar de achterkamer. Doe alsof je slaapt.'

De deurbel ging weer en de politieman zette zijn hand tegen het glas om naar binnen te kunnen kijken. Ze wachtte tot Thom met hangend hoofd de trap op was gegaan. De zolen van zijn goedkope schoenen bleken modderig en versleten toen hij hoger kwam. Toen ging ze met bonzend hart naar de deur en deed open.

Het was een van de jongens van de verkeerseenheid uit haar bureau in Almondsbury. Ze herkende hem meteen; ze praatte af en toe met hem als ze een Mars kocht bij de automaat. Hij was vierkant gebouwd en zijn wijkende haarlijn had een donkere V boven op zijn hoofd achtergelaten. Prody heette hij, of zoiets, maar ze noemden hem allemaal de Motorway Monkey, omdat hij altijd bezig was met racende tieners op de M5.

'Hoor eens,' zei hij, en ze merkte aan zijn ademhaling dat hij probeerde te kalmeren. Hij moest steeds stoppen tussen de woorden. 'Ik wil dit eigenlijk niet doen, maar tegen de tijd dat ik je kenteken had laten natrekken en wist dat het jouw auto was, was ik zo boos dat ik achter je aan moest blijven gaan en...' Hij brak af en keek haar ongelovig aan. 'Je stopte niet. Waarom stopte je niet?'

Flea stond heel stil en probeerde er iets van te begrijpen. Achter hem kon ze de zilverkleurige Ford Focus slordig met de achterkant in de struiken zien staan. Het licht bij de voordeur weerkaatste in de voorruit. De politiewagen stond met zijn voorbumper een metertje van het raam van de woonkamer en het portier stond wijd open. Ze vroeg zich af hoeveel hij van haar en Thom had gezien.

'Ik... ik had haast.'

'Haast?'

'Ja, ik bedoel, je weet wel, het gewone smoesje...' Ze maakte een gebaar naar de open toiletdeur, waarachter het licht nog aan was. 'Ik moest echt... Je weet wel. Het is geen excuus, maar...'

'Dus jij zat achter het stuur? Jij was het toch?' Hij veegde over zijn voorhoofd. 'Ik kon het van achteren niet zien. Ik had het idee dat er iemand anders in de wagen zat, omdat je zo door de bochten scheurde. Zag je me niet? We hadden wel dood kunnen zijn.'

Er viel een korte stilte terwijl hij haar gezicht bestudeerde. Hij leek nerveus en ze wist dat hij boos was. Ze probeerde haar gezicht af te sluiten, een sluier voor haar ogen te trekken en de leugenaar daarbinnen te verbergen. Ze concentreerde zich op de V op zijn voorhoofd en stelde zich voor dat ze er een gat in brandde met haar ogen.

'Het spijt me,' zei hij, 'maar ik zal dit volgens het boekje moeten doen.'

'Volgens het boekje. Maar ik ben...'

'Ik heb een melding doorgegeven, snap je. Bij de meldkamer. Ze hebben genoteerd dat je gevaarlijk reed. Ze houden de situatie in de gaten en als ik dit afblaas na alles wat ik ze heb verteld, maakt dat een verdomde verdachte indruk.'

Ze zuchtte. Ze keek naar de sterren en dacht: dit kan er ook nog wel bij. 'Verdomme,' zei ze, en ze ging een stap achteruit en hield de deur open. Ze ritste haar jas los. 'Goed dan. Je kunt beter even binnenkomen.'

39

17 MEI

Flea stond in haar overvolle keukentje met de vertrouwde dingen om zich heen en probeerde rustig na te denken. Er was zo veel dat overdacht moest worden. Waarom nam Kaiser verdomme zijn telefoon niet op? *Kaiser*, dacht ze, *ik moet je spreken*.

Het water kookte en ze goot het in de theepot terwijl ze zich afvroeg hoe boos Thom Prody had gemaakt. Hij was het soort politieman dat van geen ophouden wist als hij eenmaal had besloten 'het volgens het boekje te doen'. Als hij echt nijdig was, zou hij zelfs een ademanalyse kunnen verlangen. En dan was de ibogaïne er nog. Die verdomde ibogaïne. Die zou de boel kunnen verzieken en de ademtest kunnen verknallen. 'Stom,' siste ze. Bij een ademanalyse werd alleen naar alcohol gezocht, maar ze wist niet precies hoe het werkte en stel dat, stel dat de ibogaïne iets liet gebeuren, een chemische reactie of zoiets?

Ze goot de pot snel vol, zocht naar schoteltjes en kopjes, theelepeltjes en biscuitjes in tupperwarebakjes en probeerde zich normaal te gedragen. Maar tegen de tijd dat de thee getrokken was en ze een paar gemberkoekjes op een van de roomwitte borden met kantwerk van haar moeder had gelegd, trilden haar handen.

De koekjes gleden over het bord toen ze ze naar de woonkamer bracht.

'Heb je me echt niet gezien?' In de woonkamer was Prody een beetje afgekoeld. Zijn ademhaling was rustiger en zijn gezicht stond normaal in de lichtvlek van de tafellamp bij zijn elleboog. 'Ik had namelijk de hele weg vanaf de rotonde bij Beckington mijn zwaailichten aan, en toch heb je me niet gezien?'

Ze zette de koekjes en de thee neer, ging in een leunstoel zitten en legde haar vingers tegen haar ogen. Een paar minuten lang was het tikken van het klokje op de schoorsteen het enige geluid. Toen haar hartslag was bedaard, liet ze haar handen zakken en dwong ze zichzelf zachtjes en effen te zeggen: 'Weet je, ik denk dat ik mijn halfjaarlijkse sessie met de psychiater maar vervroeg. Ik bedoel, dit wordt te gek.' Ze keek hem aan. 'Jullie hebben geen psychiater bij de verkeersdienst, nietwaar?'

'Nee, maar ik weet wel waarom jullie er een hebben. Ik heb gehoord hoe het in Thailand was; al die lijken, al die mensen van wie je wist dat je ze nooit zou vinden. Het verbaast me niets dat je af en toe met iemand moet praten.' Hij at zijn koekje op en boog voorover om er nog een te pakken, waarbij zijn fluorescerende vest kraakte. 'Volgens mij zijn de kinderen altijd het ergste, is het niet? Je vraagt je af hoe de ouders er ooit overheen komen.'

'Ja. Dat klopt.'

'Veel kinderen in Thailand, nietwaar? Veel kleintjes?'

'Aardig wat.'

'En de verwondingen, van die kinderen dan, ik wed dat dat verschrikkelijk was. Verschrikkelijk voor de ouders om te zien.'

'Ja. Dat was ook zo.' Ze zweeg even en toen zei ze: 'Wist je dat we onlangs een stel handen uit de haven hebben gevist?'

'Handen? Nee. Wij krijgen tegenwoordig niet veel te horen.'

'Nou, het is zo. Onder een van de restaurants was een paar handen begraven. En om een of andere reden heeft dat me aangegrepen, meer dan alles wat ik eerder heb gezien. Je zou denken dat ik al zoveel heb gezien, in Thailand bijvoorbeeld, de kinderen en zo...'

'Ja, de kinderen...'

'Je zou denken dat het gemakkelijker zou zijn om een lichaamsdeel naar boven te halen dan een heel lijk. Vind je niet?'

'Inderdaad.'

'Dus moet ik mezelf afvragen, waarom raak ik juist van deze handen zo van streek?' Ze draaide haar hoofd en deed alsof ze haar nek los wilde maken. 'Of misschien heeft het zich allemaal opgestapeld en komt het nu naar buiten. Misschien heeft het niets met de handen te maken en alles met de laatste paar jaar. Ik weet alleen...' Ze legde een hand tegen haar hoofd. '... dat ik hier een druk voel. En als dat gebeurt, kan ik soms mijn eigen gezicht niet eens zien in de spiegel.' Ze keek hem aan en vroeg zich af of hij al een beetje ontdooide. Ze dacht dat ze zijn gezicht iets zag ontspannen. 'Eigenlijk moet je me arresteren. Gooi me maar een nachtje in de cel. Dat zou me goeddoen.'

'Ik ken het gevoel, hoofdagent. De kans om een dag of twee niet mee te doen, dat zouden we allemaal wel willen.' Hij glimlachte en zij glimlachte terug en voelde een gewicht van haar schouders vallen. Ze had hem zover. Ze wilde zich net voorooverbuigen en hem nog een koekje aanbieden toen hij iets verschoof en een aantekenboekje en het blaasapparaat uit zijn zak haalde. Ze bleef er half naar voren gebogen naar zitten kijken.

'Ik zal je vertellen wat we gaan doen.' Hij tikte peinzend met zijn pen tegen zijn slaap. 'Ze hebben in de meldkamer geen snelheden genoteerd, maar ze weten dat ik dacht dat je dronken was. Oké.' Hij schraapte zijn keel en wierp een blik op de karaffen op het buffet, waar het licht in twinkelde alsof het kerstversieringen waren. 'We doen dit even en dan vergeten we het verder. Ik bedoel, je gedraagt je niet alsof je dronken bent, en je ruikt ook niet naar drank.'

'Ik ben ook niet dronken.'

'Het is ook alleen...' Hij leek zich een beetje te generen toen hij het apparaat aanzette, wachtte tot het een controle had doorlopen en er een mondstuk op zette. 'Ik moet zeker weten dat het niet zo is.'

'Moet ik daarin blazen?'

'Iemand moet het doen.'

'Dit is geen verhoorkamer. Er zijn geen camera's.'

Hij glimlachte weer, alsof hij niet begreep wat ze bedoelde. 'Dan is het maar uit de wereld. Mijn dienst is over tien minuten afgelopen.'

Ze keek hem met bonzend hart aan. 'Je slaat misschien een flater als je bij de centrale meldt dat er toch niets aan de hand was, maar je zou wel in dat ding kunnen blazen zonder dat iemand het ooit te weten zou komen.'

Prody deed alsof hij haar niet hoorde. 'Ik verlang van je dat je me een ademmonster geeft voor een ademanalyse, waartoe ik gemachtigd ben volgens...'

'Het is al goed,' zei ze, en ze stond op en griste het ding uit zijn hand. 'Ik weet hoe het moet.'

Hij deed zijn mond open om te protesteren, met zijn blik op het blaaspijpje gericht, maar ze ging voor hem staan en blies erin terwijl ze hem recht aankeek en in zichzelf tot vijf telde, waarop het apparaatje klikte en tweemaal piepte. Ze haalde het uit haar mond en keek op het lcd-schermpje. ANALYSE WORDT UITGEVOERD, stond erop.

'Hier,' zei ze strak. Ze gaf hem het ding terug en ging op de bank zitten. Ze keek haatdragend toe terwijl hij het schermpje bekeek. Er gingen een paar seconden voorbij en toen piepte het apparaatje weer. Hij vertrok geen spier, maar boog zich over de tafel en liet haar het schermpje zien.

ZERO, stond erop.

Ze glimlachte even. Ze had graag iets willen zeggen. Ze had willen zeggen: 'Bekijk het, sukkelaar.' Maar dat deed ze niet. Je kon beter geen ruzie maken met die verkeersjongens, die snelwegapen. Echt niet. In plaats daarvan wachtte ze tot hij klaar was met schrijven in zijn aantekenboekje, en daarna stond ze op, hield de deur voor hem open en stak beleefd haar hand uit om hem uitgeleide te doen.

Er waren tien minuten voorbijgegaan en Caffery's lichaam was zo gespannen en strak dat het pijn begon te doen. Hij deed zijn ogen open en kwam stijfjes ietsje overeind. Hij moest in zijn ogen wrijven, zo lang hadden ze dichtgezeten. De maan was opgeschoven aan de hemel, maar de Wandelaar zat nog precies waar hij eerder gezeten had, op een opgerold stuk schuimrubber. Hij zat in het vuur te staren alsof hij was vergeten dat er nog iemand bij hem was.

'Ik heb liggen denken.' Caffery schraapte zijn keel. 'Weet je nog dat je zei dat ik de dood zocht?'

De Wandelaar gaf geen enkele reactie, dus kwam hij pijnlijk overeind. Hij voelde de kou in zijn botten en nu herinnerde hij zich ook weer hoe moe hij was. Hij keek neer op de Wandelaar, die nog steeds in niets had laten merken dat hij hem gehoord had. Hij haalde zijn sleutels uit zijn zak en liet ze even rinkelen, wachtend op een antwoord. De Wandelaar veegde langs zijn ogen alsof er tranen in stonden, maar zijn gezicht bleef hetzelfde, afwezig en als uit steen gehouwen, alsof hij ergens in een ander universum een strijd voerde.

'Wat wilde je daarmee zeggen?' vroeg Caffery rustiger. Hij stond naast de man. 'Ik kan het niet uit mijn hoofd krijgen, dat ik de dood zoek. Wat betekende dat? Je zei dat jij ook zo was, dat jij ook de dood zocht.'

De Wandelaar verroerde zich niet. Hij bleef met de beker nog in zijn handen met zijn donkere, intelligente ogen naar de stervende vlammen staren.

Caffery bukte om zijn eigen beker naast het vuur te zetten. Hij had zich alweer opgericht en zich omgedraaid om weg te gaan, richtte zijn sleutels al op de auto toen een hand zijn enkel greep. Hij draaide zich verrast om en daar lag de Wandelaar languit op de grond als een slang. Zijn gezicht was opgeheven naar dat van Caffery, de pezen in zijn nek stonden strak en wierpen diepe schaduwen en het maanlicht glinsterde in zijn ogen.

'De dood en ik zijn de beste vrienden,' siste hij. 'Ik ken de dood beter dan wat dan ook.'

'Wát?'

'Kun je dat niet zien in mijn ogen? Kun je niet zien hoe goed ik de dood ken?'

'Hé.' Caffery rukte aan zijn been. De klemvaste greep stond hem helemaal niet aan. Hij voelde de zwarte nagels in zijn huid staan. 'Laat los.'

Maar de Wandelaar luisterde niet. Hij zette zijn nagels nog steviger in de enkel. 'Ik zie de dood overal waar ik ga. Ik ben de bliksemafleider die de dood aantrekt. Ik lok hem naar me toe. Ik heb hem vanavond gezien, daar.' Hij knikte in de richting van de weg. 'Ik heb de dood vanavond gezien, ik heb hem in de ogen gekeken voordat jij kwam. Zo dichtbij was ik. En ik weet dat hij me altijd zal vergezellen.'

Caffery rukte zijn voet los en stond hijgend naar het gezicht van de Wandelaar te kijken, naar het wilde haar en naar de hemel, die weerspiegeld werd in zijn ogen. 'Wat is dat voor gelul? Wat sla je nu toch allemaal voor wartaal uit?'

De Wandelaar liet zijn hoofd naar achteren zakken en lachte alsof hij nog nooit zoiets grappigs had gehoord. Hij ging op zijn knieën zitten, duwde zich verder overeind en lachte nog harder. 'Goedenacht,' zei hij, en hij stak een hand op. 'Goedenacht, POLITIEMAN. Ik wens je een goede nacht.'

En hij draaide zich om, trok zijn slaapzak uit een waterdichte zak en begon zich klaar te maken voor de nacht. Caffery bleef nog een paar minuten staan kijken en toen liep hij moe terug over de velden naar de auto.

Er brandde licht bij de Oscars – achter een van de ramen vanwaaruit Katherine Oscar graag de Marleys in de gaten hield. Flea zag het zodra ze de deur opendeed om agent Prody uit te laten. Ze zag ook iets wat een scheefhangend gordijn zou kunnen zijn, maar ook een persoon. Ze ging na wat Katherine allemaal gezien had: misschien Thom die in de auto aan kwam rijden, Prody voor de deur. Ze dacht er even over na en omdat ze niet wilde dat ze ooit nog van streek zou raken door de Oscars, zette ze het uit haar hoofd en dwong zichzelf tegen Prody te glimlachen. 'Tot ziens,' zei ze rustig. 'Goedenavond.'

Ze hield de deur voor hem open, maar hij leek nog geen zin te hebben om te vertrekken. Hij stapte op het grind en keek op naar de sterren. Daarna nam hij de grasvelden in zich op die afliepen naar het meer, de rij geknotte populieren langs de tuin en de trap naar beneden. Ze wachtte tot hij het zou zeggen. Zou zeggen dat ze er goed bij zat, iemand van negenentwintig op het salaris van een hoofdagent met een stuk land als dit. Maar hij zei het niet.

'Ik had het niet gehoord over die handen,' zei hij in plaats daarvan. 'Dat moet ik toegeven. Maar ik heb dat andere wel gehoord.'

'Wat dan?'

'Over die autodief. Vorig jaar.'

'O,' zei ze. 'Dat.'

'Ja, dat. En voor wat het waard is, ik vond het onterecht dat je zo werd afgezeken. Ik bedoel, je probeerde alleen maar te helpen.'

'Jullie houden wel van roddelen, hè? Bij de verkeersdienst.'

Hij tilde zijn hoofd iets op en krabde aan de onderkant van zijn kin. 'Weet je wat ze bij Verkeer zeiden? Bij Verkeer zeiden ze dat je op weg was om je bij de pakken te voegen.'

Ze keek hem aan zonder een spier te vertrekken. 'Waarom zeiden ze dat?'

'Omdat de rechercheurs hier allemaal een plaat voor hun kop hebben. Wat ze nodig hebben, zijn mensen die buiten de hokjes kunnen denken. Je weet wel, die zijpassen kunnen maken. Mensen zoals jij. Jij dacht tenminste na over die auto en waarom die vent hem meenam.'

Flea staarde hem aan zonder antwoord te geven. Het duurde even voor agent Prody aan haar gezicht zag dat het gesprek voorbij was. Hij glimlachte verlegen, haalde zijn sleutels uit zijn zak en draaide zich om naar de auto. Toen leek hij opeens van gedachte te veranderen.

'Nog één ding,' zei hij. 'Je had zo je redenen om van me weg te rijden, maar je moet voorzichtig zijn op de A36. Daar zijn de laatste maand drie fatale ongelukken gebeurd. Herinner je je dat meisje dat door de voorruit ging? Geen gordel om. Ze heeft de laatste zes meter op haar gezicht afgelegd.' Hij haalde zijn schouders op en keek op naar het huisje en toen naar de afkoelende

Ford Focus en naar het meer, dat zilver en zwart glinsterde. 'Ja,' zei hij. 'Als je het mij vraagt, had ze geluk dat ze eraan overleed. Ze zou niet willen dat haar ouders haar zo zouden zien.'

Hij stapte in de patrouillewagen, raakte even zijn voorhoofd aan alsof hij wilde salueren en startte de motor.

Flea zag hem wegrijden. Toen zijn koplampen niet meer te zien waren stond ze alleen in de nacht. De schaduw van een uil zeilde langs de verre stad en wiste beurtelings de kerktorens, de abdij en de heuvels daarachter uit. Ze voelde hoe een koele aanwezigheid bezit van haar nam, beginnend bij haar middel en vandaar omhoog naar haar hoofd omhulde hij haar als een tweede huid. Ze bleef stil staan, wetend, maar zonder te begrijpen hoe, dat mam haar aanraakte en haar zei dat het goed was. Kaiser kon tot morgen wachten. Bekommer je nu eerst maar om Thom.

Ze liet een paar minuten voorbijgaan en ademde langzaam tot de aanwezigheid was vervlogen en de nacht alleen nog de nacht was. De uil zeilde de bomen in en verdween in de stilte. Ze draaide zich om naar het huis en zag zonder dat het haar iets kon schelen dat het licht bij de Oscars was uitgegaan.

40

18 MEI

Het was tien uur in de morgen en heel zonnig, en Jack Caffery dacht over verlossing. Hij was gisteravond van de Wandelaar naar huis gegaan en had in bed aan Craig Evans liggen denken, gekruisigd tegen een strijkplank, en aan Penderecki, aan de pijn die het hem nog steeds deed dat de dikke oude Pool tweemaal aan de gerechtigheid was ontsnapt, eenmaal door ongestraft Ewan te vermoorden en daarna door zichzelf het leven te benemen. Caffery had hem gevonden; hij hing aan een plafond, vol barbituraten en omringd door vliegen en zijn eigen stront. De man die Ewan had vermoord, had nooit de vergelding hoeven ondergaan die Craig Evans het leven had gekost. En nu het ochtend was herinnerde Caffery zich op het zondoorstoofde parkeerterrein van het gemeenschapshuis van Mangotsfield iets anders dat de Wandelaar had gezegd. *Probeer niet me in verlossing te laten geloven*, had hij gezegd. *Je moet niet proberen me in verlossing te laten geloven.*

Hij moest vandaag weer aan die woorden denken omdat hij de hele morgen gesprekken had gehad met de leiders van de overgebleven afkickcentra en zich nu bij een van de laatste mensen bevond die geld kregen van Ndebele: Tommy Baines, de bewindvoerder van de liefdadigheidsinstelling User Friendly. Hij keek op naar het kerkgebouw, waarvan de raamstijlen en de rijk versierde kroonlijsten scherpe schaduwen wierpen. De analyse van Ndebeles bankrekening toonde samen met de lijst die de Bag Man hem had gegeven aan dat elk van de achttien afkickcentra die BM had genoemd als plekken waar Mossy naartoe had kunnen gaan geld kregen van Ndebele. Sommige kregen meer geld per jaar en andere minder, maar de Zuid-Afrikaan had met allemaal contact. Om een of andere reden hield de groep van Baines Caffery echter meer bezig dan de andere.

Hij duwde de voordeur open en ging de koelte in. Zijn voetstappen werden gedempt door het marineblauwe, industriële touwtapijt. 'Tig', zo noemde Baines zich. Caffery herinnerde het zich omdat het hem had geërgerd, die bijnaam, en hij merkte dat hij een gevoel kreeg waar hij niet de vinger op kon leggen als hij aan 'Tig' dacht. Hij vroeg zich af of het een overgebleven woede was, de nijd waar Penderecki mee weg was gekomen, dat mensen zoals hij en Tig altijd een tweede kans leken te krijgen. En toen hij de hoek naar het kantoor omsloeg, dacht hij dat hij toch iets kleins kon doen, namelijk het leven voor 'Tig' zo onaangenaam mogelijk maken, al was het kleinzielig.

'Jij weer?' vroeg Baines, die opkeek van het fotokopieerapparaat toen Caffery de kamer binnenkwam. Er waren nog twee oudere vrouwen in het kantoor die in onopvallende, modderkleurige jurken rondwandelden met vellen papier in de hand. Tig vormde een absoluut contrast in zijn Duke Nukem-vest, camouflagebroek en Dr. Martens en met zijn vaag agressieve houding. 'Ik heb om elf uur een sessie en ze komen al eerder, dus schiet een beetje op.'

Caffery lachte kort. Dit was precies de reactie die hij van Tommy Baines had verwacht. 'Ik wil met je praten,' zei hij. 'Op een rustig plekje.'

Tig keek over zijn schouder naar de twee vrouwen. 'We kunnen even naar de hal gaan,' zei hij, en hij sloeg met zijn hand op de stopknop van het kopieerapparaat. 'Daar is nog niemand.'

Ze stonden voor een bord vol berichtjes over pilates, kookles-sen voor kinderen en huurtarieven voor de zaal. Tigs armen wa-ren strak over elkaar geslagen als die van een uitsmijter en een ader in een van die armen stond blauw en hard overeind, alsof hij met gewichten had getraind vlak voor Caffery was gearriveerd. Maar Caffery was langer en daar deed hij zijn voordeel mee. Hij stond met zijn handen in zijn broekzakken en zijn hoofd iets voor-over, zodat Tig zich er goed van bewust was dat Caffery een beet-je moest bukken om hem in het gezicht te kunnen kijken.

'Ndebele,' zei hij. Geen inleiding. Zo was het beter – geef hem de naam en kijk hoe hij reageert. 'Njabulu Ndebele.'

'Ndebele?' Tig fronste en deed alsof hij verbaasd was, maar Caffery kon zien dat dat niet zo was. Het verbaasde hem niet in het minst om die naam te horen. 'Ja, die ken ik natuurlijk. Wat is er met hem?'

'Hoe ken je hem?'

'Hij is donateur van de stichting.'

'Hij heeft je geld gegeven.'

Het duurde even voor Tig antwoord gaf. Hij ging niet ach-teruit, maar nam de tijd om Caffery eens goed op te nemen en ervoor te zorgen dat die precies wist dat hij dat deed. Klassiek agressief gedrag, dacht Caffery, maar ga je gang, neem de tijd als dat je een beter gevoel geeft.

'Hij heeft een eenmalige donatie gedaan aan de stichting. Dat is alles.'

'Waarom denk je dat hij dat deed?'

'Hij heeft het bij alle centra voor verslaafdenopvang gedaan.' Hij wendde zich af en begon het bord te bestuderen, er berich-ten af te trekken en andere te verhangen. Nog een klassieke tac-tiek, dacht Caffery. Laten zien hoe weinig het je kan schelen. 'Als dit iets te maken heeft met die foto die je me hebt laten zien, leg je verbanden die niet bestaan.'

'O, ja?'

'Ja.' Tig verfrommelde een paar oude berichtjes en gooide ze in een afvalbak. Hij bewoog heel nonchalant om Caffery te laten zien dat hij zich niet liet intimideren. 'Ndebeles zoon was verslaafd, wist je dat? Het gaat nu weer beter met hem, dankzij iemand zoals ik. Waar ik vandaan kom, snap je dan waar dat geld voor was. Het was een bedankje.'

'Maar niet aan jou. Jij was het toch niet die de jongen clean heeft gekregen?'

'Nee. Maar hij weet het te verdelen.'

'Dus hij heeft nog andere bedankjes te zeggen? Weet je aan wie nog meer?'

Tig schudde zijn hoofd. 'Nee. Nee, zie je, hier kan ik je niet mee helpen. Echt niet. Ik kan niet achter zijn rug over hem praten met de politie.'

'Waarom niet?'

'Er is niets te vertellen. Al zou ik willen, dan zou er nog niets te vertellen zijn.' Hij draaide zich om van het bord en keek Caffery recht aan. 'Helemaal niets.'

'En wat gebeurt er als ik de doelpalen verzet? Wat gebeurt er als ik je vertel dat hij betrokken kan zijn bij een moord? De verminking waar we het over hadden. Ian Mallows, een tiener nog. Wat zeg je dan?'

Het woord 'moord' kwam aan bij Tig. Hij knipperde een paar keer met zijn ogen en slikte. 'Weet je, het komt net bij me op dat dit gesprek voorbij is.'

'Dat dacht ik niet. Je kunt me nog meer vertellen.'

Tig draaide zich weer om naar het bord en begon er fel punaises in te steken, die hij met zijn duim aandrukte alsof ze er zonder zijn hulp uit zouden vallen. Maar Caffery kon zien welk effect zijn woorden op hem hadden. Hij zag de kleur opkomen in een rand boven op het geschoren hoofd, zich verspreiden over zijn achterhoofd en via een web van aderen in zijn nek en onder zijn T-shirt verdwijnen. Zo reageerden mensen soms als ze woorden hoorden als 'moord'. Op dat moment beseften ze soms voor het eerst hoe ernstig de zaak was.

'Zoals ik al zei, kun je me volgens mij nog meer vertellen.' Hij wachtte af, maar Tig gaf geen antwoord. Hij ging verder met de punaises, fel alsof zijn leven ervan afhing. 'Wat? Verder niets? Zelfs niet als ik je eraan herinner hoe ze zijn handen hebben afgesneden? Terwijl hij nog leefde?' Maar Tig gaf nog steeds geen antwoord. Caffery haalde zijn kaartje uit zijn zak, deed een stap naar voren en prikte het met een punaise op het prikbord. 'Daar.' Hij tikte ertegen. 'Voor als je je iets herinnert.' Hij bekeek de zijkant van Tigs gezicht en toen liep hij weg, met zijn sleutels aan zijn wijsvinger.

Hij was al bij de deur toen Tig iets zei, zo zacht dat Caffery eerst dacht dat hij het zich verbeeld had. Hij draaide zich om. Tig stond nog steeds met zijn rug naar hem toe, maar hij was opgehouden met het woedend indrukken van punaises en stond met een hand boven aan het bord en de andere tegen zijn zij, zijn hoofd naar beneden als een hardloper die bijkomt van steken in zijn zij. Alsof hij zich had overgegeven.

'Wat zei je?' Caffery liep terug door de hal. Zijn schoenen piepten op het laminaat.

'TIDARA.' Tig zei het snel, alsof het zo minder erg was dat hij klikte. 'De naam van de kliniek.'

'Kliniek? Welke kliniek?'

'De kliniek waar hij geld aan geeft. Het is de enige organisatie waar hij niet over wil praten en ik weet niet waarom.'

'TIDARA? Waar is dat?'

'Ik weet er niets van, alleen de naam. TIDARA. Maar dat heb je niet van mij gehoord.' Hij hief behoedzaam zijn hoofd. 'Niet van mij, oké?'

Hoe erg die vent er ook aan toe was, hoe hij ook, al was het met tegenzin, probeerde te helpen, het was toch moeilijk om ook maar enige sympathie voor hem te voelen, dacht Caffery. Hij knikte, liep terug naar het bord, haalde zijn kaartje eraf en deed het in zijn zak, waarna hij erop klopte om te laten zien dat het veilig opgeborgen was.

'Je hebt me nooit gesproken. Ik ben hier nooit geweest. Ik heb nooit een voet hierbinnen gezet. En...' Hij draaide zich op zijn hakken om en keek naar de deur en de lege hal. Niemand zag hen.

'En?'

'En ik heb ook nooit dankjewel gezegd. Oké. Dat is ook nooit gebeurd.'

Hij vond TIDARA via het telefoonboek en reed vijftien kilometer vanuit Bristol naar het met bomen omringde complex bij Glastonbury, met muren van gelamineerd glas en waterpartijen waarin het water discreet over platte witte kiezelstenen stroomde. Specialisten van allerlei soort hielden hier kliniek: aromatherapeuten, acupuncturisten, chiropractors. TIDARA was gevestigd in een gebouw vol licht, omringd door groene bamboe, dat bereikt kon worden over houten paden over het stromende water. De receptie leek op de ingang van een chic kuuroord en vanachter de balie glimlachten twee meisjes in crèmekleurige *yukata*'s van wafelstof hem toe.

TIDARA was pas tien maanden open en de directeur – Tay Peters, een koele, aantrekkelijke Maleisische van in de veertig, gekleed in crèmekleurig linnen en met dure sandaaltjes aan – was ontspannen en beleefd toen ze hem voorging naar haar kantoor. Ze schonk twee hoge glazen sap in en schoof hem er een van toe.

'Açai,' zei ze. 'Uit Brazilië. Tweemaal zoveel antioxidanten als bosbessen.'

Caffery legde zijn vinger op de rand van het glas en kantelde het iets om het sap te bestuderen. 'Dank u,' zei hij, en hij duwde het glas opzij. Hij pakte zijn tas en haalde er een map uit. 'En bedankt dat u me zo snel hebt willen ontvangen.'

Ze stak haar glas naar hem op en glimlachte. 'Graag gedaan.'

Hij haalde zijn aantekenboekje voor de dag, maakte zijn das los en ging op zijn gemak zitten. Hij had het aantekenboekje niet echt nodig, maar hij gebruikte het als attribuut, om zichzelf de ruimte te geven na te denken. 'Ik wil iets weten over uw financiën.'

Ze trok haar wenkbrauwen op en liet het glas zakken. 'Onze financiën?'

'Het klinkt alsof ik langs de deuren ga, nietwaar? Maar als u even geduld wilt hebben, ziet u zo waar ik naartoe wil. U bent... hoe lang open? Tien maanden? En u bent met niets begonnen?'

'Inderdaad. Ik had wat geld van mijn man, maar de rest is allemaal mijn eigen werk. U weet wel, businessplan, doelstellingen, een mailing en daarna interviews, presentaties enzovoorts, enzovoorts. Dat heb ik helemaal zelf gedaan.'

'En uw investeerders?'

'Allemaal privémensen, geen overheidsgeld. Er zijn beleggers bij, maar ik heb ook mijn engelen, mijn privé-investeerders, en zelfs een paar filantropen die me donaties geven. Vanwege wat we hier doen.'

'Jullie helpen mensen van de drugs af?'

'Ja, maar niet op de gebruikelijke manier.' Tay trok een la van haar bureau open en haalde er een folder uit. Op ruw, ongebleekt papier was in reliëf het woord TIDARA aangebracht, in lichtgrijze letters. 'We gebruiken alleen natuurlijke producten. Dit,' ze sloeg de eerste pagina op, 'is de *Tabernanthe iboga* wortel.' Haar gemanicuurde vinger wees een illustratie aan van een knoestige wortel, die als een mand in elkaar was gedraaid. Daarboven waren twee of drie bladeren getekend. 'We maken er een alkaloïde van die we ibogaïne noemen. Het is een psychoactieve drug en wordt ritueel gebruikt door de Bwiti-stam in Kameroen. Het vermindert de hang naar heroïne en cocaïne, helpt de gebruiker zijn of haar motieven voor het drugsgebruik te doorzien en, wat nog belangrijker is, vermindert de symptomen van het afkicken.'

Caffery keek naar de afbeelding en dacht: ibogaïne. *Ibogaïne*.

'De afkicksymptomen vormen voor de meeste mensen de reden om naar ons toe te komen. De andere twee effecten zijn een soort secundaire voordelen, een gelukkig toeval, als u wilt. En het is allemaal volkomen legaal. Alstublieft.' Ze sloeg de folder dicht en schoof hem naar hem toe. 'U mag hem houden.'

Hij nam de folder aan en bladerde hem door. 'Ik zal hem doorgeven aan iemand van de afdeling Veiligheid. Ik geloof dat zij een lijst van organisaties bijhouden.' Hij deed de folder in zijn zak. 'Ik wil u een naam geven. U kent hem misschien als een van uw filantropen.'

Ze haalde haar schouders op. 'Ik heb niets te verbergen. Al mijn donoren zijn mensen uit de hoogste klassen.'

'Komt de naam Njabulu Ndebele u bekend voor?'

'Jawel.'

'Wat kunt u me over hem vertellen?'

'Hij geeft veel geld aan liefdadigheidsinstellingen. Hij staat bekend in de sector, als je ons een sector kunt noemen.'

'En aan u? Heeft hij u ook geld gegeven?'

Ze glimlachte. 'Nee. Hij heeft ons helemaal niets gegeven.'

'Pardon?'

'Hij heeft ons niets gegeven. Hij heeft ons niet benaderd en wij hebben hem niet benaderd.'

'Maar u kent hem wel?'

Ze lachte. Ze had de witste, meest gelijke tanden die hij ooit had gezien. 'Het is een kleine wereld, maar niet zo klein. Ik heb meneer Ndebele nooit ontmoet. Ik ken hem van reputatie, maar ik heb hem nooit persoonlijk gezien.'

'En ook geen zakelijk contact met hem gehad?'

'En ook geen zakelijk contact met hem gehad.'

'Weet u het zeker?'

Ze stond op, liep naar een dossierkast en haalde er een map uit met de naam van een accountantsfirma erop. 'Hier.' Ze haalde er een ingebonden rapport uit en legde dat op tafel. 'Alle gegevens van mijn investeerders.'

Caffery bekeek de lijst en krabde afwezig over zijn voorhoofd. 'TIDARA,' zei hij. 'Waar staat dat voor?'

'Tabernanthe Iboga Detoxification and Rehabilitation Association.'

'En zijn er ook nog andere instellingen die zo heten?'

'Ik mag hopen van niet. De naam is geregistreerd.'

'Geen andere vestigingen?'

'Dit is de enige. Hoezo?'

De rust van de vrouw zorgde ervoor dat hij zich inefficiënt voelde, als Columbo in zijn gekreukte regenjas. Hij haalde de foto van Mossy voor de dag en schoof die naar haar toe. Ze pakte een leesbril uit een ivoren kistje en zette hem op de punt van haar neus. Hij hield zijn duim op de hoek en wilde de foto al terugtrekken, maar zij fronste, zette haar wijsvinger aan de andere kant en trok hem dichter naar zich toe.

'Komt hij u bekend voor?'

Ze bleef Mossy zwijgend bestuderen. Toen ging ze naar de

deur. 'Chloë,' zei ze tegen een van de receptionistes, 'wil je even komen?'

Er klonk een geluid van een stoel die achteruit werd geschoven en toen verscheen het langste van de twee meisjes in de deuropening met haar zwarte haar in een nette paardenstaart. Tay gaf haar de foto. 'Ik dacht aan vorige week,' zei ze, 'toen we zaten te wachten op de levering. Weet je nog?'

Het meisje bestudeerde de foto. 'Zou kunnen.' Ze hield de foto op armslengte afstand, keek er met een scheef hoofd naar en beet op haar duimnagel. 'Ja, ik bedoel,' ze keek naar Caffery, 'hij was hier maar een paar seconden, maar het zou hem kunnen zijn. Hoezo? Wat heeft hij gedaan?'

Caffery kwam bij de twee vrouwen bij de deur staan. Buiten wierp de zon witte stralen door de bomen en vulde de receptie met licht. 'Wat gebeurde er toen hij hier was?'

'Niet veel. Hij kwam binnen en vroeg hoeveel een behandeling zou kosten. Ik herinner het me alleen omdat hij eerlijk gezegd niet het type was om hier te komen. Ze kunnen het zich niet veroorloven en mensen komen niet gewoon naar binnen lopen. Zo werken wij niet.'

'Hoeveel kost de behandeling?'

'Dat hangt ervan af. Als je alle medische aspecten hier laat doen, kan het oplopen tot zeventienhonderd pond. Maar iemand als hij kan die waarschijnlijk bij zijn huisarts laten regelen als hij slim is en de juiste dingen zegt. In ieder geval heb ik hem gezegd hoeveel het was en hij zei: "Oké, tot kijk," en dat was het, toen vertrok hij weer.'

'Was hij alleen?'

'Ja. Ik bedoel, hij kwam in zijn eentje binnen, maar hij had buiten een vriend die op hem wachtte.'

'Een vriend?'

'Ja. Hij ging naar buiten en hij moet hem verteld hebben hoeveel het was, want die andere man ging meteen telefoneren en vertelde het aan iemand anders.' Ze maakte een gebaar naar de voorkant van het gebouw, waar uit een gelakte boomstam een bank gehakt was, die net naast de glazen deuren in het beton was vastgezet. 'Daar zaten ze. En toen ze klaar waren met telefoneren, bleven ze heel stil zitten. Ze keken elkaar niet eens aan. Ik kreeg het gevoel dat ze van streek waren, alsof ze niet met elkaar durfden te praten omdat alles zo verschrikkelijk was. Maar ja,' zei ze, 'een heleboel mensen hier zijn zo.'

Caffery keek naar het bankje, waarover bewegende schaduwvlekken vielen. 'Wat was het voor iemand?' vroeg hij. 'Die vriend? Heb je hem gesproken?'

'Hij bleef buiten. Hij is helemaal niet binnen geweest.'

'Kun je je herinneren hoe hij eruitzag?'

'Niet echt.'

'Helemaal niets? Was hij blank? Zwart?'

'O, zwart,' zei ze, alsof dat vanzelf sprak. 'Maar ik weet niet meer hoe hij er echt uitzag.'

'Was hij oud?' Ze had een vinger in haar mond gestoken en zoog er peinzend op. Ze was lang niet zo mondain als hij aanvankelijk had gedacht; hij kon zien waar ze was uitgeschoten met haar lippenstift. 'Jong?'

'Ik weet het echt niet.'

'Lang?'

'Hij zat.'

'Wat droeg hij? Hoe zag zijn haar eruit? Was er iets ongewoons aan hem? Wat dan ook?'

'Ik geloof dat hij een wit shirt droeg,' zei ze. 'Misschien een jasje eroverheen. Ik weet het niet zeker. Ik lette niet op.'

'Oké,' zei hij uiteindelijk, een beetje vaag omdat ook hij probeerde na te denken. Als Tay dacht dat Ndebele geen enkele band met dit instituut had, had ze het mis. Er was een band, maar misschien was zij zich daarvan niet bewust.

'Oké.' Hij klopte op zijn zakken. 'Ik moet even bellen. Ik ga een paar minuten buiten zitten.'

'Gaat uw gang.' Tay maakte een gebaar naar de deur en de crèmekleurige mouw schoof omhoog over haar tengere arm. 'Ik zal uw sap in de koelkast zetten.'

Buiten was het warm. De wereld werd warmer en wie wist welke delen van dit land zich over vijftig jaar nog boven water zouden bevinden? De bomen stonden op de zuidkant van de helling, zoals al tientallen jaren het geval moest zijn, inlandse loofbomen en jonge, oosterse aanplant langs het pad, die de ingang van TIDARA moest overschaduwen. Hij keek de receptie in. Chloë en Tay stonden met hun rug naar hem toe over wat papieren gebogen. Hij ging achter het bankje half op de harde rugleuning zitten, waar ze hem niet konden zien, en haalde zijn shag uit zijn zak. Hij had gelogen over dat telefoontje. Hij moest een sigaret hebben. En nadenken.

Het was de persoon in het witte shirt en het jasje die hem interesseerde. Hij stak de sigaret aan, zoog zijn longen vol en liet het gif alle plekken van zijn lichaam bereiken waar hij wist dat het schade aan zou richten. Iemand had op misschien wel de laatste dag dat hij levend was gezien op dit bankje naast Mossy gezeten. Dat was op zich al heel interessant. Hij ademde uit en liet de rook kronkelend opstijgen naar de dennennaalden, subtiel om de handvormige ginkgobladeren krullen en verdwijnen in de blauwe lucht.

Er bewoog iets tussen de bomen. Hij zag het uit zijn ooghoek, maar toen hij zich omdraaide, was er niets, op een paar gerafelde schaduwen na die over de bladeren van vorig jaar op de grond dansten. Hij keek scherp naar de boomstammen en probeerde te besluiten of hij een dier of een tak had zien bewegen of dat er iets aan de binnenkant van zijn hoofd rondhuppelde. Dit deel van de wereld had toch iets engs. Het land waarop hij zat, had eens onder water gelegen. Tot de zeventiende eeuw was Glastonbury Tor een eiland geweest. Maar toen waren de vlakten van Somerset gedraineerd en was Glastonbury een stad geworden met een reputatie als centrum voor hekserij. Gek, dacht hij, het gaf niet uit welk land of welke cultuur je kwam, hekserij en bijgeloof kwamen overal voor. Tay had gezegd dat de ibogaïne werd gebruikt door een Afrikaanse stam. Bij rituelen, had ze gezegd. Rituelen...

Hij haalde het foldertje van TIDARA uit zijn zak. Met de sigaret tussen zijn tanden zocht hij in zijn borstzak naar een pen. Hij vouwde het foldertje open op zijn knie en tekende een harde, brede lijn rond de afbeelding van de plantenwortel. De wortel van de *Tabernanthe iboga*. Ibogaïne. Hij had er nooit eerder van gehoord. Maar op de een of andere manier hield het verband met wat er met Mossy was gebeurd. En misschien was hekserij dat verband.

Hij stopte de pen weer weg en duwde het foldertje in zijn zak. Hij bukte om de sigaret tegen de bank uit te drukken – niet in de boomschors onder zijn voeten, want hij kon zich de reactie van Tay Peters voorstellen – toen iets boven de voordeur zijn blik trok. Een klein cirkeltje glas boven de voordeur. Hij glimlachte. Een ironische, opgeluchte glimlach.

Godzijdank, dacht hij, terwijl hij de sigaret met zijn nagels uit elkaar trok en de tabak tussen de boomschorssnippers verspreidde. Godzijdank voor beveiligingscamera's.

41

18 MEI

Toen Flea wakker werd, stond de zon hoog boven Solsbury Hill, trillend warm en oranje aan de rand van een hoge wolkenbank. Het was vochtig en drukkend, zodat haar hoofd bonsde. Ze had maar vijf uur geslapen. Toen ze de vorige avond naar boven was gegaan om met Thom te praten, was ze erachter gekomen dat hij weg was. Verdwenen. Zijn gebutste auto was ook weg; hij moest het huis uit zijn geslopen, de handrem eraf hebben gehaald en de auto de heuvel af hebben laten rollen. Die kleine schooier was er stilletjes tussenuit geknepen, zodat Prody niets zou horen. Ze had een uur lang geprobeerd hem te bellen en tegen de tijd dat ze het had opgegeven en had aanvaard dat hij niet ging opnemen, had ze zo'n hoofdpijn dat ze niet meer naar Kaiser had willen gaan, maar een paracetamol had genomen en was gaan slapen. Maar toen ze wakker werd, had ze nog steeds hoofdpijn en ook had ze nog steeds het verontrustende gevoel dat de ibogaïne haar echt met de doden had laten communiceren, net zoals Kaiser had gezegd. Ze moest hem spreken, vragen of hij echt dacht dat het mogelijk was.

Er stond een berichtje op haar mobiel: het team wilde haar niet storen op haar vrije dag, maar wilde even laten weten dat het die dag bij de grens van Wiltshire bezig zou zijn, waar een bekende persoon was verdwenen. Misty Kitson, de knappe ex-vrouw van een voetballer in de eredivisie, was ergens na drieën de vorige middag weggelopen uit een particuliere ontwenningskliniek. Het te doorzoeken gebied was bepaald door Blue8-software over een landkaart van het gebied te projecteren en het eerste wat was opgevallen, was dat nog geen twee kilometer van de kliniek een groot, kunstmatig meer lag. Dat was genoeg om het duikteam erbij te halen. Het zou een van de belangrijkste zaken kunnen worden waar de eenheid ooit bij betrokken zou raken, maar Flea interesseerde zich niet voor vermiste beroemdheden. Van haar mocht het team het zelf afhandelen. Ze had een dringende vraag voor Kaiser. Ze wiste het bericht, nam een snelle douche en kleedde zich aan, stapte in de auto en tegen halftien was ze op weg naar de Mendips.

Maar zo gemakkelijk liet het lot haar niet ontsnappen. Ze was de M5 al half af toen de telefoon op haar dashboard ging. Ze herkende het mobiele nummer van de eenheid en dacht er even over om niet op te nemen. Toen drukte ze onder het mompelen van verwensingen toch de knop in. Het was een van de agenten van de eenheid.

'Wat moet je? Ik heb vrij. Dat heb ik je gezegd.'

Hij schraapte zijn keel. 'Dat weet ik, hoofdagent, maar ik denk echt dat je even moet komen. Het is belangrijk.'

'Geen sprake van. Ze is niet belangrijker dan wie dan ook, alleen omdat ze bekend is. Jullie kunnen het zelf wel aan.'

'Het gaat niet om haar, hoofdagent.'

'Niet om haar? Om wie dan?'

Er viel een korte stilte. 'Het gaat om Dundas, hoofdagent.'

'Dundas?' Dundas had vandaag de leiding over de duik. Hij had haar nooit eerder in de steek gelaten.

'Sorry, hoofdagent,' zei de agent. 'Hij wil niet met ons praten. Ik dacht dat u beter even kon komen.'

En zo reed ze de hele weg zachtjes vloekend terug over de M5, en daarna over de M4 tot ze bij de zoekplek was. Avon and Somerset had de zaak opgepikt omdat de ontwenningskliniek, Farleigh Wood Hall, diep op het platteland stond, iets ten westen van de beboste grens met Wiltshire. Toen ze langzaam door het hek reed, zag ze dat het om het oude, nepgotische gebouw al krioelde van de verslaggevers. De ontwenningskliniek had een particuliere beveiligingsfirma ingeschakeld om ze in het gareel te houden, mannen met koptelefoontjes en zonnebrillen liepen rond over het terrein en hielden door het smeedijzeren hek de pers in de gaten.

Ze parkeerde langs de weg naast een heg, duwde haar voeten in haar sportschoenen zonder de veters te strikken en liep over het veld naar het draaihekje aan het begin van het pad, waar ze haar identiteitskaart liet zien aan de agent die daar stond.

In het dal werd het meer omringd door auto's en uitrustingsstukken. In het midden stond het busje van de eenheid. Er bevond zich niemand in het water, maar ze zag aan de oranje boei in het midden dat Dundas een cirkelvormig zoekpatroon had gekozen, precies wat ze zelf gedaan zou hebben met een meer als dit; het was rond en klein genoeg voor één enkele duiker, en hoewel er waterplanten in groeiden, was het water rustig genoeg om enig zicht te garanderen. Maar, en die wetenschap kwam als vanzelf bij haar op, ze zouden het lijk van Misty Kitson niet in het meer vinden. Dat stond vast. Waar Misty Kitson ook werd gevonden, op iemands bank in een flat in Chelsea of op Heathrow waar ze met alle egards in het vliegtuig naar het Caraïbisch gebied werd geholpen, het zou zeker niet in het meer zijn.

Ze liep het hekje door en ging verder over het pad, uitkijkend naar Dundas. Iemand van het team stond te praten met een man in een pak. Ze herkende hem als een hoofdinspecteur van district E. Die hoofdinspecteur stond daar niet omdat het moeilijker zou zijn Misty Kitson te vinden dan elke andere vermiste persoon, maar omdat de pers in groten getale op de zaak af zou komen en ze de hoogst mogelijke rang nodig hadden. Toen ze dichterbij kwam, kreeg de agent haar in het oog. Hij brak zijn gesprek af, maar in plaats van naar haar toe te komen, wees hij zwijgend naar de heuvel. Ze keek naar het veld, dat met een reeks golvingen omhoogliep en eindigde bij een rijtje bomen.

De gestalte die nog net zichtbaar was tegen de bomen was meteen te herkennen aan zijn rode muts. Hij liep weg van het meer en er was iets vreemd triests aan zijn bewegingen. Ze aarzelde, maar toen liep ze de heuvel op.

'Rich?' riep ze toen ze dichterbij kwam. 'Rich?'

Ze zag hem aarzelen en zich toen naar haar omdraaien. Ze ging langzamer lopen, geschokt door de uitdrukking op zijn gezicht. 'Verdomme,' mompelde ze, en ze haastte zich met klepperende sportschoenen verder de heuvel op. 'Rich? Wat is er aan de hand?'

Hij schudde zijn hoofd en haalde diep adem.

'Wat is er?'

Hij zag er zieker uit dan ze hem ooit had meegemaakt, en net toen ze haar hand naar hem uitstak, ging hij met een plof op het gras zitten, alsof hij bijna flauwviel.

'O, Rich.' Ze hurkte naast hem en sloeg haar armen om zijn schouders. 'Mijn god, wat is er gebeurd?'

'Het is Jonah,' zei hij eindelijk. 'Ik ben net gebeld door Faith.'

'O, jezus.' Flea aaide over zijn rug. Als er iets was dat Dundas' leven verziekte, was het wel zijn nietsnut van een zoon. Hij zadelde Dundas voortdurend met problemen op. Iedereen was hem meer dan zat, ook Dundas, die op het punt was gekomen dat hij weigerde zich ergens mee te bemoeien of hem te helpen. Hij had geleerd Jonah en zijn problemen van zijn brede rug af te laten glijden. Maar dit keer was het anders. 'Wat heeft hij nu weer gedaan?'

'Dat is het juist. Het is niet "nu weer". Dit is iets heel anders.' Dundas keek haar aan en aan de rode kringen om zijn ogen kon ze zien dat hij bang was. 'Hij is weg.'

'Weg? Waarheen?'

'Faith heeft gisteravond een feestje gegeven voor een paar vrienden. Jonah zou ook komen, maar hij is niet komen opdagen.'

Flea liet zich op haar knieën vallen en wreef onhandig langs haar benen. Ze wilde het niet zeggen nu Dundas er zo verschrikkelijk uitzag, maar junks, vooral degenen die zich prostitueerden om drugs te kunnen kopen, nou ja, dat waren niet de meest betrouwbare mensen. Ze keek langs de heuvel naar het zonlicht dat weerkaatste op haar auto. Ze moest naar Kaiser.

'Ik weet wat je denkt,' zei hij. 'Je denkt dat mensen als hij de helft van de tijd niet op komen dagen. En je hebt gelijk. Hij is een waardeloze klootzak waar Faith niets mee te maken zou moeten willen hebben, en hij heeft inderdaad verschrikkelijke dingen gedaan, maar als het om familie gaat houdt hij zich altijd, altijd aan zijn beloften.'

Flea hield op met wrijven. Ze geloofde Dundas altijd. Hij had meer integriteit dan wie ze verder ook maar kende. Als hij zei dat ze van zijn zoon op aan hadden gekund, was dat zo. 'Goed,' zei ze. 'Vertel me wat er gebeurd is.'

'Hij was Faith geld schuldig. Dat is niets nieuws, ze is als was in zijn handen, hij is haar altijd geld schuldig, maar hij zei dat hij haar vanmorgen terug zou betalen. Hij zei dat hij werk had, iets heel anders, en dat hij alles wat hij haar verschuldigd was terug zou betalen.'

'Wat voor werk?'

'Ik geloof niet dat hij zichzelf weer ging verkopen.' Dundas slikte. Hij was een oude politieman. Hij kende de taal van de prostitutie, maar het had hem jaren gekost om die met betrekking tot zijn eigen zoon te gebruiken. 'Als hij weer een klant had, moet het wel een hele goede zijn geweest. Hij is Faith bijna achthonderd pond schuldig en zulke bedragen verdien je niet in Knowle West. En hij zou gebeld hebben als het laat werd. Hij had zijn telefoon bij zich. Ze heeft hem de hele morgen gebeld, maar het ding staat uit. Hij zou gebeld hebben als...' Hij liet de zin wegsterven. 'Als hij kon.'

Ze bleven zwijgend zitten kijken naar de hemel, naar het lange veld voor hen en het meer dat als een zilveren munt in het gras genesteld lag. Ongeveer anderhalve meter rechts van hen was een zwartgeblakerde plek waar iemand een vuurtje had gestookt, nog heel onlangs, want de geur hing er nog. Geen flessen of afval, dus misschien waren het kinderen geweest of iemand die op de vlucht was. Er liep ook een zwerver rond in het gebied, een ex-bajesklant die iedereen de Wandelaar noemde, en dat deed haar denken aan alle mensen op de wereld van wie niemand het zou merken als ze morgen zouden verdwijnen. Verloren zielen. Ze wendde zich tot Dundas en omhelsde hem. 'Maak je geen zorgen. Het komt wel goed.'

'Nee,' zei hij. 'Dat denk ik niet. Ik denk niet dat het goed komt.'

Ze stond op en keek op hem neer, op zijn grote, oude gezicht, op de rode en gevlekte huid in zijn nek, permanent zonverbrand na jaren van duiken. Ze wist dat ze pa niet kon vervangen, dat er niet zoiets bestond als een tweede vader, maar ze had nu zulke tedere gevoelens voor Dundas dat ze een overweldigende aandrang om hem nog eens te omhelzen moest bedwingen. 'Rich?' zei ze. 'We zullen ons best doen.'

'Ja,' mompelde hij met dikke stem. 'Ja. Dank je.' Er viel een lange stilte en hij leek een beetje te kronkelen, alsof er iets door zijn buik slingerde. 'Dank je.'

42

11 MEI

Alles wat Mossy hoort over Skinny's broer is eng. Hij ziet het schooiertje nooit, maar hij weet dat hij er is, hij heeft zijn smerige schaduw gezien op de muur. Hij heeft hem geroken en gehoord. Maar dat is nog niet het ergste: uit alles wat Skinny heeft gezegd over de dingen die hij doet, heeft Mossy geconcludeerd dat de mismaaktheid van de broer niet ophoudt bij het lichaam als een baviaan. Het zit ook in zijn hoofd.

Mossy is van mening dat Skinny precies de juiste instelling heeft als het gaat om de verrotte toestand waarin ze verzeild zijn geraakt. Er zit geld in menselijke lichaamsdelen. Het heeft lang geduurd voor Mossy het heeft aanvaard, maar nu begrijpt hij dat dit voor Skinny de enige manier is om te overleven. Maar zijn broer heeft precies de verkeerde instelling. De broer – en soms wordt Mossy al helemaal koud in zijn hoofd als hij er maar aan denkt – gelooft echt in *muti*. Hij heeft nooit gevraagd of de broer echt mensenbloed heeft gedronken en of hij stukken van de huid die ze met zijn tweetjes verhandeld hebben heeft opgegeten, maar hij kan er wel naar raden.

De broer gelooft dat de *muti* meer kunnen dan hem genezen.

Hij denkt dat ze meer kunnen dan alleen zijn ruggengraat recht maken en zijn bavianenhanden losmaken. Hij denkt dat ze anderen om hem heen kunnen beïnvloeden. En op de momenten dat hij niet in de flat is en doet wat hij daarbuiten ook voor vreemde dingen doet, is de broer verliefd geworden. Hij is nooit met haar naar bed geweest en heeft haar alleen op een afstand gezien, maar het is echte liefde. Ze is een meisje van de straat, een van de meisjes op City Road, en ze heet Keelie. Mossy weet maar al te goed dat van alle slechte mensen op de wereld op wie je verliefd kunt worden, iemand van de straat het ergste is. Maar volgens Skinny heeft de broer het in zijn hoofd gehaald dat de *muti* ook daar hun werk zullen doen. Ze zullen ervoor zorgen dat de vriendin ermee ophoudt andere mannen te neuken voor geld.

Skinny zegt er niet veel over. Hij probeert te doen alsof het allemaal niet gebeurt, maar op een dag wordt hem dat onmogelijk gemaakt. Op een dag gebeurt er iets wat hem het zweet doet uitbreken.

Het moet de derde of de vierde dag zijn, Mossy is er vrijwel zeker van dat hij hier drie dagen geweest is, en het begint met geschreeuw. Hij komt overeind op de bank en tuurt het donker in. Het geluid lijkt van ergens achter het hek te komen, misschien van een plek dichter bij de kooi, en door de echo's voelt hij hoe deze plek in elkaar zit, een doolhof van kamers. Er klinkt een klap alsof er iets tegen de muur wordt gegooid, dan wordt er nog meer geschreeuwd en daarna wordt het stil. Hij wacht en dat lijkt wel een eeuwigheid te duren. En net als hij weer gaat liggen, zijn er opeens mensen in de gang aan het duwen en trekken, Oom en misschien iemand anders, en hangt er adrenaline en geweld in de lucht. Het hek wordt opengedaan en Skinny wordt naar binnen geduwd. Als Oom weer weg is en de gang donker, buigt Mossy zich naar hem toe en sist: 'Wat? Wat is er aan de hand?'

Er valt een korte stilte en dan komt Skinny naar hem toe gesjokt. Hij gaat op de versleten bank zitten, legt zijn handen op zijn schouders en werpt hem een blik toe die duidelijk maakt dat alles verkeerd is gegaan.

'Wat is er?'

Skinny schudt zijn hoofd en zijn blik draait weg naar de kooi. Terug naar de nachtmerrie, dus.

'Je broer,' zegt Mossy. 'Is er iets met je broer?'

Skinny knikt terneergeslagen en veegt met de rug van zijn hand langs zijn neus.

'Wat is er dan? Wat heeft hij nu weer uitgespookt?'

Hij slikt moeizaam, alsof er een brok in zijn keel zit.

'Wat nou?'

Skinny legt zijn hand tegen zijn mond en tikt er een paar keer tegen met zijn duim. Eerst denkt Mossy dat hij het doet om te voorkomen dat hij gaat huilen, maar dan ziet hij dat het een gebaar is. Skinny doet het nog eens en dan begrijpt hij het.

'Heeft hij gedronken?'

Hij knikt.

'Is hij dronken? Heeft Oom hem betrapt?'

Skinny vertrekt zijn gezicht en wrijft hard met zijn vingers over zijn armen. De blik in zijn ogen bezorgt Mossy kippenvel.

'Wat heeft hij dan gedronken?'

En nog kan Skinny geen antwoord geven. Mossy weet nu zeker dat de broer iets heeft gedaan dat echt de hel heeft doen losbreken. Hij kan aan Skinny's gezicht zien en heeft aan de geluiden daarbuiten gehoord dat Oom die engerd ergens op betrapt heeft. Hij heeft iets gedronken dat hij niet mocht drinken. Hij krijgt de woorden en de ideeën op een rijtje en wil het net allemaal naar buiten gooien als hem het laatste lichtje opgaat. Het is alsof een slang snel door zijn buik kronkelt.

'Verdomd,' zegt hij zwakjes. 'Dat kun je niet menen. Dat kun je niet menen.'

Hij staat langzaam en versuft op, omdat hij hier geen minuut meer kan blijven wachten op Jonah. Dit is te ziek. Hij gaat naar het hek en rammelt eraan.

'Hé,' schreeuwt hij naar het gangetje met de lege fitting. 'Laat me eruit.' Het is er nu stil. Het gebons en geschreeuw zijn opgehouden. Hij rammelt nog wat harder met het hek en het geluid weergalmt door het gebouw. 'Hé!' schreeuwt hij. 'Kom hier en laat me eruit. Ik heb er genoeg van, stelletje engerds.'

'Niet doen,' zegt Skinny vanaf de bank. 'Niet doen. Je maakt hem nog boos.'

Maar dat kan Mossy niet schelen. Hij probeert het hek uit de muur te rammelen. 'Laat me eruit.' Zijn stem wordt luider en luider. 'Laat me eruit, klootzak. Laat me eruit.'

Hij trilt, omdat hij één ding zeker weet: hij blijft niet in dezelfde ruimte als dat beest, want dat moet Skinny's broer zijn na wat hij gedaan heeft. Zijn bloed drinken. Het is niet nodig het hardop te zeggen. Die maffe gek heeft bij de vriezer weten te komen en heeft het bloed opgedronken en nu is Mossy bereid elk risico te nemen om hier weg te komen en de zon weer te zien.

'*Kom hier en laat me er verdomme uit!*' gilt hij, en hij gooit zich tegen het hek. '*Laat me eruit.*'

Hij heeft een eeuwigheid staan schreeuwen en met het hek staan rammelen als hij in de duisternis aan het eind van de gang een geluid hoort.

Eerst hoort Mossy het niet, maar dan ziet hij een lichtspleetje en sterft zijn stem weg. Er klinkt een geluid alsof er spijkers uit hout worden getrokken. Hij verstijft als er een hoofd uit de muur lijkt te komen, en plotseling komt Oom door de gang op hem aflopen. Hij heeft een blauw shirt aan en een lichte broek en Mossy is nog nooit zo dicht bij hem geweest. Hij draagt zwarte handschoenen, maar wat Mossy echt bang maakt, is dat hij kan zien waarom zijn hoofd altijd zo groot lijkt. Hij draagt een rubber sm-masker met een rits over zijn gezicht.

Mossy laat het hek los en deinst achteruit. Skinny is in een hoek in elkaar gedoken.

'Wat?' schreeuwt Mossy tegen hem. 'Waarom kijk je zo? Wat gaat hij verdomme...'

Maar het slot ratelt, het hek gaat open en voor Mossy iets kan doen is Oom de kamer binnengekomen. Het gebeurt allemaal zo snel dat Mossy zich er naderhand niet veel van kan herinneren. Hij zal zich niet herinneren of Skinny heeft geholpen of wat er precies gebeurd is, want alles wat hij weet, is dat hij het ene moment naar de badkamer rent en het volgende op de bank wordt geworpen, zodat alle lucht uit zijn longen slaat, en er iemand boven op hem zit. Het is alsof hij wordt opgepakt door een stier, want Oom is snel en pezig en zo nijdig dat je bijna zou denken dat hij met zijn blote handen de muren kan afbreken.

Mossy probeert tegen te stribbelen, maar hij krijgt geen lucht. Hij ligt op de bank naar adem te snakken, probeert iets te zien, probeert te gillen. Er zit iemand boven op hem. Hij kan niet zien wie, want er zit iets voor zijn ogen, maar hij denkt dat het Oom moet zijn, want het is een sterk iemand. Zijn gewicht valt op Mossy's borstkas en drukt de lucht eruit. Hij kan het voelen, hij kan voelen hoe zijn longen worden samengedrukt, en hij weet dat hij in een paar korte seconden bijna zijn leven is kwijtgeraakt.

Hij hoort geluiden uit zijn eigen keel komen, gesmoorde geluiden als hij probeert lucht te krijgen, en boven hem hoort hij het geluid van Oom die in zijn masker ademt, hard en rasperig, als een paard. Dan grijpt iemand zijn arm en hoewel hij weg probeert te kronkelen, lukt dat niet. Hij voelt iets kouds en bekends op zijn arm, een prik. Hij probeert de arm weg te trekken, maar de naald zit er al in en bijna meteen, veel sneller dan bij een heroïne-injectie, wordt alles zilverig en gaat er een golf van energie door zijn lichaam, hoort hij stemmen zich verzamelen in zijn hoofd en dan is het voorbij. Zijn hoofd valt achterover en hij maakt alleen nog wat zwakke bewegingen met zijn arm als de rest van de vloeistof in zijn kapotte ader wordt gespoten.

Naderhand is het stil. Misschien wachten Skinny en Oom af wat hij gaat doen. Dan gaat Oom met een grom van hem af. Mossy probeert niet overeind te komen. Het kan hem niet meer schelen. Hij ligt op zijn rug met zijn arm slap van de bank naar beneden en zijn vingers op de vloer, en hij laat zijn blik langs het plafond gaan. Hij kan daar steden en bergen zien. Hij ziet sterren en wolken. Hij drijft, hij vliegt, en niets doet er meer toe. Het maakt niet uit dat Oom ergens in een hoek een stekker in het stopcontact steekt. Het maakt niet uit dat hij het geluid van een elektrische zaag hoort. Het enige wat ertoe doet, is te blijven vliegen. Het gevoel overtuigt hem ervan dat hij de sterren kan bereiken als hij het graag genoeg wil.

43

18 MEI

'Het is voor de verzekering,' zei Tay, die op haar hurken achter de balie zat en met haar gemanicuurde nagels langs de nette rij keurig van etiketten voorziene dvd-doosjes ging. 'Ik krijg een enorme korting op de premie door camera's op te hangen. Ik wil maar zeggen, de mensen die we hier binnenkrijgen, zijn er soms heel erg aan toe en je weet maar nooit.'

'Ja,' echode Chloë. 'Je weet maar nooit.'

Caffery keek van een paar passen afstand toe, want hij wilde de vernietigende blik vermijden die hij zeker zou krijgen als Tay de tabak rook. 'Je zei eerder iets, Tay,' zei hij terwijl zij elk etiket las, een of twee dvd's uit de rij trok en ze op de balie legde. 'Je zei dat ibogaïne werd gebruikt in een ritueel.'

'Door de Bwiti-stam.' Ze duwde haar bril omhoog en bukte weer om de overgebleven dvd's te bekijken. 'Ze gebruiken het om contact te maken met hun voorouders.'

'In een soort sjamanistisch ritueel?'

Ze keek naar hem op.

'Met een sjamaan,' legde hij uit. 'Een soort heksenmeester.'

'Van die kant ervan ben ik niet echt op de hoogte. Ik interesseer me voor het biochemische aspect, niet het antropologische.'

'Weet je of het ook nog op andere manieren gebruikt wordt, in andere soorten Afrikaanse magie? Misschien als geneesmiddel?'

Ze schudde haar hoofd, kwam overeind en legde nog drie dvd's op de stapel. Ze viste een bruine papieren zak onder de balie vandaan en legde die ernaast. 'Dat is niet echt mijn terrein, meneer Caffery. We hebben hier een wetenschapper gehad die belangstelling had voor ons werk. Hij zou het u wel kunnen vertellen. Ik heb met hem meegewerkt omwille van de publiciteit, maar ik ben er niet bij betrokken geraakt, want het was in de eerste tijd, toen ik bezig was met voorlopige behandelingen.'

'Hij kwam hier en keek,' zei Chloë gewichtig. 'U begrijpt wel, voor zijn onderzoek.'

'En wat deed hij met de gegevens?'

'Hij zei dat hij wilde proberen ze gepubliceerd te krijgen. Ik bedoel, dat doen ze toch altijd? Die wetenschappers?' Tay boog zich voor Chloë langs en klikte door naar een database. De printer onder de balie kwam zoemend tot leven. 'We hebben zijn thuisadres gebruikt, omdat hij bijna nooit op de universiteit is.' Er schoot papier in haar hand en ze gaf het hem met een glimlach. 'Hij is heel vriendelijk en praat tot in het oneindige over ibogaïne en het rituele gebruik ervan.'

Caffery nam het papier aan en keek naar de naam. 'Kaiser Nduka,' mompelde hij. Een Duits klinkende voornaam en een Afrikaans klinkende achternaam. Hij had die naam eerder gezien, hij had op Marilyns lijst van deskundigen gestaan. Ze had hem gemarkeerd omdat hij zo dicht bij Caffery in de buurt zat. 'Goed,' zei hij, en hij schoof de dvd's van de balie in de papieren zak. 'Ik neem deze mee naar de multimedia-eenheid op het hoofdbureau om ze te laten analyseren. En daarna ga ik misschien met meneer Nduka praten.'

'Doe hem de groeten van ons.' Chloë wuifde met haar vingertoppen.

'Ja,' zei Tay, die de deur voor hem openhield. Ze gaf Caffery weer die koele, licht minachtende glimlach. Even dacht hij dat ze zou snuiven en haar neus zou optrekken bij de geur van sigaretten, maar dat deed ze niet. Ze knikte toen hij wegging. 'Doet u dat. Doet u hem de groeten van ons.'

Misty Kitson mocht dan een junk zijn, net als Jonah, zij was mooi en beroemd. Dat maakte verschil. Flea en Dundas wisten allebei dat Jonah een hoer was en dat zijn verdwijning dus niet erg serieus genomen zou worden, ook al was hij de zoon van een politieman. Ze belden de dienstdoende inspecteur op Trinity Road, het politiebureau dat het dichtst bij Faiths flat was, en maakten melding van vermissing. Maar zijn belofte om de zaak voorrang te geven klonk niet erg overtuigend en Flea wilde gaan praten met iemand die ze persoonlijk kende.

Caffery. Ze had het vreemde gevoel dat hij een persoon was die zijn nek uit zou steken voor iemand als Jonah. Ze wist niet waarom, maar ze dacht dat hij de enige was die niet zou ophouden tot hij hem had gevonden. Maar hij was niet in Kingswood – ze kreeg het nummer van zijn mobiel, maar die stond uit – en het duurde even voor ze iemand had gevonden die vertelde dat hij had gehoord dat Caffery naar het hoofdbureau was om videobeelden te bekijken op de afdeling Multimedia en dat ze hem misschien daar zou kunnen bereiken. Als ze naar Kaiser ging, kwam ze toch langs Portishead, dus toen ze het team eenmaal op weg had geholpen en iemand anders de leiding had gegeven, nadat Dundas was vertrokken om naar Faith te gaan, liep Flea terug naar haar auto, die langs de weg geparkeerd stond.

Ze had het portier dichtgedaan en de sleutel in het contact gestoken toen een mannetje met stevige benen en een intense blik in zijn ogen bij het raampje verscheen en tegen het glas tikte. Ze zette de motor aan en deed het raampje open. 'Ben jij hoofdagent Marley?'

'Wat kan ik voor je doen?'

'Ik ben de zoekadviseur.'

Degene die had bepaald waar er gezocht moest worden en die haar team het water in had gestuurd. Ze had hem nooit eerder gezien. Aan zijn strepen zag ze dat hij agent was. 'Ja, nou,' zei ze vlak, en ze deed haar gordel om. 'Ik heb vrij, dus je zult met iemand anders van het team moeten spreken.'

'Dat zou ik ook doen, maar er is vandaag iets aan de hand met het team. Ik dacht even dat ze helemaal wilden stoppen met zoeken.'

'We hebben een probleem,' zei ze, 'maar we hebben iemand anders de leiding gegeven en hij heeft alles in de hand. We zijn hoogstens een uur achter geraakt. Oké?'

Ze drukte op de knop om het raampje dicht te doen, maar de adviseur legde zijn hand op het glas om haar tegen te houden.

'Ik zou graag nu iemand in het water willen hebben,' zei hij. 'Daar zou ik gelukkiger mee zijn, als je iemand in het water kon krijgen. Het zou misschien zelfs bij je op kunnen komen om je vrije dag uit te stellen voor zo'n belangrijke zaak.'

Er begon iets te trekken bij haar oog. 'Nee,' zei ze. 'Dat zou niet bij me opkomen. Het team dat je daar hebt, is heel goed in staat het karwei te klaren.' Ze keek hem recht in het gezicht, naar zijn dikke neus en de eerste gesprongen adertjes in zijn wangen, en toen knapte er iets in haar. Het had te maken met zijn gewicht, met de hand die op haar raampje lag, en met een miljoen andere dingen. Iets in haar gleed gewoon van een haakje. 'Ik zal je eens wat zeggen. Laten we rond voor de waarheid uitkomen en ons allebei een boel tijd besparen, oké?'

'De waarheid?'

'Ja,' zei ze. Ze wist dat ze hiermee moest ophouden, maar ze genoot van de woorden die helder en schoon naar buiten kwamen. 'We weten allebei dat je haar daar niet zult vinden.'

'O, ja?'

'Ja,' zei ze. 'Inderdaad.'

Zijn ogen waren vaalblauw met rode randen. 'Gek, want je team heeft het meer niet eens doorzocht, dus ik zie niet hoe je kunt weten waar ze is. Hoe kun jij weten waar een lijk zou kunnen opduiken?'

Jaren van ervaring? dacht ze. Jaren van inzicht in wat het water doet? O, en ook een beetje voorgevoel, iets waarvan ik tot gisteren niet wist dat ik het had.

'Je bent niet getraind op het afbakenen van zoekgebieden,' zei hij. 'Ik bedoel, laten we er geen doekjes om winden, je bent maar een...'

'Een duiker? Maar een duiker. Wilde je dat zeggen?'

'Er zijn profielen vastgesteld voor mensen in Kitsons toestand. Iemand die wegloopt van een kliniek, zoals zij, wordt negen van de tien keer gevonden in de dichtstbijzijnde stad of in de eerste bus die er vertrekt. Maar als ze zelfmoord hebben gepleegd, bevindt het lijk zich binnen een kilometer van de kliniek.'

Even zweeg Flea. Toen keek ze naar de hand die nog steeds op het raampje lag. 'Je bent hier zeker nieuw?' zei ze. 'Ik heb je nooit eerder gezien.'

'Ik ben net klaar met mijn opleiding, ja.'

'En hoe heeft leren waar je een bom moet zoeken je bijgebracht hoe je een lijk moet vinden?'

'Onze training bestaat uit meer dan alleen het zoeken naar geïmproviseerde explosieven, hoor.'

'Dat weet ik. Na de bommen gaan jullie een paar dagen in Noord-Wales zitten om een paar profielen te leren interpreteren. Jullie weten hoe je een elektronische kaart moet gebruiken, maar jullie weten niet...' Ze zag voor zich hoe Prody gisteravond op de stoep had gestaan met het licht op zijn gezicht. 'Jullie weten niet hoe je buiten de hokjes moet denken.'

De adviseur ging rechtop staan. Ze kon in zijn neusgaten kijken en zag de haartjes en de rode huidplooien daarbinnen, alsof hij verkouden was en keer op keer zijn neus had gesnoten. 'Nou,' zei hij, met een sarcastisch gesnuif, 'als jij me nou eens leert om "buiten de hokjes te denken"? Zeg me hoe jij weet dat er geen lijk in dat meer ligt.'

Flea zuchtte en duwde de handrem naar beneden. 'Dat weet ik,' zei ze geduldig, 'omdat ze een mooie meid is. En beroemd. En wanneer beroemde mooie meisjes zelfmoord plegen, zorgen ze ervoor een goed ogend lijk achter te laten. En dat betekent dat ze zich niet verdrinken. En zeker niet in een vies oud meertje als dit. Snap je?'

En zonder op een antwoord te wachten, in de wetenschap dat

de agent rechtstreeks naar de hoofdinspecteur zou rennen om te klikken, dat ze haar mond had moeten houden en er niet van alles uit had moeten flappen, schakelde ze en reed weg, met achterlating van de adviseur in een wolk van stof en met een woedend gezicht.

44

18 MEI

Op het hoofdbureau zag Flea meteen Caffery's sjofele wagen staan. Hij stond helemaal aan het eind van het parkeerterrein, obstinaat een eindje verwijderd van de glanzende Mondeo's en BMW's.

Ze parkeerde ernaast, zette de motor uit en bleef nog even zitten kijken naar haar handen met de enigszins bleke vingernagels, die op het stuur rustten. Ze kreeg een beeld in haar hoofd van een heel strak gespannen lijn. Haar lichaam voelde leeg en ze was licht in het hoofd. Ze dacht dat er iets in haar open zou barsten als ze niet snel bij Kaiser kwam.

Er kwam een bekende figuur uit het glazen atrium. Caffery's jasje stond open, hij had zijn handen in de zakken en zijn maag spande strak en hard tegen het witte overhemd. Aan de manier waarop hij aan het begin van het pad bleef staan en links en rechts over de nette grasvelden en fonteinen keek kon ze zien dat hij ergens aan liep te denken, alsof hij was vergeten wat hij eigenlijk ging doen, alsof hij graag in zijn auto zou willen stappen, maar dacht dat hij misschien iets in het gebouw had laten liggen. Ze vroeg zich af wat ze daar deed. Dacht ze echt dat hij de verdwijning van Jonah serieus zou opvatten? Iemand die zo'n zoektocht ondernam, moest of gek zijn, of uit de eerste hand weten hoeveel pijn het deed als er iemand vermist werd. Stom om te denken dat hij zou luisteren. En misschien, dacht ze en ze was nu echt nijdig op zichzelf, was dat niet eens de ware reden waarom ze hem gekozen had.

Maar net toen ze de auto wilde starten om naar Trinity Road te rijden en met de inspecteur daar te praten, kreeg Caffery haar in het oog. Hij zei niets en er veranderde niets in zijn gezicht, maar ze zag het aan de manier waarop hij heel stil bleef staan, met zijn schouders naar achteren en zijn hoofd naar haar toe gedraaid.

Ze wachtte tot hij het grasveld was overgestoken en toen zette ze haar zonnebril af en stapte uit.

'Hoi,' zei hij.

Ze glimlachte somber. 'Ben je op de afdeling Multimedia geweest?'

'Ik moest wat beelden bekijken, maar dat blijkt niet zomaar te kunnen. Ik sta alleen maar in de weg en kijk over hun schouders mee.' Hij zweeg even. 'Wat doe jij vandaag?' zei hij. 'Ik ga de stad uit en het platteland op.'

'De stad uit?'

'Voor het werk,' zei hij. 'Meer niet. Ik dacht alleen dat je het misschien leuk zou vinden om mee te gaan.'

'Nee,' zei ze. 'Ik bedoel, ik moet... Ik moet naar een... Ik moet naar iemand toe.'

Hij keek haar bedachtzaam aan, alsof iets aan haar hem nieuwsgierig maakte of hem amuseerde. Er werd een klein stukje hemel weerspiegeld in zijn iris, waardoor ze haar ogen wilde dichtdoen. Het deed pijn in haar onderbuik, een pijn die ze haatte. 'Wat doe jij hier?' zei hij. 'Je ziet eruit alsof je me iets komt vertellen.'

'Ik heb je hulp nodig. Ik zou het niet vragen als ik ergens anders heen kon.'

'Oké,' zei hij voorzichtig.

'Richard Dundas... Je hebt hem ontmoet, hij zit in mijn team.'

'Ja, ik herinner me hem wel.'

'Zijn zoon is verdwenen, Jonah. Hij heeft zijn moeder verteld dat hij werk had waarvoor hij een heleboel geld zou krijgen. Hij is weggegaan en ze heeft hem niet meer teruggezien.'

'Werk? Wat voor werk?'

Ze zuchtte en krabde afwezig op haar hoofd. 'Hij is een hoer. Daarom ben ik naar jou toe gekomen. Als ik gewoon naar de dienstdoende inspecteur op Trinity Road ga, neemt hij het nooit serieus. Hij tippelt en hij is een junk. Een echte rotzooi.'

'En dit is niet de eerste keer dat hij is verdwenen.'

'Dat is het juist, het is wel de eerste keer. Dat is het probleem. Ik ken Dundas en als hij zegt dat er iets mis is, is er iets mis. Ik ben naar jou toe gekomen omdat ik dacht...' Haar maag kromp in elkaar. 'Omdat jij me iemand lijkt die er iets aan zou doen.'

Caffery keek naar haar mond, alsof hij nadacht over de woorden die er net uit waren gekomen. Hij leek op het punt iets te zeggen, maar veranderde toen blijkbaar van gedachte. Hij keek op naar de hemel alsof hij aan het weer dacht of een geur in de lucht probeerde op te vangen. Hij bleef zo lang zwijgen dat ze zich afvroeg of hij haar vergeten was. Toen hij eindelijk weer naar haar keek, zag ze meteen dat alles anders was.

'Wat?' zei ze. 'Wat is er?'

'Ik doe het. Ik doe het nu meteen.'

Hij haalde zijn sleutels voor de dag, leek nog iets te willen zeggen, maar toen knikte hij bijna in zichzelf en liep weg nadat hij even een hand had opgestoken om haar gedag te zeggen. Hij stapte in de auto, reed langs de beveiliging de weg op en liet haar in de zon achter, terwijl ze zich afvroeg of het echt zo eenvoudig was geweest, of hij had gemeend wat hij zei of het was vergeten voordat hij de hoofdweg had bereikt.

45

18 MEI

Mossy ligt op zijn rug en de tranen stromen over zijn gezicht. De kamer staat nu stil. Eindelijk is hij opgehouden met rondtollen en bonzen als een enorm hart en daar is Mossy dankbaar voor. Hij haalt een paar keer diep adem. Het is dag en aan de andere kant van het traliewerk, heel dichtbij, is een auto gestopt. Misschien zijn het de anderen die terugkomen, want hij is al uren alleen. Ze hebben hem hier achtergelaten met het hek op slot, terwijl Will Smith hem onaangedaan aankeek over zijn raketlanceerbuis en Brad Pitt fronste boven zijn in de zon glinsterende borstkuras.

Het is de eerste keer in wat wel een leven lang lijkt dat de pijn is verminderd tot een niveau waarop hij zich kan concentreren en kan nadenken over zijn situatie. Hij heeft geen idee hoe lang het geleden is dat Oom zijn handen heeft afgenomen. De tijd is zoiets ongrijpbaars geweest. Hij heeft koorts gehad, dat weet hij, en in die koortsperiode is hij kwijtgeraakt wie hij is en waar hij zich bevindt in de wereld. Hij doet zijn ogen dicht en probeert terug te denken, maar hij kan zich alleen de eerste paar uur nadat hij bijkwam uit zijn drugsroes herinneren.

Het was alsof hij tegen een witte muur werd gesmeten of in de ruimte werd gelanceerd en daar rondtolde zonder enig besef van wat boven en wat beneden was. Hij had nog nooit zo'n pijn gevoeld. Het was erger dan de pijn als hij zonder drugs zat, erger dan de zweer die hij met Kerstmis op zijn been had gehad. Hij lag op de bank te krijsen met zijn armen tussen zijn benen en de zoom aan de binnenkant van zijn spijkerbroek hard tegen de wonden gedrukt, alsof hij de pijn zo zou kunnen laten ophouden. Hij durfde niet te kijken wat ze met hem gedaan hadden.

Skinny zat bij hem en probeerde hem kalm te houden. Hij gaf hem regelmatig een shot, waarbij hij handig zijn harde vingertjes gebruikte en de naald zachtjes door de huid duwde. Hij nam altijd de moeite een plekje te zoeken waar die huid nog niet kapot was. Pas op de tweede dag, toen hij zoveel geschreeuwd had als hij kon, wist Mossy genoeg moed bij elkaar te schrapen om te kijken. Hij wachtte tot Skinny hem een shot had gegeven, en toen deed hij het, hard slikkend omdat hij dacht dat hij zou moeten overgeven. Hij keek naar de plek waar zijn handen hadden gezeten. Hij hield zijn armen omhoog. Zijn hoofd verstijfde even en wilde niet meer bewegen, zodat hij alleen nog maar kon kijken. Zijn eerste gedachte, toen die eindelijk kwam, was belachelijk en surrealistisch: hoe kort zijn armen waren. Iemand had de stompen in verband gewikkeld, het soort verband dat in een eerstehulpdoos zat. Ze waren opgezwollen en zaten vol korsten van het bloed en andere vloeistoffen en het verband was goed vastgezet met een heleboel ordinaire leukoplast, met zwarte lijm rond de loslatende randen. Hij trilde zo hard dat zijn tanden klapperden toen hij de stompjes op zijn bovenbenen legde en er heel lang naar bleef kijken, steeds met de gedachte hoe verdomde kort zijn armen waren. Daar bleef hij steeds weer op terugkomen, dat zijn armen te kort waren. Hij vroeg zich af waarom hij daar nooit aan gedacht had of waarom het hem nooit was opgevallen, en waarom hij nooit had gezien hoe groot of klein zijn handen waren.

En toen trof het hem, alsof er een dood gewicht tegen zijn borstkas sloeg. Hij had ze elke dag van zijn leven gezien, maar hij kon zich niet herinneren hoe zijn handen eruitzagen. Hij zou ze nooit meer zien. Zijn eigen handen, verdomme, en hij zou er nooit meer naar kunnen kijken. Hij liet zijn hoofd weer op de bank vallen.

'*Verdomde schoften dat jullie zijn*,' gilde hij. '*Geef me mijn handen terug*.' De tranen rolden over zijn wangen. Skinny kroop over de vloer en knielde naast hem om zijn voorhoofd te strelen, maar in Mossy's ziel zat een huilend gat van verdriet dat niet weggewreven kon worden. 'Mijn handen. *Mijn* handen. Van mij. Het zijn verdomme *mijn handen*.'

En daar komt het steeds weer op terug. *Het zijn verdomme mijn handen*. De laatste paar dagen, waarin de pijn minder is geworden en Skinny zijn best heeft gedaan om de verbanden te wisselen, is Mossy zonder ophouden woedend geweest dat iemand het heeft gewaagd hem iets af te pakken dat van hem was. Hij had het idee dat hij er iets aan zou kunnen doen, het misschien ongedaan zou kunnen maken, als hij ze gewoon eens zou kunnen zien. Zijn handen zijn hem dierbaarder dan alles wat hij ooit heeft bezeten. Er is niets waar hij ooit dezelfde gevoelens bij zou kunnen hebben, geen vriend, geen drugs, niets. Zijn handen zijn onvervangbaar, hij heeft ze gekregen van zijn ouders, en deze gedachte doet hem nog harder schreeuwen. Dat zijn ouders hem iets kostbaars hebben gegeven. Hij geeft al jaren geen ruk meer om zijn ouders, maar nu moet hij steeds denken aan hun verdriet als ze erachter komen dat hij zijn handen is kwijtgeraakt. Het feit dat hij iets van meegevoel met zijn vader en moeder kan hebben, zorgt ervoor dat hij zich afvraagt hoe hij ooit zo'n waardeloze junk heeft kunnen worden.

Er hangt een geur om de wonden. Drie dagen geleden, toen hij zich probeerde om te draaien op de bank, voelde hij iets binnen het verband om zijn linkerstomp meegeven, met een ritsend geluid dat hem deed kokhalzen. Er lekte een dikke, melkachtige vloeistof in de verbanden. Binnen een paar uur kreeg hij koorts en werd Mossy weer meegenomen naar een andere wereld, een wereld van pijn, waar zijn lichaam niet meer was dan een gigantische hartslag. Dagenlang lag hij zwetend en woelend op de bank en in korte momenten van helderheid staarden de Men in Black op hem neer. Soms stond er op de poster Zij beschermen het Schuim der Aarde, maar andere keren las hij: Maak dat je wegkomt uit het Universum, Mallows, Schuim der Aarde. Wanneer de wereld even ophield met draaien, gilde hij over zijn handen. Dan rolde hij opzij op de bank en schreeuwde hij tegen het donkere hek: '*Geef me verdomme mijn handen terug, stelletje klootzakken.*'

En nu heeft hij geen enkele kracht meer. Zijn lichaam heeft het opgegeven en hij kan niet anders dan zwakjes liggen ademen en luisteren naar het kraken van het lege gebouw om hem heen. Hij kan gemakkelijk doen alsof het allemaal niet gebeurd is, alsof hij nooit naar de praatgroep is gegaan, alsof hij Skinny nooit heeft ontmoet, maar als hij nadenkt over hoe het was voor alles verkeerd liep, voelt zijn hart alsof het zal barsten. Nu hij weer helder kan denken, ziet hij de waarheid. Er is geen weg terug. Hij zal hier sterven. Hij laat de stemmen toe in zijn hoofd, laat de zwakke straaltjes zonlicht in zijn ogen schijnen en weet dat het het laatste zonlicht is dat hij ooit zal zien.

En dan valt de motor van de auto stil en slaat er een portier dicht, achter het traliewerk waar het zonlicht is en de bomen groen zijn.

46

18 MEI

Het rook muf in de Ford, dus draaide Flea onderweg naar Kaiser het raampje naar beneden. Ze deed er niet lang over. In nog geen halfuur reed ze naar de Mendips met hun dichte bossen en onverwachte ravijnen, en ze herinnerde zich hoe verlaten de wereld kon zijn. Ze kwam langzaam de oprit op, parkeerde op het grind, zette de motor af en deed het raampje nog verder naar beneden. De zon stond bijna op haar hoogste punt, er dreven wolken voorlangs, de grond was uitgedroogd en het huis verwaarloosd. Een kat, die had liggen slapen in de schaduw van een regenton, knipperde met zijn ogen en hief slaperig zijn kop, maar verder bewoog er niets. Ze keek op naar de gesloten gordijnen vóór de ramen die niet dichtgetimmerd waren en dacht aan de keren dat ze hier als kind geweest was. Ze probeerde zich te herinneren of Kaisers huis er altijd wat sinister had uitgezien of dat het een nieuw gevoel was.

Toen na een tijdje nog niemand zich had laten zien, stapte ze uit en sloeg het portier dicht. Het geluid galmde over het lege veld en ze aarzelde en vroeg zich af of Kaiser het binnen gehoord had. Maar toen hij niet voor de dag kwam, zette ze haar zonnebril af, liep naar de voordeur, waarbij ze een paar keer stopte om een exemplaar van het legioen stoffige katten te aaien die uit het onkruid en van tussen de roestende machines opdoken en langs haar kuiten streken, en keek tussen de stukken plastic door naar binnen. Toen ze niets hoorde, liep ze om het huis heen. De achterdeur was niet op slot en Kaisers roestige oude Kever stond er, maar van hemzelf was geen spoor te bekennen, niet in de bijgebouwen en ook niet in de kassen. Ze ging naar de keuken en bleef daar staan.

Het stuk plastic tussen de keuken en de gang bewoog zachtjes naar binnen, alsof er ergens een raam openstond. Op de tafel lag een half opgegeten sandwich met een paar vliegen eromheen, op een houten plank lagen drie helften avocado, waarvan de doorgesneden pitten een dikke, op bloed gelijkende vloeistof lekten, en overal elders zag ze de gebruikelijke chaos van Kaisers leven; stapels *National Geographics* op het buffet, een cavia die ineengedoken op de vloer van zijn kooi op de tafel zat en haar aanstaarde. Ze haalde zijn waterfles weg, vulde hem bij, zette hem weer vast tussen de tralies en keek toe hoe het diertje zijn roze bek rond de speen zette en luidruchtig zoog. Toen pakte ze de plank en schoof de avocado's met hun lekkende pitten in de afvalemmer.

In de woonkamer stond een bord met een papieren servetje en kruimels erop, en midden in de kamer lagen de stukken van de motor van een grasmaaier op kranten. Flea bewoog de muis van de computer op het bureau, maar het scherm bleef leeg, dus ging ze op de bank zitten waar ze de zaterdag had doorgebracht en probeerde zich te herinneren dat ze daar achttien uur lang op gelegen had. Ze duwde haar handen in de kussens en tuurde ernaar, alsof de stof haar een terugblik kon verschaffen. Ze probeerde zich te herinneren dat ze was opgestaan en naar de computer was gelopen, maar ze kon alleen maar aan haar hallucinaties denken: de skeletten van haar ouders in het modderige water van het Boesmansgat. En dat haar moeder zei: *dit keer zullen ze ons vinden.*

Ze leunde achterover met haar armen over elkaar. Langs de muren stonden de afgesloten kasten, de kasten waarvan mam altijd zei dat Kaiser er zijn drugs in bewaarde. Daartussen bevond zich de deuropening waarin hij gisteren had gestaan, met zijn witte overhemd en zijn vervallen gezicht. Ze dacht aan een afbeelding die ze had gezien in zijn boek over hekserij, het boek in pa's studeerkamer. Er was een sjamaan op te zien in een gewaad vol kralen, met op zijn hoofd een geitenschedel waarvan de ogen waren geaccentueerd met zilverfolie. Ze wreef over haar armen en keek over haar schouder omdat ze het plotseling koud had, alsof het tochtte door het raam achter haar. Kaisers Afrikaanse maskers staarden haar aan. Ze had ze al duizenden keren gezien. Geen reden om zich zo vreemd te voelen. Maar alles was nu vreemd, hoe ze met de doden had gesproken en hoe ze had geweten dat haar ouders gevonden zouden worden.

Ze ging de gang in en riep onder aan de trap: 'Kaiser, ben je boven?'

Geen antwoord. Ze keek de gang door, naar de gehavende muren waar het behang in slierten vanaf hing en de metalen ladder met de afgedankte bak voor pleisterwerk ernaast. Ondanks alle moeite die Kaiser deed, werd dit huis nooit echt een woning. Ze begreep waarom mam en Thom zich hier niet op hun gemak hadden gevoeld; door de tocht in de gang waren ze het liefst nooit verder het huis in gegaan.

Ze vroeg zich af of ze in de andere kamers moest gaan kijken of Kaiser daar niet lag met een gebroken been of een beroerte of zo, maar toen ze helemaal niets hoorde dan het verre getik van een los raam dat bewoog in de wind, ging ze terug naar de woonkamer.

Het rode lampje van de televisie was aan. De videorecorder zoemde en er rolden groene nummers voorbij. Ze keek naar de cijfertjes en liet haar gedachten vrij en toen, omdat ze nooit had gezien dat Kaiser video's keek – ze had zelfs nooit gezien dat hij televisiekeek – pakte ze de afstandsbediening en zette de tv aan. Hij kraakte onwillig en kwam toen tot leven.

Het geluid stond zacht, maar voordat ze de afstandsbediening weer kon pakken om het harder te zetten, verscheen er een beeld op het scherm. In de lichtbruin gevlekte tinten van een oude film zag ze een man op een bed liggen. Wat hij aan het doen was, zorgde ervoor dat ze de afstandsbediening stevig vastgreep.

Hij was jong, zwart en heel mager. Er zaten zweetvlekken op het eenvoudige kaki hemd dat hij droeg en zijn gezicht en lichaam waren verwrongen van pijn. Zijn bovenlichaam stond krom als een boog en zijn kaken waren op elkaar geklemd. Ze zag niet waar de pijn vandaan kwam, maar hij was onmiskenbaar aanwezig: het zweet liep over zijn gezicht. Een seconde of vijf bleef hij in die positie, zijn gezicht star van doodsnood en zijn lichaam verwrongen. Toen veranderde er iets. De spanning in hem week. Zijn ogen schoten open alsof hij tot bewustzijn kwam. Er volgde een ademloze pauze waarin hij als een boog boven het bed bleef hangen en zijn ogen heen en weer flitsten, niet in staat te geloven dat de pijn weg was. Toen kromp hij met een enorme rilling in elkaar en sloeg zijn armen om zijn knieën. Het scherm flikkerde en werd zwart.

Flea staarde ongelovig naar het scherm, niet zeker van wat ze had gezien. Ze bleef zolang ze kon stilzitten en toen, omdat ze niet wist wat ze anders moest doen, stond ze op, haalde de band uit het apparaat en liet hem op het tafeltje vallen, waarna ze haar hand wegtrok alsof ze zich gebrand had. Haar hart bonsde. Marteling. Dat had ze gezien. *Marteling*. Wat deed Kaiser in godsnaam met een band waarop iemand gemarteld werd?

Er klonk een geluid achter haar en ze draaide zich snel om. Haar mond was droog. Kaiser stond in de deuropening. Hij droeg hetzelfde witte shirt met grasvlekken als gisteren en had een lange snoeischaar in zijn hand.

'Kaiser?' zei ze, haar stem zacht en argwanend. 'Kaiser, ik begrijp niet...'

Hij gaf geen antwoord. In plaats daarvan glimlachte hij droevig. Het was het soort glimlach dat zei dat hij altijd had gehoopt dat de wereld hem nooit tot dit moment zou brengen. Het was het soort glimlach dat zei dat dit een van die akelige noodzakelijkheden was in het leven.

'Phoebe,' zei hij langzaam. 'Phoebe. Ik geloof dat we eens moeten praten.'

47

18 MEI

Het geluid van het dichtslaande portier brengt Mossy weer een beetje bij. Hij doet knipperend zijn ogen open en draait pijnlijk zijn hoofd om. Met zijn bovenarmen wrijft hij langs zijn ogen om goed te kunnen zien en hij vraagt zich af waarom hij opeens zo waakzaam is. Het is niet ongewoon om buiten auto's te horen. Maar het geluid van deze is anders. Alsof er een doel aan verbonden is dat direct met hem in verband staat. Misschien is het de Peugeot.

Hij draait zijn hoofd naar achteren, naar het hek, in de verwachting licht te zien en Skinny. En er is inderdaad iemand in de gang, maar het is niet Skinny. Mossy's hart begint hard en monotoon te bonzen en er gaat een koude rilling van angst door zijn aderen. Hij weet zeker dat hij iets ziet, iets wat beweegt in het donker, iets kleins, dicht bij de grond. Iets wat een speling van het licht zou kunnen zijn, maar ook een snel bewegende gestalte. Een gestalte met ogen.

'Hé?' zegt hij met trillende stem. 'Wie is daar?'

Stilte. Maar – hij wordt ijskoud als de gedachte bij hem opkomt – hij weet wie dat is. De broer. De broer die de fles bloed uit de vriezer heeft gepakt en hem heeft leeggedronken. Dus hij is toch niet al die tijd alleen geweest. De broer is steeds hier geweest. Zijn hart gaat nog sneller slaan. Op de een of andere manier is hij er zeker van dat de geur van zijn stompen de broer naar binnen zal lokken om rond te snuffelen.

'Smerige schoft,' sist hij, en alles draait even om hem heen, zodat hij tegelijkertijd wil overgeven en wil huilen. 'Als je in de buurt komt, ellendeling, vermoord ik je.'

De donkere gestalte lijkt hem te horen. Er volgt een moment waarin hij meer een schaduw lijkt dan ooit, alsof hij recht tegen de muur op zou kunnen lopen, maar dan verstrakt hij, alsof hij luistert.

Mossy zet zijn ellebogen in de bank en worstelt zich half overeind. Zijn hoofd tolt en zijn tanden klapperen. 'Klootzak,' mompelt hij. 'Kom maar op.'

De gestalte reageert meteen. Hij rolt zichzelf op tot een bal. Er valt nog een stilte waarin Mossy amper ademt en zijn lichaam klaar probeert te maken om te vechten. Hij heft zijn hoofd en ontbloot zijn tanden, gereed om een hap uit die kleine schooier te bijten als hij in de buurt komt. Maar er gebeurt niets. De gestalte komt niet naar hem toe. In plaats daarvan glipt hij na een paar tellen stilletjes weg, zodat hij met bonzend hoofd blijft staren naar de ruimte die hij heeft ingenomen.

Mossy blijft lange tijd zo liggen, met zijn ogen op het hek gericht, zijn lichaam gespannen en zwaar ademend. Hij wou maar dat Skinny een beetje opschoot. Als hij dat was in die auto, wou hij dat hij in godsnaam meteen binnenkwam. Hij vecht tegen de misselijkheid nu hij rechtop zit en wou maar dat de kleine Afrikaan er was, tot hij het eindelijk opgeeft en iets wat roze en vertrouwd en donker is, als de binnenkant van monden en wonden, zijn ogen binnenzwemt en hem weer meesleurt.

48

18 MEI

Wat zijn instinct hem ook zei, hij besloot niet naar Kaiser Nduka te gaan. Toen hij op het parkeerterrein naar Flea stond te kijken, had Caffery even het gevoel dat hij op een tweesprong stond, dat een ademtocht hem de ene of de andere kant uit zou kunnen sturen; haar helpen of zoals altijd ondanks alles zijn werk doen. Vroeger zou hij zich niet van zijn doel hebben laten afbrengen door wat een vrouw zei, dus wat zei het hem dat hij bij Flea moeiteloos voor haar had gekozen? Hij had plechtig beloofd een onderzoek in te stellen naar de verdwijning van een junk die het te druk had met het verkopen van zijn lichaam om zich aan een afspraak met zijn moeder te houden. Toch, hij had het beloofd en de keuze die hij had gemaakt – om iets te doen om Flea te helpen – nou ja, hij had het gevoel dat de Wandelaar daar iets over te zeggen zou hebben. Eigenlijk had hij zelfs het vreemde gevoel dat de Wandelaar zijn keuze toe zou juichen.

En nu stond hij dus rond te kijken in de slaapkamer van het flatje van Jonah Dundas. Die was heel klein, net groot genoeg voor een eenpersoonsmatras en een groot krat waarin een paar opgerolde T-shirts lagen en een paar sportschoenen. Het bovenste ruitje in de metalen raamkozijnen was kapot en er waren zakken van een supermarkt over het gat geplakt. Ze bolden naar binnen en naar buiten, met de luchtstromingen mee die de vijftiende verdieping van het gebouw belaagden.

Faith Dundas en haar ex-man Rich stonden in de deuropening en probeerden de kamer te zien door Caffery's ogen, hopend dat hij een aanwijzing zou oppikken die zij hadden gemist. Faith was een onopvallende vrouw, gekleed in een effen, marineblauwe rok en een roze trui en met nette, lage pumps aan haar voeten. Haar grijzende haar was naar achteren getrokken in een knot en ze zag er niet uit als de moeder van een drugsverslaafde, behalve dat haar ogen dik waren van het huilen. Daardoor zag ze eruit alsof ze in haar gezicht was geslagen. Zo ging het altijd met de ouders van junks, dacht Caffery: ze schopten hun kinderen de deur uit en lieten ze het zelf uitzoeken, of ze staken hun kop in het zand en gingen eraan onderdoor om een kind bij te houden dat meer dan zijn eerlijke deel van alles nam.

'Heeft hij gezegd waar hij gisteravond heen ging?' vroeg Caffery met zijn rug naar het raam. 'Hoe dan ook?'

'Nee,' zei Faith gedempt. Ze had een papieren zakdoekje tegen haar mond gedrukt en het was moeilijk te ontcijferen wat ze zei. 'Alleen dat hij werk had. Een speciale klus. Ik heb me suf gepiekerd, maar ik kan verder niets bedenken.' De tranen rolden over haar gezicht. 'Ik heb er niet erg op gelet. Ik dacht dat ik het allemaal al eens gehoord had en ik heb gewoon...' Haar stem stierf weg en ging over in zacht gesnik.

'Wat bedoelde hij met "een speciale klus"?'

Ze schudde haar hoofd en er kwamen nog meer tranen. Caffery trok vragend zijn wenkbrauwen op tegen haar ex-man.

Dundas schraapte zijn keel en rechtte zijn schouders. 'Hij was... ik weet het niet. Hij zou er een hoop geld mee verdienen.'

'Hoeveel is een hoop?'

'Achttienhonderd pond.' Hij keek van opzij naar zijn vrouw. 'Dat heeft hij tenminste tegen haar gezegd.'

'Achttienhonderd...' Caffery schudde zijn hoofd. 'Bijna twee mille? Wat was dat dan voor klus?'

'Dat weet ik niet.'

'Ik wil maar zeggen, dat is een hoop geld voor een avondje werk,' zei Caffery. 'Dat zult u met me eens zijn. Een hele hoop geld.'

'Ik was er niet bij.' Hij keek neer op het hoofd van zijn ex-vrouw. 'Als ik erbij was geweest, had ik misschien...' Zijn grote gezicht verstrakte alsof hij zou gaan huilen. 'Neem me niet kwalijk,' zei hij, en hij legde een vinger onder zijn neus en deed zijn ogen dicht, alsof dat hem zou doen kalmeren. 'Het is moeilijk te zeggen wat hij ging doen. Ik was er niet eens bij.'

Caffery pakte een T-shirt op. Het zat stijf in elkaar gepropt, aan elkaar geplakt door een soort witte korsten. Hij wilde niet weten wat het was, dus liet hij het vallen en veegde zijn handen af. Hij wierp een blik op de armetierige matras met zijn verfrommelde nylon lakens en bultige kussen en hield zich voor dat hij gelijk had gehad om geen kinderen te willen met Rebecca. Hij zou tenminste nooit in de positie van Faith verkeren en huilen om het verlies van iemand die hem had leeggezogen zoals Jonah met zijn moeder had gedaan.

'Hij heeft zijn spullen verkocht, nietwaar?'

Faith hield op met huilen. Ze hield haar adem even in en zei toen: 'Ja. Dat geloof ik wel.'

'Dingen die jij voor hem gekocht hebt?'

Ze knikte weer.

'Om drugs te kopen?'

'Ik denk... ik denk van wel.'

Dundas trok haar tegen zich aan. Hij keek Caffery recht in de ogen, met iets van woede in zijn blik. Hij probeerde zijn ex-vrouw tegen zichzelf te beschermen. 'Hij heeft zijn moeder verteld dat hij een manier had gevonden om van de drugs af te komen.'

'Aha.'

'Het zou waar kunnen zijn.'

Caffery knikte neutraal. 'Dat zou kunnen.'

'Hij zei dat hij tot een besluit was gekomen. Hij wilde zijn schulden aflossen en de rest gebruiken om af te kicken.'

'En toen heeft zij hem zeker geld gegeven.'

'Dit keer niet. Dit keer heeft ze nee gezegd.'

Faith draaide zich om naar haar man en de roze trui ging zwoegend op en neer. 'En moet je nou eens kijken.' Ze snikte. 'Moet je nou eens kijken.' Dundas sloeg zijn armen om haar heen en ze legde haar gezicht tegen zijn borstkas. Haar stem werd steeds hoger. 'En kijk wat er nu gebeurd is. Nu zullen ze zijn handen afhakken, net als ze bij die andere arme knul hebben gedaan, en als ze zijn handen afpakken, als ze met hem doen wat ze met die andere hebben gedaan, dan ga ik ook dood. Hoor je dat? *Dan ga ik ook dood.*'

Dundas werd heel stil toen ze dat zei. Hij hief zijn blik en keek Caffery recht aan. Hij zei niets, maar het was het soort blik dat boekdelen sprak. Ze wisten allebei wat de ander dacht.

'Eh... Faith?' zei Caffery. 'Waarom denk je... Wat geeft je het idee dat dat gaat gebeuren? Wat je zei over zijn handen. Hoe kom je daarop?'

'Hij is hier geweest,' fluisterde ze. 'Hier in deze flat. Hij kwam hier soms. Dat zei Jonah.'

'Wie is hier geweest?'

'Hij. Die arme jongen.'

'*Mallows?*' Caffery keek even naar Dundas en zag dat de woorden bij hem ook hard waren aangekomen. Zijn gezicht was grijs met blauwe aderen erop. 'Faith?' zei hij. 'Wil je nou zeggen dat Jonah Ian Mallows kende?'

'Ze waren goed bevriend.'

Caffery's gedachten gingen heel langzaam, maar waren wel helder. Jonah en Mossy. Jonah en Mossy. Hij bracht zijn gezicht naar het raam en keek langs de druppels condens die tussen de twee lagen van de ruit gevangenzaten. De bruine grasvelden en de parkeerplaatsen die zestig meter onder hem lagen, zagen eruit alsof ze bij een andere wereld hoorden. De mensen waren slechts gekleurde vlekjes. In zijn hoofd hoorde hij de stem van BM: *Hij zei dat er mensen gewond zouden raken. Ik herinner me dat hij dat zei, hij zei: 'Er lopen daarbuiten zieke mensen rond, BM, en ik weet niet wie ze zouden pakken als er geen mensen waren zoals ik, stommelingen die zonder tegenstribbelen doen wat ze willen.'*

Uiteindelijk kon Caffery de angst en de ellende in Jonahs flat niet meer verdragen. Hij belde een agent om de ouders bij te staan en toen zij arriveerde, verontschuldigde hij zich, nam de lift naar beneden en sloot zich op in zijn auto om telefoontjes af te werken. Hij sprak met de inspecteur op Trinity Road en toen met zijn onderzoeksleider, en binnen een halfuur had hij een buurtonderzoek georganiseerd door de helft van het team dat bezig was bij de afkickcentra erop te zetten. Toen hij dat gedaan had, belde hij de telefoon van Flea's eenheid, ook al wist hij dat ze daar niet zou zijn. De dienstdoende agent was heel begripvol en gaf hem Flea's privénummer, maar hij kreeg meteen de voicemail. Hij wist niet wat hij moest zeggen, dus hing hij maar weer op.

Hij bleef even zitten kijken naar een groepje hangjongeren die hem vanuit de hal van de flat in het oog hielden – die kinderen roken de politie sneller dan ze konden spuwen – en hij dacht na over het geld dat Jonah gedacht had te verdienen. Achttienhonderd pond. Iets meer dan TIDARA rekende om junks clean te krijgen. De folder lag op de passagiersstoel en hij pakte hem op en keek naar de gedrongen wortel met de balpenlijnen eromheen. Hij haalde zijn telefoon weer voor de dag en belde de multimedia-eenheid in Portishead om te zeggen dat ze een opname van de man in het witte shirt naar zijn mobiele telefoon moesten sturen als ze de beelden van Mossy hadden gevonden. Daarna startte hij de motor en liet de auto heel langzaam de wijk uit rollen.

Hij moest weer aan de ibogaïne denken. Ibogaïne en Kaiser Nduka, die alles wist wat er te weten viel over het gebruik ervan in rituelen. Hij woonde in de Mendips, niet heel ver weg: slechts een afslag verder op de M4. Het team kon de zaken hier ter hand nemen – hij had de tijd om erheen en weer terug te rijden. Bovendien had hij het gevoel dat Nduka belangrijk was voor het onderzoek.

Nduka woonde in een deel van Noord-Somerset dat een beetje Frans aandeed met zijn vervallen stenen gebouwen en bosweggetjes die over de heuvels kronkelden.

Caffery reed langzaam door zwermen muggen en stopte een keer om een rij manegepaarden langs te laten. De oprit was gemakkelijk te vinden; in de heg was een ovaal houten bord gestoken met de woorden 'Dear Holme' erop, een overblijfsel van toen het huis werd gebouwd, zo te zien. Vandaar af werd het moeilijker. De oprit klom steil en was slecht onderhouden, met spoorvorming en gaten en overhangende sleutelbloemen die langs de auto veegden en stuifmeel op het raam achterlieten. Hij had het gevoel alsof hij door een oerwoud kwam, alsof hij van de kaart af gereden was, en toen hij naar het schermpje van zijn telefoon keek, verbaasde het hem niet om het icoontje voor de ontvangst te zien krimpen tot het werd vervangen door een telefoontje met een kruis erdoor.

'Verdomme,' mompelde Caffery. Hij duwde de telefoon in zijn borstzak en reed verder, waarbij hij elk gevoel voor richting verloor, tot de overhangende planten en bomen opeens verdwenen en hij na een stuk verwilderd gras op een open plek kwam. Hij bevond zich ongeveer honderd meter van een vervallen huis uit de jaren 1950, op de rand van een golvende vallei en omringd door even vervallen bijgebouwen. Er groeide onkruid in het asfalt, langs de oprit waren stukken glas opgestapeld, misschien van ontmantelde kassen, en over een aantal van de benedenramen waren planken gespijkerd. Het zag er verlaten en vergeten uit, maar het was niet het huis dat hem een bonzend hart bezorgde. Het was wat met de neus naar de voordeur geparkeerd stond.

Een zilverkleurige Ford Focus.

Het kenteken begon met Y9 03. Flea's nummerbord begon ook met Y9, dat had hij die morgen op het parkeerterrein bij het hoofdkwartier gezien. Het was geen heel groot toeval; er moesten honderden zilverkleurige Ford Focussen met een Y-registratie in de omgeving rondrijden. Hij maakte zich drukker over andere dingen die hij op het parkeerterrein had opgemerkt: het stukje stof dat uit de gesloten kofferbak stak, alsof ze niet had opgelet toen ze hem dichtdeed, en de marinetas op de hoedenplank. Die konden geen toeval zijn.

Caffery draaide zich om naar het huis, en hij wist niet waarom, maar hij had het idee dat daar dingen gebeurden waar geen verklaring voor was, zoals mensen die wrede dansen uitvoerden in het donker. Kaiser was een van de meest vooraanstaande deskundigen in het land als het om hekserij ging. Hij had iets te maken met TIDARA. Er kroop iets kouds door zijn aderen. Wat had Ndebele gezegd? Dat de intellectuelen hem een loer wilden draaien?

Hij liet de auto langzaam vooruitkruipen. Rustig, om niemand in het huis te laten opschrikken door iets snel te doen, draaide hij van de oprit het gras op en maakte een bocht, zodat de auto weer met de neus naar de weg stond. Hij zette de motor af, stapte uit en sloot het portier met een zachte klik. Hij hield niet van dergelijke plekken, verlaten en onverzorgd: ze deden hem denken aan een huis in Norfolk waar hij een keer was geweest en waar hij aanwijzingen had hopen te vinden over Ewan.

Hij liep langzaam over het gras naar het huis. Er klonk geen enkel geluid, behalve het tikken van de afkoelende automotor achter hem. Een kat die in de schaduw van een waterton lag, deed zijn ogen open en keek hem bedachtzaam aan. Hij liep naar de zijkant van het huis en bleef daar in de schaduw staan. De warmte van de stenen straalde door naar zijn rug en hij voelde zich een idioot omdat hij rondsloop als een commando. Hij trok zijn jasje uit, hing het over een roestende grasmaaier, veegde met zijn mouw zijn voorhoofd af en begon te tellen. Als hij bij tien was, zou hij naar de voordeur lopen en aanbellen, zich voorstellen en zeggen dat hij over een zaak wilde praten. Hij zou hierom lachen en ophouden met het vechten tegen windmolens.

En dat zou hij ook gedaan hebben als iemand in het huis, iemand aan de andere kant van de muur, op het moment dat hij bij vijf was niet was gaan gillen.

49

18 MEI

Hij deed dit werk lang genoeg om te weten wanneer hij moest doen wat hij bij zijn opleiding had geleerd en wanneer niet. Hij wist dat dit een moment was waarop hij alles zou moeten doen wat hij geleerd had, en dus belde hij de centrale, maar het rode lampje van zijn radio knipperde en vertelde hem dat die hier ook geen bereik had. Hij was niet van plan terug te rijden tot hij weer signaal had, dus deed hij precies het tegengestelde van wat hij had moeten doen. Hij ging door.

Iets meer dan een meter van hem af stond een houten stok tegen een van de stapels glas. Hij was van een pikhouweel geweest of van een schop en had precies de juiste maat en het juiste gewicht. Hij pakte hem op en ging met de stok voor zich uit en trillende handen met zijn rug tegen de muur van het huis staan. Het gillen hield op en hij sloop naar het dichtstbijzijnde raam, terwijl hij zijn oren spitste om te horen wat er gebeurde. Daarna hurkte hij, liep onder het raam door, kwam weer overeind en ging verder naar de hoek van het huis, waar hij zijn rug tegen de muur drukte alsof hij midden in een vuurgevecht in het wilde Westen zat en hij keek snel om de hoek.

Er was een wolk voor de zon geschoven en de voorkant van het huis lag in de schaduw. De grijze kiezels van de gevel waren hier en daar gehavend, alsof erop geschoten was met een hagelgeweer. De kat zat er nog en waste zijn snuit alsof er niets aan de hand was. Ongeveer drie meter verder zag hij stukken plastic hangen op de plek waar de voordeur moest zijn. Er waren bakstenen op gelegd om ze op hun plaats te houden. Caffery sloop er zwaar ademend naartoe, met de stok voor zich uit.

Hij kwam bij de voordeur en tilde voorzichtig een hoek van het plastic op. Nu zag hij dat er geen voordeur was. Het gat was in plaats daarvan onhandig dichtgemaakt met een blauw folie met het witte logo van de fabrikant erop. Voorzichtig, om zo min mogelijk geluid te maken, dook hij onder het plastic door, stapte naar binnen en drukte een vinger tegen het plastic folie. Het gaf een beetje mee. Hij veegde het spinrag van zijn gezicht en haar en bleef met ingehouden adem staan. Het gillen was opgehouden; hij hoorde helemaal niets, geen geluid dat op beweging wees. Een stem in zijn achterhoofd zei dat hij weg moest wezen, *maak dat je wegkomt, idioot*, maar in plaats daarvan haalde hij zijn autosleutels voor de dag en gebruikte het Zwitserse legermesje aan de sleutelhanger om een gat in het blauwe plastic te maken.

Voor het mes erdoorheen gleed, hield hij het even tegen en bedacht hoe het er vanbinnen uit moest zien; een bult en dan de punt van het mesje dat erdoorheen kwam, misschien glinsterend. Zijn hart bonsde en hij voelde het zweet uit zijn oksels lopen, zodat zijn zij en zijn rug jeukten. Hij telde tot tien en toen er niemand op hem af kwam rennen, maakte hij met het mes een lange, rechte snee in het folie. Daarna deed hij zwaar ademend een stap achteruit, geschokt door het geluid dat hij gemaakt had.

Toen er na een minuut of zo nog steeds niets gebeurde in het huis, ging hij op zijn hurken naast de snee zitten en duwde er een vinger doorheen om het plastic opzij te trekken, zodat hij een eindje het donkere huis in kon kijken en kon luisteren. Er hing een geur van verwaarlozing en verval, van ruw beton en stilstaand water, en hij hoorde een lui geklepper, alsof ergens in de duisternis langzaam vleugels op en neer gingen. Verder niets dan onheilspellende stilte.

Hij stak de stok door het gat om het plastic verder opzij te duwen en voelde de koelere lucht in het huis over zijn huid gaan. Hij zette voorzichtig een voet door het gat en daarna volgde de rest. Met een ruk opzij liet hij zich weer op zijn hurken zakken. Hij hield zijn adem in en luisterde weer. Het duurde even voor zijn ogen aan het donker gewend waren, maar toen zag hij wat het flapperende geluid gemaakt had: elke deuropening in deze ruimte was bedekt met witte stukken plastic, aan de bovenkant vastgezet met plakband, die opgetild werden en golfden op ongeziene luchtstromingen. Door de doodse stilte en de muffe lucht moest hij onwillekeurig aan een mortuarium denken.

Heel langzaam ging hij naar het eerste stuk plastic en keek erlangs in wat eens een wasruimte was geweest. De wasmachine stond nog in de hoek, maar was de laatste tijd niet gebruikt. Er stonden dozen met boeken voor en de strijkplank hing vol met smerige theedoeken. Hij ging naar het volgende stuk plastic en daarachter bleek zich de keuken te bevinden; voedselresten op de tafel, overal stapels tijdschriften, een cavia die hem met zijn kraaloogjes aanstaarde vanuit een kooi op tafel. Hij wilde net naar het volgende stuk plastic lopen toen vanaf de andere kant het gillen weer begon.

50

18 MEI

Ren tot het einde van de wereld... Ren tot het einde van de wereld...

Terwijl hij op de bank ligt en zijn ogen bewegen onder de oogleden, slijten Skinny's woorden een patroon uit in Mossy's hoofd door zich in lange, koortsachtige reeksen te herhalen. *Ren tot het einde van de wereld...*

Hij gaat te veel op in zijn gedachten om de schaduw te zien terugkeren naar de gang. De schaduw blijft daar hangen en de gelige ogen bekijken hem bedachtzaam, en hij had daar kunnen blijven als er niet een deur was opengegaan. De schaduw schiet weg op het moment dat het licht in de gang aangaat. Een andere deur gaat dicht en op de achtergrond zijn zachte, boosaardige stemmen te horen.

Mossy doet zijn zware oogleden omhoog. Zijn hoofd is wollig maar hij ziet mensen, niet een of twee, maar meer. Hij ziet schaduwen op de muur en hoort gemompelde dreigementen. Iemand heft een hand en er ontstaat een worsteling. Er is ook geluid. Het begint als een hese snik en gaat over in een lang aangehouden kreet, zo hoog en dun dat het de gil van een meisje zou kunnen zijn.

'Maak niet zo'n herrie,' sist iemand. 'Hou je verdomme stil.'

Iets zwaars valt log op de vloer en meteen houdt het gillen op.

Mossy is inmiddels wakker. Hij zit rechtop naar het hek te staren. Vanuit deze hoek ziet hij niets; alles gebeurt buiten het zicht, te ver in de gang om te kunnen zien. Maar hij kan aan de hand van de geluiden raden wat er gaande is. Degene die gilde, is daarmee gestopt omdat hij tegen de grond is gesmeten of bewusteloos is geslagen. Er klinkt een verstikt geluid alsof er water over de vloer wordt gegooid of iemand overgeeft. Dan is het stil.

Mossy blijft waar hij is. Zijn hart bonst in zijn keel en hij wil huilen. Hij bidt dat het Jonah is die hij kan horen, dat hij eindelijk is gearriveerd. Hij wil dat zo graag dat hij weet dat hij hem niet welkom gaat heten en nederig gaat zijn. Hij zal tegen hem gillen en hem wurgen omdat de schoft moet weten dat hij nu te laat is en dat alles wat hierna gebeurt, wat hij ook moet doormaken, welk offer hij ook moet brengen, helemaal niets meer uitmaakt. Het maakt niets meer uit omdat hij verdomme *te laat* is.

Caffery kwam snel langs het stuk plastic de woonkamer in, met de stok achter zich en zijn hand op het borstzakje waarin zijn identiteitskaart zat, netjes en efficiënt. Hij leek misschien kalm, maar de agressie was er wel, meer dan ooit. Hij keek snel de kamer rond, het standaardoverzicht van driehonderdzestig graden. Hij stond achter een grote bank tegenover een tv voor de tegenoverliggende muur, waar een korrelig zwart-witbeeld op te zien was – een jonge man in een kaki shirt draaide en kronkelde op een bed en zijn gegil vervulde de lucht. Op de bank was het grote, diep besneden gezicht van een man met een stralenkrans van grijs krulhaar naar hem toegewend.

'Kaiser Nduka?' riep hij boven het gegil uit. 'Ben jij Kaiser Nduka?'

'Wie ben jij?'

Caffery haalde zijn identiteitskaart voor de dag en stak hem die toe, klaar om de stok te gebruiken als die ouwe gek iets zou proberen. Flea was niet in de kamer. Op de vloer stond een uit elkaar gehaalde motor en op de tafel lag een snoeischaar. Hij hield de snoeischaar uit zijn ooghoek in de gaten terwijl Nduka de kaart inspecteerde, waarbij zijn grote neus trok alsof hij eraan rook. Daarna liet hij zich gelaten weer achteroverzakken. 'Aha,' zei zijn mond. Zijn gezicht was rustig, bijna triest, alsof het verschrikkelijk jammer was dat het zo was gelopen. 'Ik begrijp het.'

Caffery stapte voorzichtig om de bank heen en langs de motor. Aan de muur voor hem hing een kastje met achter de openstaande deuren rijen videobanden, in totaal een stuk of veertig, allemaal met een wit etiket erop. Hij griste de afstandsbediening van de tafel en zette het geluid af. De plotselinge stilte in de kamer was bijna net zo schokkend als het gegil. De man op het scherm bleef stil kronkelen en zijn armen gingen op en neer als die van een marionet. Caffery zag dat hij had geplast. Er verspreidde zich een donkere vlek over het laken.

'Oké,' zei Caffery. 'Wat moet dit verdomme allemaal?'

Nduka haalde weloverwogen zijn schouders op, alsof hij het gedrag van de politie zat was, maar wist dat hij er niets tegen kon doen. 'Een experiment.'

'Een *experiment*?' Caffery's vingers om de stok zweetten. 'Perverse gek. Je hebt die video voor je klanten gemaakt, waar of niet? Om ze te laten zien hoe echt het geleverde was.'

Nduka streek met een lange, pezige hand over zijn voorhoofd. 'Ik weet niet waar je het over hebt.'

'Je geeft ze aan je klanten.'

'Neem me niet kwalijk?'

'Ik zei...' Hij knarste met zijn tanden en richtte een vinger op hem. 'Ik zei, zijn dit, zijn dat...' Hij gebaarde naar de rijen videobanden in het kastje. 'Zijn dat de video's die je aan je klanten geeft?'

'Ze zijn heel oud.'

'Het kan me verdomme niet schelen hoe oud ze zijn. Dat was de vraag niet. De vraag is, zijn dit de banden die je aan je klanten geeft?'

'Die jongeman heeft toestemming gegeven voor wat er met hem gedaan is. Hij heeft het laten gebeuren. Maar misschien betekent het begrip toestemming niets voor jou. Ik waardeer je komst, maar als je me wilt arresteren, doe het dan daarvoor.' Hij gebaarde naar de bijgebouwen. 'Voor de magische paddenstoelen die ik daar kweek, samen met de marihuana en alle andere dingen. Weet je dat ik dat eigenlijk wel goed zou vinden? De publiciteit zou ervoor kunnen zorgen dat de universiteit eens ophoudt me achter de broek te zitten voor mijn onderzoeksresultaten. Daar zou je me voor moeten arresteren, niet voor...'

'Hou je kop,' zei Caffery kil. 'Bek houden.'

Nduka wierp hem een serene, bijna vriendelijke glimlach toe, alsof ze een lekker kopje thee dronken op een zonnige middag. En toen stond hij heel rustig op en stak zijn hand uit naar de snoeischaar.

'Dat had je gedacht.' Caffery hief de stok en stapte snel om de koffietafel heen. Hij gleed even door in zijn werkschoenen, maar was net op tijd om de snoeischaar van tafel te tikken. Hij viel met een luid gekletter en schoof draaiend weg over de vloer. Beide mannen deden een stap achteruit, verbaasd hoe snel de situatie gewelddadig was geworden.

Nduka hief zijn armen alsof hij helemaal niet van plan was geweest in de buurt van de snoeischaar te komen. Hij haalde diep adem, deed een paar onzekere passen achteruit en bleef midden in de kamer staan, waar hij zijn handen aan zijn overhemd afveegde alsof hij in de war was en zijn handen schoonmaken een oplossing zou bieden.

'Schiet op,' zei Caffery. 'Terug... Terug naar de bank. Zo ja.'

'Natuurlijk,' zei Nduka, en hij knipperde even met zijn ogen. Hij ging met zijn benen bijna tegen zijn borst en zijn armen half om zich heen geslagen op de bank zitten. 'Natuurlijk.'

'En blijf daar.' Caffery wees naar hem. 'Verroer je niet.' Hij hield zijn vinger nog even uitgestoken tot hij er zeker van was dat Nduka stil bleef zitten. Toen ging hij naar een van de gordijnen en schoof het opzij. Flea's auto stond buiten in de zon. 'Dat is de auto van hoofdagent Marley daarbuiten.'

'Wiens auto?'

'Die van hoofdagent Marley. Je weet over wie ik het heb.'

'Phoebe, bedoel je?'

'Wat doet ze hier?'
'Ze kwam me opzoeken.'
'Waarom?'
'Voor iets persoonlijks.'
Caffery liet het gordijn vallen. 'Iets persoonlijks? Wat? Wou je me soms wijsmaken dat ze een vriendin van je is?'
Nduka gaf geen antwoord. Hij bleef Caffery alleen aankijken met zijn diepbruine ogen en er lag iets geamuseerds in zijn gezicht.
Caffery voelde het bloed naar zijn hoofd stijgen. 'Wat heb je met haar gedaan?' Zijn stem was kalm, al liep het zweet over zijn rug. 'Waar is ze?'
'O, ze is...' Nduka wreef over zijn voorhoofd. 'Ja, ze is even bezig.' Zijn hand bedekte half zijn gezicht, maar niet ver genoeg om te voorkomen dat Caffery zag dat zijn blik even in de richting van de hal ging.
'De hal?' zei hij, en hij duwde zich weg van het raam. 'Moet ik daarheen?'
Nduka gaf geen antwoord. Hij hield zijn hand voor zijn gezicht, zodat die half zijn ogen bedekte.
'Ja,' zei Caffery. 'In de hal.' Hij ging terug naar de deur, hield het plastic opzij en keek de duisternis is. 'Wat is daar te zien?'
Nduka liet zijn hand zakken. 'Mijn huis. Het is niet erg mooi, dat geef ik toe, maar het is mijn huis.'
'Laat maar zien, dan.' Caffery wenkte hem. 'Kom op, klootzak, laat zien.'
Nduka stond op alsof hij pijn in zijn rug had en kwam langzaam naar voren, waarbij hij de ene voet zorgvuldig voor de andere zette, alsof hij een dans uitvoerde. Bij de deur keek hij Caffery met opgetrokken wenkbrauwen van opzij aan.
'Jij eerst,' zei Caffery. Hij bleef met zijn rug bij de muur en hield de stok met beide handen vast. 'Ik wil je niet achter me hebben.'
Nduka liep hem met een triest gezicht voorbij en begon op zijn lange, stijve benen de duisternis in te lopen. Caffery liet het plastic vallen en volgde op een paar passen achter hem, nog steeds

met de stok klaar voor gebruik in zijn handen. Het was moeilijk te zien, maar de hal leek een oude en versleten vloerbedekking vol verfvlekken te hebben. In de hoeken tussen de muur en het plafond waren onhandig sierlijsten uit een doe-het-zelfzaak gelijmd en het behang was half verwijderd. Er kwam een koude, muffe tocht door de gang die de haartjes in Caffery's nek overeind deed komen.

'Die video's zijn gemaakt toen ik verbonden was aan de universiteit,' zei Nduka voor hem in het donker.

'Hou je bek over die video's.'

'Ze hebben zich vrijwillig aangemeld. Al die jonge mensen hebben het vrijwillig ondergaan.'

'Ik zei dat je je bek moest houden. Zeg liever wat je met haar gedaan hebt.'

Nduka bleef staan. Hij wees naar het eind van de gang, waar nog een deur was afgedekt met plastic. Iets aan de andere kant gaf een blauw, onaards licht af, bijna zoals in een ziekenhuis. Even bleven beide mannen roerloos staan. Caffery's hart ging sneller slaan, maar hij kwam dichterbij, met de stok voor zich uitgestoken. Hij haalde diep adem, duwde het plastic opzij en kwam terecht in een grote serre, waar het zonlicht schuin door stoffige ramen viel. De serre was niet geschilderd en het rook er naar terpentijn en oplosmiddel. Er was niemand.

Hij draaide zich om naar Nduka. 'Hier is ze verdomme niet.'

'O, jawel,' zei hij onverstoorbaar. Aan de rechterkant leidde een lichtblauw geschilderde deur het huis weer in. Hij knikte ernaar. 'Ik heb haar daarheen gebracht.'

Volgens de plattegrond van het huis die Caffery in zijn hoofd had, moest die deur naar een ruimte opzij van de keuken leiden. Hij deed er automatisch een stap naartoe en bleef toen staan met het gevoel alsof er een band om zijn borstkas zat. Plotseling was hij weer terug in een kleine bungalow op het platteland van Kent, zeven jaar geleden. Hij was weer bij een psychopaat die hem had verteld waar hij een vrouw kon vinden, een psychopaat die ervan genoten had om haar door Caffery te laten vinden, zodat hij kon zien wat hij met haar gedaan had. Het had niets te maken met de deur; Nduka's kalmte deed hem eraan denken. Dat en misschien de locatie: een verlaten huis met alleen bomen en de hemel als gezelschap.

Hij balde zijn vuisten, hield ze even zo en ontspande ze toen weer. Dat deed hij nog een keer. Toen keek hij Nduka van opzij aan. 'Openmaken,' zei hij, en hij voelde iets onder zijn borstbeen kronkelen. 'Vooruit. Openmaken.'

Nduka drukte een vinger tegen zijn slaap. 'Nou,' zei hij, 'als het per se moet.'

Hij deed een stap naar voren en duwde de deur naar binnen. Daarachter bevond zich een kleine, goed verlichte kamer met boeken tot aan het plafond en een laaghangende leeslamp. Er was niet veel ruimte met alle bureaus en de grote dossierdozen vol papier, maar in het midden zat Flea in een zwarte trui en haar haar in een paardenstaart. Op haar schoot lag een stapel papier. Toen de deur openging, keek ze om. Ze leek verbaasd.

'Jij?' zei ze, knipperend met haar ogen. 'Wat doe jij nou hier?'

Caffery gaf geen antwoord. Het kon hem niet schelen, hield hij zichzelf voor. Hij gaf helemaal niets om haar. Hij zei het langzaam tegen zichzelf, met zijn ogen dicht, terwijl het zonlicht door zijn oogleden filterde: *het kan je niet schelen of ze leeft of dood is.*

51

18 MEI

Hij was wel de laatste die ze verwacht had te zien: Caffery in Kaisers serre, met stof op de mouwen van zijn overhemd en in zijn handen iets wat de steel van een mestvork geweest zou kunnen zijn. Het ene moment zat ze daar rustig het dertig jaar oude papierwerk door te nemen dat Kaiser haar had gegeven en werd ze langzaam vervuld van angst terwijl ze las, wetend dat dit op de een of andere manier verband hield met haar vader, en het volgende moment stroomde de kamer vol lucht en licht.

'Kaiser?' vroeg ze, maar zijn gezicht vertoonde geen enkele uitdrukking, alsof er iets vreselijks was gebeurd tussen hen beiden. Van Caffery's gezicht was ook niets af te lezen; hij keek haar slechts met waterige ogen aan, hoewel de emoties door hem heen gierden. Even dacht ze dat hij zou gaan huilen. Toen kreeg ze de indruk dat hij niet verdrietig was, maar woedend, dat hij op het punt stond haar te slaan. Uiteindelijk kroop er iets kouds en woedends in zijn gezicht, alsof hij alleen maar minachting voor haar voelde. Hij haalde zijn hand van de deur en keek de serre door.

'Wat doe jij hier?' herhaalde ze. Ze legde de stapel papieren neer en kwam overeind. 'Hoe ben jij hier beland?'

'Godverdomme,' mompelde hij. 'Ik zal er nooit aan gewend raken, hoe mensen tegen elkaar liegen.'

'Wat?' zei ze. Ze volgde hem het heldere daglicht in. 'Wat bedoel je daarmee?'

Maar hij luisterde niet. Hij gooide de stok op de vloer – hij schoot draaiend weg en raakte de muur – en greep toen Kaiser bij de arm. Voor ze wist wat er gebeurde, had hij hem ruw de kleine kamer weer in geduwd. Kaiser stribbelde niet tegen en liet zich gewillig duwen. Hij protesteerde zelfs niet toen Caffery de deur achter hem dichtdeed en de sleutel omdraaide.

'Hé,' zei ze, en ze greep zijn hand. 'Wat denk je dat je aan het doen bent?'

Hij rukte zijn hand los en stak de sleutel in zijn zak. 'Hou je kop. Anders zet ik jou er ook bij.' Hij liep terug naar de gang.

Ze bleef even staan omdat ze niet kon geloven wat er allemaal gebeurde, en toen liep ze achter hem aan. 'Jij zou Jonah gaan zoeken. Dat heb je beloofd. Wat doe je hier?'

Hij gaf geen antwoord. In plaats daarvan ging hij naar de keuken, trok de kastjes open, haalde er dingen uit en bukte om in de kastjes te kijken. 'Wat is dat nou weer?' Ze bleef in de deuropening naar hem staan kijken. 'Wat zoek je?'

Hij negeerde haar, kwam weer overeind, trok de deur van het washok open en trok ruw dozen en vuilniszakken opzij. 'Ik vroeg wat je zoekt.'

'Het lijk van Mallows.' Hij drong langs haar heen, terug naar de hal. 'Weet je nog? Die jongen van wie de handen zijn afgesneden.'

Ze staarde hem na terwijl hij met twee treden tegelijk de trap op ging. Aanvankelijk zei de naam Mallows haar niets. Maar toen was de verbazing opeens verdwenen. 'Mallows?' zei ze, en ze liep achter hem aan. Ze haalde hem in op de overloop, waar hij deuren opendeed, gordijnen opzij trok en in klerenkasten keek.

'Waarom denk je in godsnaam dat hij hier is?'

Hij ging de badkamer in, schopte tegen de betimmering rond het bad en keek in de kast. 'Je vriendje beneden heeft een beetje te veel connecties met de plek waar Mallows voor het laatst gezien is. En je weet blijkbaar wat voor video's hij in huis heeft. Vreemd dat een dienstdoende politiebeambte weet van video's waarin mensen worden gemarteld.'

'De video's?' Ze likte langs haar droge lippen. 'Ja, daar weet ik van. Maar ze zijn...'

'Marteling. Het zijn opnamen van iemand die gemarteld wordt.'

'Maar niet van Mallows.'

'Weet je dat zeker?' Hij ging de volgende slaapkamer in en zocht zich een weg tussen de stapels kleren en boeken. Hij keek onder het bed en gooide de kastdeur open. 'Wou je me vertellen dat er in die kast geen video staat van Mallows terwijl zijn handen worden afgezaagd en zijn bloed wordt afgetapt? Wou je dat soms zeggen?'

'Het zijn oude films. Uit de jaren 1980.'

'Dat zegt hij.'

Flea kwam de kamer in en deed de deur achter zich dicht. Ze vond het niet prettig dat hij openstond met die holle kamers beneden, de rijen video's en Kaiser die opgesloten zat in de studeerkamer. Ze liep naar het bed, ging vermoeid zitten en masseerde haar slapen, terwijl ze nadacht over de woorden van haar moeder: 'Als je het mij vraagt, was het echt immoreel wat hij gedaan heeft. Het was een schande.'

Caffery keek haar aan. Er rolde een zweetdruppel langs zijn voorhoofd. 'Nou?'

'O, jezus,' fluisterde ze, en ze wreef langs haar armen omdat ze kippenvel had gekregen. 'Ik weet het niet. Hij is een vriend van mijn vader en ik heb altijd geweten dat hij jaren geleden iets verkeerds had gedaan. Ik wist alleen niet hoe enorm verkeerd het was. Ik ben er nog niet helemaal achter, maar hij was...' Haar stem stierf weg omdat de woorden haar niet aanstonden. 'Ik heb acht van de video's gezien. Ze zijn allemaal hetzelfde. Elektroden. Dat gebruikte hij. Het was een experiment.'

'Een *experiment*?'

'Ik weet het. Allemaal uit naam van de wetenschap.' Ze duwde haar vingers tegen haar slapen, alsof ze de druk daardoor kon verminderen. 'Het moet toen anders hebben gelegen en het was niet hier, maar in Nigeria, in Ibadan. En weet je, misschien was de ethiek daar anders, want niemand hield hem tegen. Pas op het eind werd er iets gedaan. De, eh... De mensen die je hebt gezien...'

'Ik heb er maar één gezien.'

'Er zijn er meer, veel meer, maar ze deden het allemaal uit vrije wil. Ik heb de toestemmingsformulieren gezien, die zat ik te bekijken toen jij binnenkwam. Het waren voor het merendeel studenten die onderzoek deden. De anderen kwamen van de straat en deden het voor het geld.' Er kwam opeens iets bij haar op. Thoms nachtmerries. Hij was er altijd van overtuigd geweest dat Kaiser 's nachts op straat op mensen joeg. Ze had het koud. Misschien had Thom altijd de waarheid geweten. Of vermoed hoe het zat. Wat ze tegen Caffery had gezegd, was waar. Er was een verklaring voor de video's, een sinistere verklaring, maar niet zo sinister als hij dacht. Maar ergens diep in haar onderbuik wist ze dat de verklaring sinister was omdat hij iets zei over pa waar ze niet over wilde nadenken.

Ze veegde langs haar voorhoofd en probeerde haar gezicht beheerst te houden. 'Begrijp je nou wat ik bedoel? Het heeft niets met Mallows te maken.'

Caffery haalde vermoeid adem. Hij zag eruit alsof hij in geen jaren had geslapen. 'Ik zou dit op zijn minst moeten doorgeven aan Weston en een bevel tot huiszoeking moeten aanvragen.'

'Technisch gezien wel,' mompelde ze. 'Ja, dat zou je moeten doen.'

'Alleen kan ik hem hier in het Verenigd Koninkrijk niets maken. Tenzij hij destijds een ambtenaar was in Nigeria. En ik neem aan dat dat niet zo was?'

'Nee.'

'In dat geval is het een zaak voor...'

'Interpol,' zei ze. 'Dat weet ik. Ik heb er al over nagedacht.'

Hij keek haar nog even aan. Toen liet hij de deur los en trok aan zijn das tot die los genoeg zat om hem over zijn hoofd af te kunnen doen. 'Kom op,' zei hij, terwijl hij de das in zijn borstzak propte. 'Dat zien we wel als het zover is. Op dit moment is er iets anders waarover ik met die ouwe schoft wil praten.'

'Secundair bewustzijn. Het "pad van het hart". Een plek, een spleet in ons bewustzijn waar we soms per ongeluk in vallen, de plek van verlichting.'

Kaiser praatte zachtjes terwijl hij zich door Caffery weer door de gang liet voeren. Zijn te wijde broek zakte bijna van zijn magere lijf. Flea volgde op een paar passen afstand en wou dat ze hem kon laten ophouden met praten. Ze wilde niet horen wat hij te zeggen mocht hebben over pa en de video's.

'De christelijke kerk,' ging hij verder, 'doet alsof het niet bestaat. Maar andere religies zijn minder terughoudend. En nu doel ik op de oude religies, die zijn geboren uit passie en intelligentie, een begrip van de aarde en de manier waarop de seizoenen verstrijken, niet de religies die zijn verspreid en opgelegd door politiek en imperialisme.'

'Wat deed je in die kliniek?' vroeg Caffery, die hem de woonkamer in duwde.

Kaiser ging op de bank zitten en praatte gewoon verder, alsof hij de vraag niet gehoord had. 'De oude religies begrijpen dat er een plek is waar we zelden toegang toe hebben en dat dat de plek is van de ware verlichting. Het is een moeilijke, zeer moeilijke plek om toegang toe te krijgen. Om te bestuderen...'

'Kaiser...' zei Flea. Ze stond tegenover hem, met haar rug naar de open kast, de kast waarvan ze haar hele leven had geloofd dat er drugs in zaten. Haar gebalde vuisten hield ze op haar rug. 'Geef antwoord op de vraag, Kaiser.'

'We hebben het allemaal. Ieder van ons kan die plek vinden, maar slechts weinig mensen lukt dat ook. Behalve als we sterven, uiteraard. Onze neurale paden zijn zo geprogrammeerd dat ze afgesloten worden op een manier die ons voor onze dood een paar seconden toegang geeft tot die plek, de plek waartoe ik word aangetrokken.'

Caffery pakte de snoeischaar van de vloer en zette hem achter in de kamer. Toen sloeg hij zijn armen over elkaar en leunde tegen het raamkozijn. In zijn ene hand had hij een bundel papieren: de toestemmingsformulieren die Flea op de grond had gelegd. 'Ik vroeg wat je bij die kliniek deed. Kun je daar antwoord op geven?'

'Ach, ja, maar ik probeer uit te leggen waarom ik pijn moest gebruiken om de dood het dichtst te benaderen. Sommige mensen geloven dat er nog andere routes bestaan, door middel van bepaalde hallucinogene middelen. Phoebes vader bijvoorbeeld...'

'*Kaiser!*' zei ze abrupt om hem aan het schrikken te maken. '*Geef antwoord op de vraag.*'

Kaiser keek haar geschokt aan. 'Welke vraag?'

'Mijn vraag.' Caffery ging weg bij het raam en trok een stoel onder de stoffige eettafel vandaan. Hij zette hem voor de bank, ging er voorovergebogen, met zijn ellebogen op zijn knieën, op zitten en keek Kaiser boos aan. 'Mijn vraag was wat jij te maken hebt met TIDARA.'

'TIDARA?'

'In Glastonbury. Het is de laatste plek waar Ian Mallows gezien is.'

'Ian Mallows?'

'Doe niet alsof je niet weet waar ik het over heb.'

Kaiser knipperde met zijn ogen. Hij keek Flea hulpzoekend aan. Ze keek recht terug. Kaiser: een van de weinige vrienden die ze dacht te hebben. En nu stond alles op zijn kop. Ze moest moeite doen om haar stem onder controle te houden.

'Ik zou het weten als hij loog,' mompelde ze. 'Hij weet van niets.'

Caffery zuchtte. Hij gooide de toestemmingsformulieren op tafel, leunde achterover, legde zijn handen achter zijn hoofd en rekte zich een beetje uit, alsof hij van een zware dag was thuisgekomen en zich een beetje ontspande. Maar het was gespeeld. Ze zag dat hij trilde, alsof de adrenaline van even eerder nog door zijn aderen stroomde. 'Ze hebben me verteld dat je hun werk hebt geobserveerd.'

'Ach, ja.' Kaiser haalde een zakdoek uit zijn zak en veegde zijn voorhoofd ermee af. 'Het maakte deel uit van een onderzoek dat ik deed. De resultaten zullen worden gepubliceerd in de *British Journal of Psychology* van september. Het gebruik van ibogaïne bij het afkicken van opiaten.'

'Vertel er eens wat meer over. Vertel me over de ibogaïne.'

Flea, die achter Caffery stond, wierp Kaiser een felle blik toe. Het laatste wat zij kon gebruiken, was dat Caffery te weten kwam dat ze het had ingenomen. Kaiser maakte een gebaar naar de boeken op de planken. 'Mag ik?' zei hij. 'Ik heb er wat literatuur over.'

'Vooruit dan maar.'

Kaiser kwam stijf overeind, liep naar de planken, haalde er boeken af en stapelde die voor Caffery op. Hij zette een kapotte bril op het puntje van zijn neus, bladerde de boeken door en liet Caffery foto's zien van rituele dansen, fetisjen en maskers. 'Ibogaïne komt van de Bwiti-stam. Daar wordt het gebruikt om herinneringen los te maken uit het geheugen.'

Flea kwam naar de bank en ging op de armleuning zitten. Ze wilde Kaiser meteen kunnen onderbreken als hij te ver ging. Maar Caffery zei: 'Wordt het gebruikt bij zwarte magie? Bij Afrikaanse hekserij?'

'*Afrikaanse hekserij?*' Kaiser keek over zijn bril alsof Caffery in raadselen sprak. 'Ik weet niet welk van die twee woorden het domst of het neerbuigendst is. Het idee om een diepgewortelde, culturele overtuiging te betitelen als "hekserij" of het algemene etiket "Afrikaans" erop te plakken in plaats van de naam van een stam te gebruiken of op zijn minst die van een land. Zelfs al is het concept van een land een koloniale constructie, het is beter dan iedereen maar gewoon "Afrikaans" te noemen. Vertel eens, herinner je je die zaak van het bovenlichaam van dat arme kind in de Theems?'

'Ik weet waar je het over hebt, ja.'

'Zoals die zaak is behandeld door de politie – weer zo'n verbijsterende westerse misvatting over hoe het Afrikaanse continent in elkaar zit. Als ik me goed herinner waren de geslachtsdelen van het kind niet verwijderd?'

'Dat klopt.'

'Dan had ik jullie nog voordat jullie proeven deden kunnen

vertellen dat die hele zaak niets te maken had met Zuid-Afrikaanse *muti*. Dan zouden zijn geslachtsdelen namelijk wel zijn verwijderd; het zou het eerste zijn geweest wat ze hadden gedaan. En wat vreemd dat de politie haar aandacht richtte op Zuid-Afrika, terwijl het kind uit Nigeria kwam. Dat ze met Nelson Mandela ging praten. Je vraagt je af wat Nelson Mandela te maken heeft met een klein kind uit Nigeria. Dus als je het over "Afrikaanse hekserij" hebt, vergeet je voor het gemak dat je het niet alleen over een diepgeworteld geloof hebt, maar bovendien over de geloven van zevenenveertig verschillende landen en talloze verschillende stammen. De medicijnen en mystieke rituelen verschillen enorm van regio tot regio.'

Caffery had zijn mond opengedaan om iets te zeggen, maar iets in Kaisers laatste zin leek hem op te vallen. Hij bleef er even zwijgend over nadenken en toen fronste hij. 'Kun je precies vertellen uit welk gebied een bepaald bijgeloof of een overtuiging vandaan komt?'

'Vrij precies, ja.'

Caffery bekeek hem bedachtzaam. 'Heb je ooit gehoord van de Tokoloshe?' vroeg hij.

'De wat?' zei Flea.

'De Tokoloshe,' zei Kaiser. 'Er wordt gezegd dat hij het product is van een paring tussen een mensenvrouw en een baviaan en je hoort af en toe inderdaad anekdotes over vrouwen die proberen zwanger te worden van een Tokoloshe.'

Caffery trok een wenkbrauw op. Kaiser glimlachte. 'Ja, dat toont aan hoe sterk de mensen in die dingen geloven en hoeveel respect ze ervoor hebben, nietwaar? De Tokoloshe is op zichzelf natuurlijk niet echt een gevaar, hij is alleen maar lastig. Maar hij is een heksenknecht en als hij inderdaad onder de invloed van een heks verkeert, moet je oppassen voor de Tokoloshe. In dat geval moet je speciale voorzorgsmaatregelen nemen.' Kaiser hield een boek omhoog. 'Deze man beweerde dat hij op een snelweg in Drakensburg met zijn vrachtwagen een Tokoloshe had aangereden. Het was natuurlijk nep, maar je kunt zien hoe slim het gedaan is. Je kunt begrijpen waarom de mensen erin trapten.'

Toen Caffery het boek aannam, kon ze aan zijn ogen zien dat hij iets monsterlijks onder ogen kreeg. Ze zag half de weerspiegeling, maar ze zag nog duidelijker welk effect het op hem had.

'Mag ik ook eens kijken?'

Hij gaf het boek aan haar door. Op de foto was een man met opgerolde hemdsmouwen te zien die een klein, uitgedroogd lijk in zijn handen hield, dat was geplet tot een ronde, zwarte pannenkoek, zoals konijnen en dassen wel op de plaatselijke wegen in Somerset achterbleven. De zwarte armpjes lagen uitgespreid als die van een engel en het platgedrukte hoofd wees naar opzij. De mond stond open. Ze voelde een rilling van ongemak over haar rug lopen toen ze naar dit vreemde, gemangelde lijk keek.

'Een ex-collega in Nigeria heeft het kadaver te pakken weten te krijgen,' zei Kaiser. 'Eigenlijk heeft hij ervoor betaald, bijna drieduizend rand, heb ik me laten vertellen, want de man wist stevig te onderhandelen. Het bleek een baviaan met een menselijke schedel erop, die allebei verbrand waren en daarna in de zon hadden gelegen.' Kaiser nam het boek terug. 'Ik geloof dat de politie er nog een onderzoek naar heeft ingesteld, maar ze zijn er nooit achter gekomen van wie het hoofd was. Je zou denken dat het uit een graf is geroofd.'

'En dit was in Zuid-Afrika?'

'Ja.'

'Is de Tokoloshe typisch iets voor Zuid-Afrika?'

'Watergeesten als hij komen op het hele continent voor onder verschillende namen. De krokodillengod, bijvoorbeeld. Maar in Zuid-Afrika en verder naar het noorden tot in Malawi, Mozambique en Zimbabwe heet hij de Tokoloshe.'

'Hoe zit het met de traditie om hem een kom mensenbloed te geven?'

'Mensenbloed? Ja, zo uit mijn hoofd geloof ik dat die traditie uit Natal of Gauteng komt, niet van de Kaap.'

Caffery gromde. 'Dank je.' Hij sloeg het boek dicht, kwam overeind, stak zijn mobiele telefoon uit naar Kaiser en liet hem het schermpje zien. 'Kan ik hier ergens in de buurt een signaal krijgen?'

'Er is een mast in het noorden van de vallei. Ik gebruik zelf geen mobiele telefoon, maar er is mij verteld dat je achter het huis ontvangst hebt. Ga maar door de serre.'

Caffery verliet de kamer en Kaiser leunde verslagen achteruit. Hij leek plotseling een beetje verloren. Een tijdlang zeiden ze geen van beiden iets. Ze staarde naar hem, naar de slaperige bruine ogen en het grote hoofd, en ze dacht eraan hoe ze hem in de deuropening gezien had, als een dierengeraamte in een wit shirt. Ze had altijd gedacht dat zij en Kaiser een goede band met elkaar hadden, maar nu vroeg ze zich af of ze hem eigenlijk wel kende.

'Die video's,' zei ze uiteindelijk. 'Pa wist ervan, nietwaar?'

Kaiser zuchtte. Hij boog zijn hoofd en knikte bijna onmerkbaar. 'Ik kan tegen jou niet liegen, Phoebe. Ja, hij wist het.'

'Hij was betrokken bij het experiment, hè? Ik hoorde jullie er de avond voor het ongeluk over praten.'

'Dit is iets waar we niet over zouden moeten praten. David is er niet meer. Hij kan het niet aan je uitleggen, want hij heeft geen stem meer.'

'Nee,' zei ze bitter. 'Nee, die heeft hij niet meer.'

Kaiser verschoof op de bank. 'Nou? Ben je daarvoor hierheen gekomen?'

Ze gaf geen antwoord. Ze wilde hem niet vertellen dat de lijken van ma en pa gevonden waren en hem ook niet vragen hoe ze had geweten dat dat zou gebeuren. Ze wilde niet praten over de ibogaïne en vragen of ze tijdens die trip achter de computer had gezeten. Nee, besloot ze. Ik vertel jou niets. Je hebt eens gezegd dat er wegen zijn die ik alleen moet afleggen, en je had gelijk. Dit is een heel lange weg, en op het moment vertrouw ik je niet genoeg om je mee te laten lopen. Ze sloeg het boek dicht en drukte het afschuwelijke beeld van de dode Tokoloshe weg.

'Phoebe?' zei Kaiser, maar ze stond op en liep de kamer uit, de gang door en naar de serre, op zoek naar Caffery.

Hij stond buiten naar de vallei te kijken, met de telefoon aan zijn oor. Toen beëindigde hij zijn gesprek en draaide zich om. 'Wat?' zei hij door het glas heen. 'Wat is er?'

Ze deed de serredeur open en stapte het zonlicht in. Het rook buiten naar schimmel, gemaaid gras en verre koeien. Ze zag dat hij een beetje trilde.

'Alles goed?'

Hij knikte.

'Wat is er?'

'Niets.'

'Niets?'

'Ik dacht dat je in de problemen zat, oké? Daarnet, toen je in die studeerkamer zat. Ik had het mis, maar dat verandert niets aan het feit dat ik dacht dat je...'

'Ja?'

Hij beet op zijn lip en keek haar van opzij aan. Hoewel de kant van zijn gezicht die naar haar toegedraaid was zich in de schaduw bevond, was er genoeg licht om hem duidelijk te kunnen zien, en ze kon haar blik niet meer afwenden. Zijn strakke, licht ongetemde gezicht stond vermoeid en verslagen. 'Niet nu,' zei hij, en hij keek weer naar de horizon. 'Niet nu.'

Ze knipperde met haar ogen en probeerde hem niet langer aan te staren. 'Is eh... Is dat alles? Is dat het hele probleem?'

Hij schudde zijn hoofd en nu zag ze dat hij nog ergens mee zat.

'Wat? Wat is er?'

'Jonah.'

'O, jezus,' zei ze vlak. 'Wat is er met hem?'

'Iets wat zijn familie niet eerder had verteld, iets wat alles anders maakt en dat me zorgen baart,' zei Caffery.

'Dat jou zorgen baart?' fluisterde ze, en ze voelde een zachte stomp van paniek onder haar borstbeen, alsof iemand haar daar een klap had gegeven. 'Wat dan? Wat hadden ze niet verteld?'

'Mallows. Hij en die jongen van Dundas...'

'O, verdomme.' Flea had het gevoel dat er iets in haar in elkaar zakte. Plotseling zag ze het: dezelfde verslaving, dezelfde achtergrond. Natuurlijk. Natuurlijk. Ze moesten elkaar gekend hebben. 'Verdomme. Ik weet wat je me gaat vertellen. Godverdomme.'

Caffery deed zijn telefoon in zijn zak, haalde zijn sleutels voor de dag en liep van haar weg, terug langs de zijkant van het huis. Ze volgde op een drafje en haalde hem aan de voorkant van het huis in. Hij pakte net zijn jasje van de roestende grasmaaier. Hij keek even naar haar. 'Het is al goed. Ga jij maar terug naar Kaiser.'

'Wat ga jij doen?'

'Ik ga aan het werk.' Hij trok het jasje aan en liep naar zijn auto.

'Nee.' Ze kwam snel naast hem lopen. 'Wacht even.'

'Ik bel je zodra ik iets weet.' Hij stapte in de auto en sloeg het portier dicht. De sleutel zat in het contact, maar toen hij de motor startte, rende ze naar de voorkant van de auto en legde haar handen op de motorkap.

Hij rolde zijn raampje naar beneden. 'Neem me niet kwalijk,' zei hij. 'Je staat in de weg.'

'Ja,' zei ze. 'Ja, dat klopt.'

'Zo kan ik niet weg.'

'Ik wil dat je wacht. Laat me even mijn sleutels halen, dan kan ik met je mee.'

'Zoals in de film, bedoel je?'

'Zoals in de film.' Ze wees naar hem alsof haar wijsvinger een pistool was dat op zijn voorhoofd gericht werd. 'Nu jij.' Ze deed alsof ze schoot. 'Jij gaat nergens heen. Je wacht tot ik mijn sleutels heb gehaald.'

52

18 MEI

Flea reed achter de gehavende auto van Caffery aan. Hij reed er snel mee over de plattelandsweggetjes en schuurde ermee langs de weelderige heggen. Door haar raampje kwamen de geuren van paarden en stuifmeel binnendrijven. Ze moest zich concentreren om hem bij te houden. Over de A38 naar de stad en via de zijwegen bij Easton door buurten met muren vol graffiti, waar mannen voor kiosken zaten te schaken op schragentafels, onder flyovers door en langs pakhuizen tot Caffery eindelijk langzamer ging rijden, door zijn zijraampje keek en uiteindelijk tot stilstand kwam op de hoek van een woonstraat.

Ze parkeerde haar auto, sloot hem af, liep naar zijn wagen, trok het portier open en ging naast hem zitten. 'Wat doen we hier?' vroeg ze. Aan de overkant van de weg stonden een kerk, de zaak van een bookmaker en een supermarkt.

'De supermarkt,' zei hij.

Ze boog zich naar voren en keek ernaar. 'Eezy Pocket,' luidde het rood-met-gele bord. Er zaten tralies voor de ramen, bij de ingang stond een krantenrek met plaatselijke koppen en een of twee kinderen hingen buiten rond en keken onrustig de straat door, alsof ze op iemand wachtten. 'Wat is daarmee?'

'Geen idee.' Caffery tikte peinzend tegen het stuur. Er viel een lange stilte. Zijn overhemd was heel wit tegen zijn huid, en zijn donkere haar was schoon, maar half wild. En ze zag dat hij die blik weer in zijn ogen had, de blik die haar deed vermoeden dat hij hard zijn best deed om iets binnen te houden.

Net toen ze het wilde zeggen – *Jezus, ik weet hoe je je voelt* – stak hij zijn mobiele telefoon omhoog. Er stond een foto op het schermpje van een haveloos zwart mannetje met een schuin aflopend hoofd in een wit overhemd en een rafelig, bruin corduroy jasje.

'Dat heeft de afdeling Multimedia gescand vanaf de videobeelden bij TIDARA. Hij was bij Mossy toen die voor het laatst gezien werd.'

'Weet je al wie hij is?'

'Nee. Nooit eerder gezien.' Hij deed de telefoon weer weg en verschoof iets op zijn stoel. 'Iets anders dat jij nog niet weet,' zei hij, 'is wat ik bij een vriend van Ndebele heb gevonden. Een vent die Kwanele Dlamini heet had een kom bloed in zijn woonkamer staan.'

'Leuk.'

'Ja. Het bleek mensenbloed.'

'Nog leuker.'

'Het bleek het bloed van Mossy te zijn.'

Flea haalde scherp adem. Ze zag het gezicht van Jonah voor zich. Ze had hem maar één keer ontmoet, bij een kerstfeest bij Dundas thuis. Hij had haar zijn PlayStation laten zien en haar verteld dat hij later videospelletjes wilde maken. Ze had toen natuurlijk geen idee gehad wat de toekomst voor hem zou brengen.

Caffery keek haar aan. Zijn ogen waren een beetje rood en een beetje moe, net als die van haar, vermoedde ze. 'Weet je nog wat Kaiser zei? Hij zei dat het een bijgeloof is uit het oosten om een Tokoloshe bloed te geven.'

'Dus je luisterde wel?'

Hij glimlachte wrang. 'Ik heb iemand van de immigratiedienst gebeld. Die hebben iemand bij Operatie Atrium zitten, een aardige vent. Heel behulpzaam. Hij heeft me vorige week op de hoogte gesteld van de verblijfsstatus van Ndebele en Dlamini.' Caffery klopte op zijn zakken, haalde er een pakje tabak uit en legde het op het dashboard. 'Maar ik wilde meer over hen weten...'

'Wat dan?'

'Bijvoorbeeld of de immigratiedienst wist of ze uit het oosten van het land kwamen. Waar de Zoeloes zich bevinden.'

'Vanwege die kwestie met het bloed?'

'Vanwege die kwestie met het bloed. Het enige probleem is dat hij daar geen antwoord op kon geven, niet meteen tenminste, dus zei hij dat hij eens rond zou vragen. Maar hij vertelde wel dat de meeste zwarte Zuid-Afrikanen uit Johannesburg, een van de steden die het dichtst bij het gebied van de Zoeloes liggen...'

'Ja, ze spreken daar Zoeloe.'

'Nou, de meesten van hen die in Bristol belanden, komen vroeg of laat hier terecht.' Hij wees naar de supermarkt. 'De eigenaar komt uit een achterbuurt in Johannesburg. Hij ligt al jaren in de clinch met de immigratiedienst en dit is de plek waar mensen heen gaan als ze hier voor het eerst komen. Hij doet alles: hij bezorgt ze werk, drugs, vrienden of vriendinnen, wat ze maar willen, alles. De immigratiedienst zou niets liever willen dan hem ergens op te kunnen pakken, dus vonden ze het prima dat ik hier eens ging kijken.'

Caffery viel stil toen een groepje schoolkinderen langs wandelde, jongens van een jaar of tien met afzakkende sokken rond hun magere enkels en slepende schooltassen. Sommigen bukten om in de auto te kunnen kijken en een van hen grijnsde naar Caffery, gaf hem een West-Sidegroet en wandelde toen nonchalant verder, al net zo slank in de heupen als de oudere jongens.

'Dat is Hopewell, waar Jonah woont,' zei Caffery toen de jongens weg waren. Hij legde een vinger tegen de ruit om de flat aan te wijzen die een paar straten verderop boven alles uitstak. 'Niet zo ver weg, maar ik kan je verzekeren dat er tussen hier en daar minstens twintig van deze winkels zijn. Waarom kwam hij dus hierheen?'

'Hoe weet je dat hij dat deed?'

'Zakken. In zijn slaapkamer. Tenzij het een keten is, maar daar lijkt het niet op. Dus moet hij hier zijn geweest. En dat betekent dat iemand hier hem kent, en dat betekent weer...'

Hij staarde ergens naar. Flea keek dezelfde kant uit. De jongens waren de weg overgestoken, langs de supermarkt en een paar geparkeerde auto's gelopen, en sloegen een zijstraat in.

'Wat?' zei ze. Caffery had zijn ogen een beetje samengeknepen en ze zag aan de manier waarop zijn kaak harder was geworden dat hij zijn tanden op elkaar klemde. 'Wat is er?'

Hij maakte zijn gordel los, deed het portier open en stapte op het trottoir. 'Op een plek als deze is altijd wel iemand die alles weet. En,' zei hij, terwijl hij bukte om naar haar te glimlachen, 'ik weet wie die iemand is.'

Hij haalde zijn identiteitskaart voor de dag, trok zijn jasje uit en gooide het op de achterbank. Zonder acht te slaan op Flea's verbaasde frons deed hij het portier weer dicht en stak de weg over naar de supermarkt. De auto waar hij belangstelling voor had, een blauwe Nissan, stond zes meter verder naast een brievenbus en de chauffeur, een dikke vent in een T-shirt met het opschrift ENGLAND, zat aan de kant van de stoep met het raampje open.

Caffery naderde voorzichtig. Hij deed nonchalant, maar bleef vlak langs de auto's achter de Nissan lopen, zodat de chauffeur hem pas zou zien als hij bij hem was. Toen rukte hij het portier open en voordat de chauffeur iets kon doen greep hij de sleutels uit het contact, deed ze in zijn zak en sloeg het portier weer dicht.

'Hé. Wat denk jij verdomme dat je...'

De chauffeur worstelde met de deur en deed hem open terwijl Caffery voor de auto langs liep en op de passagiersplaats ging zitten. De chauffeur ging zo snel als zijn gewicht hem toestond achter hem aan, waarbij zijn mollige armen heftig bewogen.

'Hé,' zei hij, en hij trok vergeefs aan het autoportier. 'Ga eruit, klootzak. Ga uit mijn auto.' Hij bonsde tegen het raam. 'Stap uit of ik roep verdomme de politie erbij.'

Caffery haalde zijn identiteitsbewijs uit zijn broekzak en hield het met de voorkant tegen het glas. De chauffeur bleef halverwege een zin steken. Hij hoefde niet goed te kijken om te zien wat het voor kaart was; Caffery wist dat hij ze vaak genoeg gezien had. In plaats daarvan hield hij op met tegen de ruit slaan. Hij liet verslagen zijn schouders zakken en legde zijn handen op het dak van de auto. Toen draaide hij zich om en keek de straat door, alsof hij erover dacht weg te rennen. Maar hij veranderde blijkbaar van gedachte, sjokte om de voorkant van de auto heen en stapte zonder iets te zeggen in.

Er hing een akelige geur in de auto, van zweet en eten en oude kleren. Toen de man instapte, kraakte en schudde de wagen. Het duurde even voor hij gemakkelijk zat in de kleine stoel en tegen de tijd dat hij zover was, liep het zweet over zijn gezicht.

'Nou?' zei hij. 'Je kunt me niets maken. Ik ben niet voorwaardelijk vrij en ik heb ook geen waarschuwing gekregen of zoiets. Ik mag gaan en staan waar ik wil.'

Caffery gaf geen antwoord. Het groepje schooljongens verdween in de verte. Hij wist dat de man probeerde niet naar hen te kijken. Dat wist hij omdat hij de man helemaal doorhad, al had hij hem alleen van de overkant bekeken. Misschien was het zijn kruis om een pedofiel van honderd meter afstand te herkennen. Toen hij geen antwoord gaf, leunde de man zuchtend achterover en sloeg hij zijn armen over elkaar. Hij droeg een korte broek en zijn schaarsbehaarde dikke benen zaten tegen het stuur geklemd.

'Ik blijf jullie maar vertellen dat we allemaal hetzelfde zijn. Vanbinnen zijn we allemaal hetzelfde, in onze gedachten, in onze...' hij knikte in de richting van de schooljongens, '... in onze verlangens.'

Caffery klemde zijn tanden op elkaar.

'Het enige verschil,' zei de man met een glimlach, 'is dat ik de moed bezit om vrij te zijn. Om mezelf te uiten. En jij niet.'

Caffery haalde diep adem. En toen de chauffeur een tijdje gezwegen had, draaide hij zich om op zijn stoel en sloeg hem met een vloeiende beweging met zijn vuist in het gezicht. Het hoofd van de man kwam in botsing met de aanhechting van de gordel, zijn mond vloog open en er schoot speeksel uit. Hij kaatste weer terug tegen de rugleuning en bracht beide handen naar zijn wang. Er kwam een streepje bloed uit zijn neus en de tranen stonden in zijn ogen.

'Wat heeft dat te betekenen?' zei hij met dikke tong. Hij hield zijn hand onder zijn neus om het bloed op te vangen. 'Ik weet wat mijn rechten zijn. Dat mag je niet doen.'

'Dit mag ik ook niet doen.' Caffery pakte het voetbalshirt van de man en draaide het zo strak aan dat de halsopening in de rollen vet sneed en zijn gezicht opzwol.

'Hou op... hou op...' Hij krabde vergeefs aan Caffery's handen. 'Laat los.'

'Op wie sta je hier te wachten, hondendrol?'

'Niemand.'

'Daar kom je niet mee weg.' Caffery verstevigde zijn greep. 'Je stond op iemand te wachten.'

'Nee... nee, helemaal niet.'

Caffery wierp hem weer tegen de stoel, stapte uit en liep naar de andere kant van de auto. Hij ving een glimp op van Flea die aan de andere kant van de weg uit de auto was gestapt, haar zonnebril had afgezet en geboeid toekeek. Daarna opende hij het portier en trok de man uit de auto.

'Eruit, dikzak,' mompelde hij, worstelend met het gewicht. 'Kom eruit, verdomme.'

De chauffeur flopte de straat op als een kurk uit een fles en kwam kreunend op handen en knieën terecht. Het bloed liep langs zijn gezicht.

'Dit kun je niet doen. Dit kun je niet doen.'

Caffery legde een hand tegen het achterhoofd van de man en duwde hem naar beneden, zodat zijn gezicht vast kwam te zitten tussen de brievenbus op de stoep en het achterwiel. Hij kon het gezicht van Penderecki niet uit zijn hoofd krijgen. Er lag een opgedroogde hondendrol op de stoeprand, vlak naast de mond van die kerel, en met Penderecki in zijn hoofd duwde Caffery zijn gezicht er een beetje verder naartoe, half met de gedachte om hem het ding te laten opeten.

'Hou op, alsjeblieft.'

Caffery leunde met zijn schouder tegen de auto en zette zijn knie in de rug van de man. Een stemmetje in zijn achterhoofd zei vermanend: *zo sterven verdachten. Zo sterven ze in de gevangenis. Gestikt. De lijkschouwer zal gebroken ribben zien en blauwe plekken die aantonen dat iemand met zijn knieën op het slachtoffer heeft gezeten. Ze sterven omdat ze niet de kracht hebben hun ribbenkast uit te zetten en lucht in hun longen te zuigen.* En toen zei het stemmetje: *dit had je met Penderecki moeten doen.*

'Hier kun je aan doodgaan,' siste hij de man in het oor. 'Wat ik nu doe, kan je het leven kosten, hoe dik je ook bent. Als ik hier lang genoeg blijf zitten, ben je er geweest. Gesnopen?'

'Alsjeblieft, niet doen. Alsjeblieft...' De man huilde nu. Hij kon niet snikken omdat Caffery te zwaar was, maar de tranen rolden uit zijn ogen en vermengden zich met het zweet. 'Alsjeblieft.'

'Praten, klootzak, anders zitten we hier tot je dood bent.'

De man kneep zijn ogen dicht. Hij zette zijn handen op de grond en probeerde zich van de stoep te tillen om lucht te krijgen. 'Oké,' sputterde hij. 'Ga van me af, dan praat ik.'

Caffery sloeg een hand tegen de auto en stond op. De man worstelde zich hijgend op zijn rug, met zijn gezicht tegen de smerige brievenbus.

'Er zijn een paar... mensen,' hijgde hij, 'een paar mensen die hier komen.'

'Allemaal hoeren, of vind jij het leuk om ze te bekeren?'

'Nee.' Hij slikte. 'Nee. Het zijn allemaal beroepsmensen.'

'En zwart? Hou je van zwarte mensen? Staat dat in je dossier? Jong en zwart?'

Hij knikte mistroostig. Er hing een sliertje speeksel uit zijn mond.

'Wat?' Caffery zette beide handen tegen de auto, zodat hij over de man heen stond. Hij voelde dat een of twee mensen voor de supermarkt naar hem keken, maar hij keek niet op. 'Wat zei je?'

'Ik zei ja.'

Caffery haalde zijn mobiel uit zijn zak, zocht de foto op die de afdeling Multimedia hem had gestuurd en hield die voor het gezicht van de vent. 'Deze. Heb je hem ook genaaid?'

Hij keek naar de foto en weer weg. 'Ja,' mompelde hij. 'Dat is er één.'

'Naam?'

'Wisselt. Jim, Paul, John, afhankelijk van hoe zijn pet staat. Er is iets mis met hem. Hij is niet echt twaalf, hij ziet er alleen zo uit... In werkelijkheid is hij achttien, dat zweer ik. Hij heeft een of andere ziekte waardoor hij klein blijft...'

Caffery herinnerde zich een jongen van twaalf in Londen die zichzelf aanprees met de tekst: 'Ik ben achttien, maar ik heb een ongeluk gehad waardoor ik elf lijk.' Bestemd voor al die oude pedo's die een smoesje wilden hebben voor hun gewoonte kinderen te verkrachten. 'Dat verhaal heb ik eerder gehoord, ellendig stuk vreten.'

'Het is waar.' De man staarde hem aan. 'Het is echt waar. Je kunt het iedereen vragen. Iedereen die hier rondhangt, ze kennen hem allemaal. Hij kleedt zich voor mij als een schooljongen, maar dat is hij niet. Ik zweer dat hij dat niet is. Dat doe ik niet meer, je weet wel, met kinderen.'

'Ja, dat zal wel.'

'Vertel hem niet dat je het van mij hebt. Ik geloof dat hij... vrienden heeft. Familie.' Hij veegde zijn neus af en slikte zijn tranen in. 'Vertel hem alsjeblieft niet dat je dit van mij hebt.'

Caffery hief zijn hoofd. Voor de supermarkt stonden drie kinderen in skateboardkleren naar hem te kijken. Toen hij ze aankeek, wendden ze zich af en trokken hun capuchon over hun hoofd. 'Nou,' zei hij, 'wanneer komt hij? Vandaag?'

'Misschien.' De man snoof. 'Soms komt hij rond lunchtijd, maar als hij er niet is, zijn er wel anderen.' Hij veegde de tranen uit zijn ogen. 'Zeg alsjeblieft niet dat je het van mij hebt. Ik wil niemand kwaad maken.'

'Als je niemand kwaad wilt maken, moet je ophouden met het naaien van kleine jongetjes,' zei Caffery. Hij zette zijn handen in zijn rug en bewoog zijn schouders om zijn spieren te ontspannen.

'Goed,' zei hij, en hij hielp de man overeind. Hij deed het portier van de auto open en schoof hem ernaartoe. 'Wacht daar. Verroer je niet. Als een van je andere vriendjes langskomt, stuur je hem weg, ook al moet je hier de hele dag met een stijve zitten. Als hij komt, doe je alsof er niets aan de hand is. Je laat hem instappen en ik doe de rest.'

'En mijn sleutels? Wat moet ik zonder mijn autosleutels?'

'Jezus christus. Ik zeg dat je me moet helpen omdat je een klootzak bent en omdat je de maatschappij iets verschuldigd bent. Niet omdat ik verdomme de aartsengel Gabriël ben geworden. Nu. Stap. In. Die. Auto.'

Caffery zweette toen hij terugkwam. 'Nu is het afwachten,' zei hij. Hij greep het pakje shag en begon een sigaret te rollen. 'Het spoor dat we zoeken, komt over een minuut of tien naar die auto toe lopen.' Hij likte aan het papier en stak de sigaret op.

Flea keek toe terwijl hij rookte. Ze voelde hoe de laatste twee dagen hun tol eisten en ze had een overweldigende behoefte om te huilen of te slapen, ze wist niet goed welk van de twee. Naast haar rookte Caffery de hele sigaret op en hield intussen zwijgend de blauwe Nissan in het oog. Toen duwde hij de peuk uit in het asbakje, rolde het pakje shag dicht, legde het weer op het dashboard en zei effen: 'Toen ik acht was, is mijn broer verdwenen.'

'Wat zeg je?' zei ze dof.

'Mijn broer was opeens weg,' zei hij, zo rustig alsof hij haar vertelde wat hij bij het ontbijt had gegeten. 'Ik was bij hem toen het gebeurde. We hadden... We kregen ruzie en toen is hij weggelopen, onze tuin uit naar een spoorlijn. Het was niet gevaarlijk, want we waren daar al een miljoen keer geweest. Maar deze keer...' Even leek het alsof hij was vergeten dat hij aan het praten was. 'Maar deze keer kwam hij niet terug. Aan de andere kant van de spoorlijn woonde een veroordeelde pedofiel. Zo noemden we ze toen nog niet, we noemden ze kinderlokkers. Iedereen wist dat hij het gedaan had, maar niemand kon het bewijzen. Dat is dertig jaar geleden en ik weet nog steeds niet waar mijn broer is.'

Ze staarde hem met bonzend hart aan. Hij had het gehoord. Hij wist wat er met ma en pa was gebeurd. Iemand op het bureau had hem verteld hoe haar leven veranderd was door het ongeluk, dat ze nooit meer de oude was geworden. Ze haalde diep adem. 'Waarom vertel je me dit?' zei ze met een klein stemmetje. 'Waarom?'

'Omdat ik wil dat je weet waarom ik die vent net half vermoord heb. Zie je, ik loop rond met dat vervloekte schuldgevoel over wat er met mijn broer is gebeurd, want als er zoiets gebeurt – met de verkeerde zoon, zo zagen mijn ouders het – dan kom je nooit meer van de schuldgevoelens af. En ze komen naar buiten op manieren waarop ik a) niet trots en die me b) enorme problemen kunnen bezorgen.' Hij gaf een rukje met zijn hoofd in de richting van de blauwe Nissan. De chauffeur had de achteruitkijkspiegel gekanteld en inspecteerde de schade aan zijn gezicht. 'Dat is een pedo.' Hij glimlachte gekweld. 'Mijn radar voor pedofielen, als je het zo wilt noemen, is beter ontwikkeld dan die van de meeste mensen.'

Ze kon niets zeggen. Ze bleef hem nog even aankijken en toen ze het niet langer kon verdragen, wendde ze zich af en staarde door het passagiersraampje naar buiten, met haar mond een beetje open omdat ze zo snel ademde.

'Het geeft niet,' zei hij achter haar. 'Ik vraag je niet me te vergeven. Je kunt het gerust melden. Het kan mij niet zo veel meer schelen.'

Flea hoorde leer kraken toen hij op zijn stoel verschoof en toen het ratelen van zijn sleutels. Toen voelde ze zijn hand op haar schouder.

'Het spijt me,' zei hij rustig. 'Het was niet mijn bedoeling om je in die positie te brengen. Echt niet.'

Zijn aanraking bezorgde haar een elektrische schok en ze kon zich niet bewegen. Toen het erop ging lijken dat ze daar voor altijd zo zouden blijven zitten, in die auto op de stoffige straat, luisterend naar elkaars ademhaling, ging iets in haar van het slot. Haar mond ging open en er kwamen woorden uit.

'Al zou je je arm afhakken, dan zou het nog niet genoeg zijn. Zo voelt het, niet? De enige manier om het goed te maken zou zijn om zelf dood te gaan, op een afschuwelijker manier en met meer pijn en angst. Het is de enige manier.' Ze draaide zich met een warm gezicht naar hem om. 'Je wenst steeds weer dat je het zelf geweest was. Je zou liever een miljoen keer hun dood sterven dan nog één seconde die schuldgevoelens te moeten dragen.'

Caffery trok zijn hand weg. Zijn huid zag plotseling grauw, alsof alle nachten waarin het laat was geworden en alle zorgen hem in één keer raakten.

'Mijn ouders,' zei ze. 'Een paar mensen bij de politie weten ervan, maar ze praten er nooit over. Twee jaar geleden, en ik heb nog steeds hun lichamen niet terug. Het is niet zoals bij jou, ik weet waar ze zijn, precies waar. Iedereen weet het. Maar niemand kan bij ze komen.'

Ze hield net zo plotseling op met praten als ze was begonnen, geschokt over wat ze gezegd had. Hij keek haar recht aan en zijn pupillen waren nog slechts speldenprikken. Lange tijd zei hij niets. Toen bracht hij zijn hand een eindje omhoog en een fractie van een seconde dacht ze bijna dat hij haar zou slaan. Maar dat deed hij niet. Hij liet zijn hand weer op het stuur zakken en draaide zich vermoeid om om uit het raampje te kijken. Er viel een lange stilte waarin zij probeerde de juiste woorden te vinden. Maar net toen ze haar mond opendeed, gebeurde er iets waardoor het meteen te laat was. Een kleine gestalte in een te groot bruin jack en een opgerolde spijkerbroek liep recht voor de auto langs in de richting van de supermarkt.

En toen begon het natuurlijk allemaal.

53

18 MEI

Caffery draaide zich om op zijn stoel om het mannetje in het te grote jack na te kijken. 'Verdomme,' mompelde hij. 'Ik geloof dat dat hem is.'

'Wie?'

'De man op mijn telefoon.'

De gestalte ging op weg naar de blauwe Nissan. Hij bleef even staan bij de vuilnisbak, knikte en liep toen door. Bij de Nissan bleef hij weer staan en hij klopte met een magere hand op het raampje. Er kwam een gedachte bij haar op: ik ken die man. Waar ken ik hem van? Maar toen was Caffery al uit zijn stoel en rolde hij zijn mouwen op, en alles gebeurde zo snel dat ze het vergat.

Uit de Nissan kwam een primitieve kreet: '*Politie!*' Het was de dikzak die zat te gillen en met zijn hand uit het raampje zwaaide. '*Maak dat je wegkomt! Politie!*' Toen gebeurden er twee dingen tegelijk: het figuurtje in het te grote jack rende onhandig terug in de richting waaruit hij gekomen was en Caffery gaf een klap op het dak van de auto alsof hij duidelijk wilde maken dat het nu menens was en sprintte achter hem aan.

Flea was getraind op dit soort situaties, maar haar hoofd was meteen helemaal leeg. Caffery verdween om de hoek en ze kende deze buurt niet. Ze tastte naar haar telefoon, liet hem vallen, en zag toen dat de achterkant gebarsten was; de sim-kaart en de batterij hingen eruit. Ze wierp zich op de andere stoel, tastte onder het stuur, zag dat de sleutels niet in het contact zaten en rukte zich weer de andere kant uit, met in haar ene hand de telefoon en de batterij, terwijl ze met de andere haar eigen sleutels zocht.

Ze rolde uit de auto, rende naar de Focus en sprong erin. De auto sprong naar voren, bijna voor een vrachtwagen. Ze remde, rukte het stuur terug en vloekte terwijl de vrachtwagen op zijn gemak langsreed. Daarna stuurde ze de auto naar de andere kant van de weg en sloeg links af.

De straat strekte zich voor haar uit met van die victoriaanse rijtjeshuizen die haar deden denken aan het noorden, van rode steen en zonder enig karakter. Ze bleef stilstaan met de motor in zijn vrij, niet wetend welke kant ze op moest. Caffery en het mannetje konden overal zijn. En toen zag ze hen; ongeveer honderd meter verder kwamen ze tussen een rij geparkeerde auto's uit, eerst de gestalte in het belachelijke jasje en toen Caffery, wiens witte overhemd net een vlag was. Ze gaf gas en kwam op gelijke hoogte met hen toen ze een steegje in schoten.

Ze pakte snel haar stratenboekje van Bristol, zocht haastig de index op en ging met haar vingers langs de namen tot ze Hopewell had gevonden. Achter haar toeterde een auto die erlangs wilde, maar daar sloeg ze geen acht op. Ze legde het boek op haar knieën en bladerde het door. Ze zag waar ze zich bevonden en dat het steegje uitkwam bij de wijk Hopewell. De automobilist achter haar draaide zijn raampje naar beneden en schreeuwde iets over vrouwen die altijd het verkeer ophielden en wat ze verdomme aan het doen was? Moest ze een tampon indoen? Ze stak haar middelvinger tegen hem op en schakelde.

De straatjes waren zo smal dat er maar één auto tegelijk doorheen kon, maar ze zigzagde binnen de minuut met de Ford de doolhof door en kwam hard remmend terecht op een brede straat met grasbermen aan weerskanten en hier en daar jonge boompjes met gaas eromheen. Ze bevond zich aan de ingang van Hopewell en volgens haar leidde een weg aan haar rechterkant naar de steeg. Ze deed het raampje open en boog zich met bonzend hart voorover.

Eerst dacht ze dat ze hen gemist had. Maar toen hoorde ze voetstappen op zich afkomen. Het mannetje in het jack kwam de straat uit stormen, vlak langs haar auto – ze ving een blik op van magere ledematen en een weggetrokken gezicht – en rende vervolgens over het vierkantje sprieterig gras naar de schaduwen van de torenflats, die over zijn kruin speelden. Ze maakte haar gordel los en wilde uitstappen omdat ze Caffery nergens zag en ze er zeker van was geweest dat hij de man op de hielen zou zitten. Maar net toen ze achter het mannetje aan wilde gaan, kwam hij normaal lopend tevoorschijn. Hij legde zijn vinger tegen zijn lippen toen hij haar zag en wuifde haar terug naar de auto. Ze ging weer achter het stuur zitten, maar hield haar voeten op het trottoir en duwde het portier half dicht toen hij langsliep.

Ze keek hem na en nam alles met snelle blikken en vliegensvlugge gedachten in zich op. Ze kende de wegen meer naar het oosten niet, waar de supermarkt zich bevond, maar deze wijk kende ze wel. Er stonden zes enorme torenflats met achtvormige wandelpaden van gietbeton ertussen, omringd door driehoekjes gras. Ze kon zich indenken hoe het er vanboven af uitzag, als een maquette. En te oordelen naar de richting die het mannetje had genomen, ging hij naar de noordwestelijke toren, de beruchte drugstoren. Ze wachtte even en haar hart bonsde tegen haar ribben. Maar toen Caffery in de schaduw van de zuidwestelijke toren verdween, haalde ze haar benen binnen, startte en stuurde ze om de parkeerplaatsjes en afvalverzamelplaatsen heen.

Ze nam een risico – ze konden best een andere kant uit zijn gegaan – en toen ze bijna aan de voet van de noordwestelijke toren was, dacht ze even dat ze het mis had. Er was niemand te zien, alleen de lege ingang van de toren vol folders en graffiti en een rij bakken voor het scheiden van afval, waaruit smerige plastic zakken staken. Geen mens te zien.

Maar toen stond Caffery opeens zo'n tien meter verderop naar haar te kijken, als een plotselinge lichtvlek op haar netvlies. Waarom zag ze hem nu pas?

Ze gooide het portier open en sprong uit de wagen. 'Jezus christus! Wat is...'

Hij stak een hand op om haar tot stilte te manen. Maar de andere arm wees de andere kant uit, met de vingers in een nette punt. En toen ze zag waar hij naar wees, was het alsof er iets donkers en akeligs door haar heen ging, want nu wist ze waar ze de man in het jack eerder gezien had. Ze had hem hier gezien. Precies op de plek waar Caffery nu stond. Het was maar heel kort geweest, niet meer dan een glimp, maar ze herinnerde het zich duidelijk, want het was maar een paar dagen geleden dat hij haar was gepasseerd. Ze keek weer naar de deur waar Caffery naar wees.

En plotseling was niets, helemaal niets meer zoals het behoorde te zijn.

54

18 MEI

De deur was blauw, lichtblauw, het nummer elf stond erop in spiegelende kleefcijfers en de man met het jack was erdoor verdwenen. Caffery stond ernaar te kijken en op adem te komen van de achtervolging. Een heel gewone deur, trieste vitrages voor het raam met de kleur van gebruikte theezakjes door jaren van vet en verwaarlozing. Zijn intuïtie vertelde hem dat dit de plek was waar Mossy in stukken was gesneden. God mocht weten hoe het er binnen uit zou zien.

Hij liep om het flatgebouw heen om er zeker van te zijn dat er geen achterdeur was, maar het was een solide vierkant met een liftschacht aan de zijkant. Aan de andere kant van de toren waren nog meer voordeuren, maar geen achterdeuren. Hij stond ernaar te kijken en naar de dichtgetimmerde ramen en terwijl hij op adem kwam wist hij opeens waar hij was, weer op Hopewell. Hij was alleen van een andere kant binnengekomen. De flat van Jonah was die in de verte. Hij kon ze niet zien, maar daar zouden nu zo'n twintig politiemensen over de trappen krioelen. Van deze toren waren de meeste ramen op de begane grond dichtgetimmerd. Hij bekeek die ramen zorgvuldig, zo stil in de middagwarmte. Tussen zijn schouderbladen ontsprong een straaltje zweet dat over zijn ruggengraat liep. Hij ging weer naar de andere kant. En nu zag hij voor het eerst dat er iets was met Flea.

'Nummer elf,' mompelde ze. 'Het is nummer elf.'

'Ja,' zei hij. 'Wat is daarmee?'

Ze hield haar hoofd scheef, liep een paar meter terug en wenkte hem. Hij liep achter haar aan naar de auto's, tot ze vanuit de flat niet meer gezien konden worden. Hij moest zich iets naar haar toe buigen om te kunnen horen wat ze zei.

'Ik weet wie daar woont,' fluisterde ze. 'Ik bedoel, daar woont een vriend van mij.'

'O, dat is verdomme mooi. Dat moeten we net hebben.'

'Ja. Jij weet het ook. Jij... jij kent hem ook. Tommy Baines. Tig. De jongen van het afkickcentrum in Mangotsfield. Die met het oog.'

Caffery probeerde de feiten op een rijtje te krijgen. 'Die met het...' Hij brak zijn zin af. 'Hoe ken je hem in godsnaam?'

Ze deed even haar ogen dicht. Haar gezicht was bleek, alsof ze niet kon geloven dat dit gebeurde. 'Ik... O, jezus, ik ken hem al tijden, oké? Maar ik heb hem ook pas nog gezien. Hij vertelde dat je hem had ondervraagd.'

'Dat is echt lekker. Het helpt enorm als mensen in je omgeving hun mond niet dicht kunnen houden en...'

'Wacht eens even,' mompelde ze, en haar gezicht betrok. 'Het feit dat er iemand zijn flat in is gegaan, betekent niet meteen dat hij iets te verbergen heeft, dus je hoeft niet zo lullig te doen. Ik bedoel, misschien is het niets. Het kan best zijn dat er gewoon...' Er viel haar iets in dat haar meteen tot zwijgen bracht. Ze sloot abrupt haar mond en ze keek iets omhoog, alsof ze zich concentreerde op een plekje in de hemel. 'O, verdomme,' zei ze. Ze tikte met haar knokkels tegen haar voorhoofd. 'Verdomme.'

'Wat is er?'

'Ik ben echt de lul.'

'Hoezo?'

Ze zuchtte, liet haar hand zakken en liep over het door de zon geblakerde asfalt naar haar auto. Hij keek toe terwijl ze het portier opengooide, haar tas eruit pakte en er iets in zocht. Ze kwam overeind, en stak iets wat eruitzag als een mes in een schede, een duikmes misschien, achter in haar broek. Toen deed ze het portier weer dicht en kwam ze terug met twee kevlar pantservesten, de een met toebehoren, de ander zonder. Ze bleef voor hem staan. 'De dag dat we die hand in de haven hebben gevonden.'

'Ja?'

'Toen kreeg ik een sms van hem. Van Tig.' Ze stak Caffery het vest met toebehoren toe. 'Hij wilde me spreken. Ik had hem in geen tijden gezien en op die dag nam hij opeens contact met me op. Toen ik bij hem kwam, probeerde hij me zover te krijgen dat ik hem vertelde wat er in die zaak gebeurde.' Ze trok een gezicht. 'Daar,' zei ze. 'Ik ben een idioot. Nou ben ik waarschijnlijk mijn baan kwijt?'

Er viel een korte stilte. Caffery dacht aan zijn lichamelijke reactie op Tig, het verlangen om hem een klap te verkopen. Dat kwam nu weer bij hem op.

'Oké,' zei hij. Hij negeerde het vest met toebehoren en stak zijn hand uit naar het lege. 'Laten we niet te snel conclusies trekken. Zoals je al zei, het feit dat iemand zijn flat in is gerend, betekent op zich niets. Laten we eerst maar eens rondkijken. Oké?'

Toen ze allebei hun vest aanhadden en Flea haar haar naar achteren had gestreken, stond ze recht en stijfjes voor de deur en klopte er luid op.

Het bleef stil. Ze ging op haar tenen staan en probeerde door het kleine ruitje te kijken. 'Tig?' gilde ze, en ze bonsde hard met haar vlakke hand op het hout. 'Tig! Ben jij daar? Ik ben het.'

Van de andere kant van de deur kwam gefluister en het geluid van snel bewegende mensen. Er sloeg een deur.

'Tig? Ik moet je even spreken.'

Nog meer geluid. Een lange stilte. Toen ging er een andere deur open en plotseling trok aan de andere kant een hand het gordijn opzij. Er klonk geschuifel en toen verscheen er een gezicht voor de vuile ruit.

'Mevrouw Baines.' Flea legde haar hand tegen het glas. 'Ik ben het. Is alles goed met u? Mag ik binnenkomen?'

De vrouw staarde haar aan alsof ze haar niet herkende.

'Ik ben het. Mag ik binnenkomen?'

Ze hoorde het geluid van grendels die werden losgemaakt en toen deed een broos vrouwtje in een versleten ochtendjas de deur open. 'Ik weet niet waar hij is, schat. Hij is weer ergens heen met die zwarten.'

Caffery tuurde het donkere halletje in. Het was een bende in de flat; overal stonden stapels kranten, allemaal gesorteerd en in verschillende plastic zakken verpakt. Op elke stapel stonden met viltstift jaartallen genoteerd: 1999-2006. Er hing een geur van tomatensoep en van nog iets anders, iets waarvan hij niet precies kon bepalen wat het was. Alle deuren in de gang waren dicht.

Hij trok de zijsluiting van zijn pantservest strakker en stapte naar binnen. 'Bent u helemaal alleen, mevrouwtje?'

'Ja, ja. Ze laten me altijd alleen.'

Caffery deed een deur open. Een kleine keuken met stapels vaatwerk in de gootsteen. Niemand te zien. 'We weten dat hier een aantal mensen wonen, ziet u.'

'Echt waar?' Ze leek zich nergens zorgen over te maken toen Flea de woonkamer in ging en achter de bank en de gordijnen keek. 'Nou, dat zul je mijn zoon moeten vragen.'

Caffery deed nog een deur open en toen nog een. 'Is hij thuis?'

'O, nee. Niet echt. Niet op de manier die jij denkt.'

'Wat wilt u daarmee zeggen?'

Ze wierp hem een tandeloze grijns toe. 'God mag het weten. Ik ben een beetje de weg kwijt. Dat zeggen ze steeds, dat ik er niet meer helemaal bij ben.' Ze tikte tegen haar hoofd. 'Niet zoals vroeger.'

'Hoor eens, mevrouw Baines, is uw zoon er nu of niet?'

'O, nee. Natuurlijk niet.'

Caffery keek naar haar heen en weer schietende ogen, naar de doorgestikte ochtendjas en naar het dunne haar. Hij had ook ergens een moeder; voor zover hij wist leefde ze nog. Ze had zich van hem afgekeerd toen Ewan weg was en dertig jaar later vroeg hij zich niet eens meer af waar ze zich bevond.

'U hebt uw scanner zeker wel aanstaan?' vroeg Flea.

'Mijn scanner? O, nee, daar luister ik niet meer naar. Ik kijk nu tv.'

'Mag ik er eens even naar kijken?' vroeg Caffery.

Ze wuifde met haar hand alsof ze hem weg wilde hebben. 'O, doe wat je wilt. Mij kan het niet schelen.'

Hij ging haar slaapkamer in met het onopgemaakte bed, de gesloten gordijnen en de vier of vijf mokken op het nachtkastje. Het was maar een kleine kamer en hij had niet lang nodig om te controleren of er iemand was. Toen keek hij naar de scanner. Zoals ze al had gezegd, stond hij uit. Het was koud in de kamer, alsof er muffe lucht in gepompt werd. Hij ging de gang weer in en daar stond ze boos naar hem te kijken, met opgestoken vinger alsof ze hem wilde waarschuwen. 'Je moet de politie erbij roepen,' zei ze. 'Om een eind te maken aan wat hij allemaal uitvoert.' Ze glimlachte. 'Meer zeg ik niet.'

Caffery wierp een blik op Flea. Ze stond net binnen de woonkamer en fronste tegen mevrouw Baines. 'Wat wilt u daarmee zeggen, mevrouw Baines? Een eind maken aan wat hij uitvoert?'

'Precies zoals ik zeg. Dat de politie erbij zal moeten komen om er een eind aan te maken. Dat zou me niets verbazen. Nu hij voortdurend zwarte mensen door het huis laat rondlopen en wat ze samen uithalen. Maar je hoeft je over mij geen zorgen te maken. Maak je over mij geen zorgen.' Ze tikte tegen de zijkant van haar hoofd, hinkte haar slaapkamer in en sloot de deur stevig achter zich. Er viel een stilte en toen hoorden ze het geluid van de televisie. Flea deed een stap naar de deur alsof ze haar wilde volgen, maar toen leek ze van gedachte te veranderen. In plaats daarvan ging ze naar de ene deur die ze nog niet open hadden gehad.

'Zijn kamer,' mompelde ze. 'Ik ben er nog nooit binnen geweest.'

'Heb je dat mes nog in je broek?' vroeg Caffery.

'Heb je dat gezien?'

Hij gaf geen antwoord, maar drukte zijn rug tegen de muur, tilde zijn voet op en drukte er net hard genoeg mee op de deurklink om de deur open te doen. De deur zwaaide wijd open en ze keken een donker kamertje in met een rafelige blauwe sprei voor het raam. Er stond een kast tegen de verste muur en in de hoek stond een computerbureau, maar de meeste ruimte werd ingenomen door een metalen stapelbed. Caffery stak nog steeds met zijn rug tegen de muur zijn hand naar binnen en deed het licht aan.

'Leeg?'

Ze keek even naar binnen en knikte toen. 'Leeg.'

Hij draaide om de deurpost heen de kamer in, ging naar de kast en deed die open. Er hing een rij kleren, maar er was niemand te zien. Caffery keek onder het bed en trok het dekbed naar achteren. Het raam zat dicht. Hier was niemand langsgekomen. Het was alsof het mannetje met het jack in rook was opgegaan.

Hij probeerde te bedenken of hij iets gemist had toen hij besefte dat Flea zich niet had verroerd. Ze stond nog steeds in de deuropening naar de muren te staren. Hij volgde haar blik en zag waarom ze zo stil was.

De muren waren volgeplakt met hardcore homo-sm. Er waren posters van Deviant, de sm-club in Old Market, waarop reclame werd gemaakt voor twee stroppen, twee kruisen en andere martelwerktuigen. Op een andere muur was een serie foto's te zien van een man in een doorzichtige plastic tuniek, met zijn penis in een leren ring, bij wie het bloed uit wonden over zijn hele lichaam stroomde en onder het plastic stolde, zodat hij eruitzag als verpakt vlees. Op de eerste twee foto's werd hij gedwongen de voeten te likken van een volledig geklede zakenman. Op de laatste werd hij met zijn gezicht in een toilet geduwd.

'Wauw.' Caffery floot. 'Heftig.'

Hij ging naar de laatste muur, waaraan een enkele vergroting hing, echt of bewerkt, dat was moeilijk te zeggen. Op de foto beet een man met een kaalgeschoren hoofd en een leren schort de tepel af van een man die niets anders droeg dan zwarte Dr. Martens en een witte hondenhalsband met metalen versiering. Ter hoogte van zijn middel waren tien foto's op A4-formaat vastgeniet. Caffery bukte zich en zag iets waarvoor iedere rechter Baines in een oogwenk zou veroordelen. De foto's lieten alles zien dat in de noordwestelijke torenflat van Hopewell gebeurd was. Een klein zwart mannetje in traditionele kledij, een rode mantel, met kralen ingevlochten haar en witte verf op zijn wangen. Het was het mannetje met het jack, vastgelegd in verschillende poses: op een van de foto's voerde hij een rituele dans uit in de kledij van een heksenmeester en ontblootte hij zijn tanden voor de camera, maar op andere stond hij naast een halfnaakte man op een bank – Caffery gokte dat dat Ian Mallows was – bij wie hij een naald in de arm stak om zijn bloed af te tappen in een grote plastic kan. Op de volgende foto – Caffery moest in zijn neus knijpen om te voorkomen dat het maagzuur opsteeg naar zijn keel – hurkte de heksendokter naast een lichaam en hield hij een mes tegen de rauwe, bebloede stompjes waar de handen eens hadden gezeten.

Hij slikte heftig en vermande zichzelf om deze foto nauwkeurig te bekijken. Er waren dingen die hij het liefst wilde vermijden: Mallows' bleke lichaam – hij ging ervan uit dat het Mallows was – het bloed dat op de witte armen was gespoten, de weggerolde ogen. Hij moest zich erop concentreren die aanblik te verdringen, want er was nog meer mis dan wat meteen duidelijk was. Er was maar één onecht iets op de foto te zien, en dat was het gezicht van de heksendokter.

Hij tuurde naar die ogen en zag iets wat hij herkende: nietszeggendheid, een leugen. Er was iets met zijn houding, het mes dat hij voor de camera omhooghield, het gemaakte gezicht. Het deed hem denken aan vakantiekiekjes. Het viel hem al snel in: *jij bent niet degene die die handen eraf heeft gesneden, of wel soms? Jij bent gewoon de entourage*. Hij hoefde de vraag niet te stellen. *Als jij het niet was, wie dan?* Hij wist het antwoord. Hij wist wie die handen eraf had gesneden.

Verdomme, dacht hij. Hier geldt geen voordeel van de twijfel, Tig, jongen. Jij bent niet meer te redden. Je hebt me de verkeerde kant uit gestuurd, naar TIDARA. En toen begreep hij in een flits waarom.

'Baines,' zei hij. Flea stond met een wit gezicht achter hem. 'Kende hij Kaiser? Via jou?'

'Pardon?'

'Ik vroeg of Baines Kaiser kende.'

'Nee,' zei ze flauw. 'Nee... Ik bedoel...' Ze keek hem even aan. 'Ja... Hij wist van hem af.'

'Van hem en de ibogaïne?'

Haar tong kwam naar buiten en likte langs haar lippen. 'Waarschijnlijk wel. Hoezo?'

Hij zuchtte. 'Niets. Krijg jij wel eens het gevoel dat je bij de neus wordt genomen?'

Flea kwam naast hem staan en staarde nog steeds naar de foto's. Ze stak haar hand ernaar uit, maar haar politie-instinct zei haar ze niet echt aan te raken, hoewel hij wist dat ze het wel wilde.

'Jezus,' zuchtte ze. 'Wie is dat?'

'Ik weet het niet, maar waarschijnlijk onze vriend met het jack. En als ik erom zou moeten wedden, zou ik zeggen dat die op de bank Mallows is.'

'O, verdomme,' mompelde ze binnensmonds. 'Dus het is waar.' Ze ging aan de computertafel zitten met haar gezicht in haar handen.

Hij wendde zich af van de foto's en wilde haar het liefst aanraken, zijn hand op haar haar leggen, maar hij wist dat hij dat niet kon doen. 'Zeg het maar.'

'Niets,' zei ze. 'Alleen...'

'Ja?'

'Alleen dat ik er zo zeker van was dat Ndebele wist dat ik van de politie was toen we naar hem toe gingen.'

'Hoezo dat?'

Er verscheen een zekere waakzaamheid in haar ogen. 'Niets. Ik had alleen het gevoel dat hij gewaarschuwd was. Het huis stond vol kruisbeelden, alsof hij wilde laten zien dat hij een goed christelijk huishouden leidde. En...'

'En?' vroeg Caffery, met zijn blik op de foto's.

'Hij is homofiel,' zei ze zachtjes. 'Tig. Heel homofiel.'

'Zo homofiel als wat,' zei hij, 'zo te zien. Wist je dat niet?'

'Ja, ik wist het,' zei ze monotoon. 'Ik heb het altijd geweten. Hij bracht me aan het twijfelen, maar nu denk ik dat hij alleen probeerde me te paaien, zodat ik hem informatie zou geven over de zaak.'

'Die hij dan weer zou doorspelen aan Ndebele. Ik wist dat iemand hier de regie voerde, ik had alleen niet gedacht dat het een blanke homo zou zijn.'

Flea staarde nog steeds naar de muren. 'Maar dat is typisch Tig. De meesten van zijn cliënten zijn zwart of Aziatisch. Hij komt van de straat, weet je. Hij is een van hen. Bij Atrium wilden ze hem zelfs inzetten als verklikker.'

Caffery bekeek de boekenplank boven Flea's hoofd. Er stond een hele rij diskettes. Op een ervan stond met ruwe letters het woord 'magie' gekrabbeld. De volgende twee droegen de naam 'Ndebele' in markeerstift.

Caffery had een van de diskettes vastgepakt toen iets hem deed verstijven. Hij voelde zich koud en stil en draaide zich om naar Flea. Ze hoefden niets te zeggen; ze wisten allebei wat de ander dacht. Ze dachten dat ze net iets gehoord hadden dat klonk alsof iemand heel dichtbij een groot meubelstuk omver had geduwd.

'Waar kwam dat vandaan?' fluisterde Caffery. Hij stond vlak bij haar, met zijn hand naar haar uitgestoken en het stof en het zweet van de achtervolging door de straten op de onderkant van zijn overhemdsmouw. 'Waar kwam dat vandaan?'

'Ik weet het niet,' mompelde Flea. Het kwam niet uit de flat... niet echt. Het kwam van achter de kamer die grenst aan een andere flat.'

Ze draaide zich heel langzaam om en keek naar het bed en de kast. Ze hoorde hoe Tigs moeder de week ervoor tegen zichzelf gemompeld had in de keuken. *Zorg dat die zwarten niet steeds door de muren komen. Zorg dat ze ophouden hun gezicht door de muren te steken.*

'De muren,' fluisterde ze.

'De múren?'

'Controleer de muren.'

Hij keek haar heel vreemd aan, maar ging toch naar de muur en veegde er met zijn handen langs, op zoek naar vreemde dingen. Maar op zijn gezicht was te lezen dat hij het alleen deed om haar een plezier te doen. Hij trok de sprei weg van het raam en zocht naar een losse steen of een gat dat hij niet had opgemerkt, terwijl Flea op het smerige, stoffige vloerkleed ging liggen om de muur onder het bed te bekijken. Niets. Pas toen Caffery de kast weer opendeed en de troep op de vloer daarvan opzij schopte, zag ze hem reageren. Ze zag hoe hij zich half afwendde en toen bleef staan.

'Wat is er?' Ze stond op, kwam naast hem staan en zag waar hij naar keek. Achter de kast zat geen pleisterwerk. Er stond een stuk triplex rechtop achter de hangende kleren. Hij hurkte, stak zijn vingers erachter en trok het weg van de muur, waardoor er een wolk van stof van het pleisterwerk kwam. Ze roken meteen schimmel en ammonia.

'Oké,' mompelde hij, terwijl hij zijn handen schoonwreef. 'Ik geloof dat we hem hebben gevonden.'

Achter het stuk triplex was een gat van een meter tachtig hoog en een meter breed in de muur geslagen. De vloer lag vol stukjes pleisterwerk en er hingen flarden behang voor het gat. Ze bukten en keken door het gat naar een korte gang met kapotte muren en losse elektrische draden aan het plafond. Door een opening aan de linkerkant, die was geblokkeerd door een ijzeren hek met een hangslot eraan, kwam licht. Ergens druppelde water. Achter het hek zagen ze nog een kamer. Alleen de vloer was zichtbaar, met versleten stukjes vloerkleed die op een afbrokkelende onderlaag waren vastgelijmd en een opgevouwen krant met de sportpagina bovenop. Maar de gang voor hen strekte zich verder uit in het donker.

Caffery kroop door het gat en duwde voorzichtig met zijn voet tegen het hek aan de linkerkant. Hij controleerde het hangslot, dat dichtzat, liet het weer vallen en draaide zich om naar het donkere deel van de gang. 'Dat is wat hij gedaan heeft, dat onderkruipsel. Hij heeft zich een weg gebaand naar de volgende flat.'

'Jezus.' Flea huiverde. De lucht was hier vochtig en muf als in een lang afgesloten grot en haar hart kwam niet meer tot bedaren toen ze zich een rattennest van gangen voorstelde, een ware doolhof. Ze ging snel op schouderhoogte met haar handen over de muren, op zoek naar een lichtknop. Niets. Alleen het daglicht van links en voor hen de duisternis. 'Hij moet...'

Er kwam een schuifelend geluid uit het donker. Ze boog zich naar voren en probeerde de kamer in te kijken. Haar ogen prikten van angst. Ze zag een rood lichtje knipperen, niet groot, niet meer dan een speldenprik, het formaat van een menselijke iris. Iets elektronisch, misschien. Het geluid klonk weer en ze voelde het zweet in haar oksels.

'Verdomme,' mompelde ze, en ze stapte de slaapkamer weer in en tastte naar haar radio. Ze drukte op de noodknop om al het andere verkeer te blokkeren. 'Bravo control, bravo control,' siste ze. 'Locatie Hopewell, noordwestelijke toren, status zero, dringend assistentie vereist. Reagerende eenheden moeten ondersteunende uitrusting meenemen en gereedschap om zich toegang te verschaffen. En, eh...' Ze keek de gang door, die zich leek uit te strekken tot in het midden van het gebouw. Haar bloed werd ijs als ze eraan dacht, aan Tig die zich als een termiet door de muren van zijn flat had geboord. 'Ja, zeg dat ze het gebouw van alle kanten afsluiten. Er zitten tralies voor de ramen, dus breng daar ook iets voor mee.'

Ze meldde zich weer af en draaide zich om naar Caffery, die in de opening stond met zijn rug naar de muur. Achter hem knipperde het rode lampje, dat de rand van zijn gezicht verlichtte. Hij schudde zijn hoofd.

'Wat is er?' zei ze zachtjes.

'Ga je op ze wachten?' fluisterde hij.

'Nou en of.' Ze verschoof het vest, zodat het op haar heupbeenderen rustte en haar borsten niet zo platgedrukt werden. 'Risicobeoordeling,' fluisterde ze. 'Daar heb ik een cursus in gedaan en dit is mijn beslissing.'

'En hoe ver denk je dat hij in dit vervloekte gebouw verdwenen is?'

Ze wist wat Caffery wilde zeggen. Ze wist waar hij heen wilde. 'Het kan me niet schelen hoe ver hij gekomen is.'

'Maar het kan je wel schelen of hij aan de andere kant weg kan komen,' siste hij.

'Ik wil mijn werk doen en zorgen dat ik er aan de andere kant uit kom. Dat behoort tot je basistraining. Er is geen licht, we weten niet wat we hier allemaal kunnen tegenkomen en ik ben niet van plan mijn leven op het spel te zetten. Jij mag misschien haast hebben om dood te gaan, maar ik niet.'

Bij die laatste zin werd het licht in Caffery's ogen iets harder. Hij deed zijn mond open om iets te zeggen, maar leek zich te bedenken. Hij keek de gang door en toen weer naar haar, en even dacht ze dat hij in zijn eentje zou gaan. Maar dat deed hij niet. In plaats daarvan stapte hij de kamer weer in en stak zijn handen naar haar uit. Voor de tweede keer die dag schrok ze terug, alsof hij haar pijn ging doen. Maar hij maakte een zak op haar pantservest los om de grijze bus traangas eruit te trekken. Daarna bracht hij zijn lippen heel dicht bij haar oor. De haartjes in haar nek bewogen door zijn adem. 'Dat,' fluisterde hij, 'is de grootste leugen die ik ooit uit de mond van een andere mens heb horen komen.'

Flea bleef heel stil staan. Ze zag hem van haar wegstappen, de gang in. Het vreemde, knipperende rode lampje in de donkere kamer flitste om zijn gestalte heen. Ze voelde de spiertjes in haar nek bewegen toen ze het Boesmansgat voor zich zag en zich herinnerde hoe ze Thom naar beneden had laten gaan. Ze dacht aan het donkere water, aan wat hij gedacht moest hebben toen hij ma en pa in de duisternis zag verdwijnen en het was alsof er lucht door haar heen ging, alsof iets in haar omhoogkwam en barstte. Ze sloeg de radio tegen het klittenband aan het vest, rende achter Caffery aan en legde een hand op zijn schouder.

'Luister goed,' siste ze. Ze spande haar ogen in om in de donkere kamer voor hen te kunnen kijken. 'Het gas. Gebruik dat alleen als het echt moet. Dit is een veel te kleine ruimte. Als je ermee spuit, krijgen we er allemaal wat van binnen en dan is het echt wachten op de hulptroepen.' Ze liet haar linkerhand over de zakken gaan om te controleren of ze alles had: de handboeien, de radio. Ze trok het mes uit haar broek en gaf het aan hem. 'Ze verwachten ons op hoofd- of borsthoogte. Dus we blijven laag.'

Ze passeerde hem en ging in de deuropening op haar hurken zitten, met haar flank naar de kamer. Caffery volgde meteen. Ze hoorde hem ook door zijn knieën zakken en voelde zijn adem in haar nek, maar voor haar heerste slechts stilte; het geschuifel was opgehouden. Ze probeerde de kamer in te kijken en ging in gedachten automatisch alles af waar ze aan moest denken: de vorm van de kamer, de positie van het doelwit, wat haar doel was. Tegelijkertijd wist ze dat het allemaal geen enkele zin had en dat haar training hier waardeloos was.

'Jij gaat linksaf, ik rechts. Bij drie.' Ze maakte de zware, met neopreen beklede, uitschuifbare stalen buis los en kneep erin. Het gewicht in haar hand stelde haar gerust. Ze zou hem voorlopig maar paraat houden. Hij was zo dicht bij de grond net zo effectief en zat niet in de weg. 'Een, twee, drie.'

Ze kroop onelegant de kamer in, half rollend en half scharrelend als een krab, met één hand voor haar gezicht. Na ruim een meter gleden haar sportschoenen ergens over weg, zodat ze naar voren schoof. Haar knie kwam in aanraking met een harde rand en ze voelde iets over haar gezicht vegen toen haar elleboog tegen de grond sloeg. Toen kwam ze tot stilstand. Ze was tegen een muur gebotst en lag op haar zij, met haar rug ertegenaan. Haar hart bonsde tegen haar ribben. Ze nam even de tijd om op adem te komen en toen duwde ze zich met wat moeite overeind.

'Stop.' Caffery's stem kwam van ergens uit het donker. 'Ik zie iets. Verroer je niet tot ik die verdomde lichtknop heb gevonden.'

Ze verstijfde op haar knieën en ellebogen, met haar haar rond haar gezicht.

'Ik meen het. Sta niet op.'

Ze luisterde trillend en met het zweet op haar armen hoe hij in het donker rondscharrelde. Er hing hier een geur, een bekende, koperachtige en dode geur, en toen ze naar de ingang keek gaf iets in het licht en de manier waarop het werd afgekapt haar het vreemde idee dat ze gevangenzat, dat ze op de een of andere manier ergens onder was gerold. Nu merkte ze op dat ze ook iets hoorde. Er was een geluid buiten dat wat Caffery maakte, op zoek naar een lichtknop. Een dik en onaangenaam druppelen.

'Wat is er aan de hand?' siste ze. Ze wilde niet te lang stilstaan bij dat druppelende geluid. 'Wat ben je aan het doen?'

Er viel een stilte. Toen ademde Caffery uit en werd alles overspoeld met een blauwwit licht. Flea knipperde met haar ogen, haar hersenen hadden even nodig om de vormen en kleuren te herkennen en toen ze zover waren, was het alsof alle lucht uit haar longen werd geslagen. Ze begon te hijgen, zachtjes en snel.

'O, verdomme,' hoorde ze Caffery zeggen. 'Godverdomme.'

55

18 MEI

Als je niet veel hebt om voor te leven, is er ook niets wat je nog heel veel kan schelen.

Het had Caffery gemakkelijk bekropen, deze onverschilligheid tegenover alles wat verkeerd was op de wereld, tot het zo natuurlijk was als zijn ogen opendoen als hij 's morgens wakker werd en gapen als hij moe was. Dus was het die dag in Hopewell, terwijl hij de muren aftastte naar een lichtknop en zijn handen openhaalde aan kapot pleisterwerk en bakstenen, vreemd dat hij een lichte aarzeling voelde, een korte ongemakkelijke hartslag voordat hij het licht aandeed. Het duurde maar een paar seconden. Toen drukte hij de knop in, ging het licht aan in de kamer en zag hij waar ze de duisternis mee gedeeld hadden.

De kamer was ongeveer zo groot als Baines' slaapkamer, maar aan het bedrukte linoleum op de vloer en de afdrukken voor de muren, waar kastjes gestaan konden hebben, dacht hij te zien dat het een keuken was geweest. Het behang had roze strepen gehad voordat de schimmel en de bedorven lucht het hadden aangevreten, en er stonden maar twee stukken meubilair in: een bank aan zijn linkerkant en een tafel tegen de muur, met Flea eronder.

Hij ving een korte glimp van haar op en zag dat ze niet echt leek te begrijpen wat er gebeurde. Ze zat verstijfd en geschokt op haar knieën, met bloed op haar armen en haar T-shirt en haar handen op de grond, en keek naar hem, wachtend tot hij zou zeggen wat ze moest doen. Ze kon niet zien wat er op de tafel boven haar lag. Een lichaam, op zijn rug: een blote borst, een spijkerbroek met een leren riem.

Caffery wist wie het was. Hij hoefde niet naar voren te komen om te zien dat het Jonah was. En dat hij nog niet lang dood was. Het bloed onder de tafel was nog helemaal niet gestold. Het droop nog steeds uit het gat dat in zijn nek was gehakt, het druppelde in een plastic maatbeker onder de tafel en liep over de rand op de vloer. Toen Tig eenmaal de eerste snee in Jonahs nek had gemaakt, kon dit nog maar op één manier eindigen. Hij had geprobeerd Jonahs hoofd af te snijden en zou daar ook in geslaagd zijn als hij niet gestoord was. Hij had handdoeken om de borst van de jongen gedaan om het teveel aan bloed op te vangen en er ook een paar onder zijn heupen gelegd, waarschijnlijk voor het geval hij alles zou laten lopen.

'Hij is het.' Onder de tafel in haar eigenaardige, verstijfde houding had Flea de beker gezien en het bloed eromheen. 'Hij is het,' mompelde ze. Ze keek langzaam omhoog naar de onderkant van de tafel. 'Nietwaar? Het is Jonah.'

Caffery keek naar een videocamera op een driepoot, die op het lijk gericht stond. Het opnamelampje flitste. Hij is dood, zei hij tegen zichzelf, en hij probeerde zich te dwingen de rest van de kamer te bekijken en meer te zien dan het afschuwelijke lijk op de tafel. Je kunt er helemaal niets meer aan doen. Je kent hem niet. Bepaal je tot wat belangrijk is. Vergeet Jonah en pak de schoft die dit gedaan heeft.

Flea gromde en kroop als een hond onder de tafel uit. '*Jezus christus*,' zei ze toen ze het lijk zag. '*Godverdomme*.' Ze kwam overeind, uitglijdend in het bloed en met haar armen stijf langs haar lichaam, en bleef naar het lijk staren.

'Ssst,' zei Caffery, die erachter probeerde te komen waar het geluid vandaan was gekomen. '*Stil*.'

Hij ging naar de bank, legde een hand op de rugleuning, boog zich voorover en zag meteen waar hij naar zocht. Er was nog een gat in de muur gehakt, dat tot aan zijn middel reikte. Hij sleepte de bank ervoor weg en probeerde te luisteren, maar achter hem stond Flea zwaar ademend in zichzelf te praten.

'Ssst,' fluisterde hij. 'Wees nou in godsnaam eens stil.' Het gat was gemaakt met een haakse slijper of misschien met een beugelzaag. Op de vloer viel een vaag blauw licht dat misschien daglicht was. 'Stil. Dit is het.'

Toen ze geen antwoord gaf, draaide hij zich om. Ze was nog bij de tafel. Ze had haar voeten stevig uit elkaar gezet, had Jonahs hoofd achterovergetrokken en had haar handen op elkaar op zijn borst gezet om ermee te duwen. Bij elke duw kwam er een halfslachtig straaltje bloed uit zijn nek.

'*Jezus!* Hou daarmee op.'

Maar ze bleef pompen.

'Hé.' Hij liep terug van de bank en greep haar bij de arm. 'Hij is dood. Hou daar verdomme mee op.'

Ze verstijfde, met haar handen nog steeds op Jonahs borst. Haar gezicht was grauw en haar pupillen waren groot.

'Denk aan wat we aan het doen zijn,' gromde hij. 'Denk eraan.'

'Wat?' mompelde ze traag.

'In godsnaam. Blijf bij me, hoofdagent Marley.' Hij zette zijn vingers in haar arm. 'Blijf bij me. We moeten verder.'

Ze keek naar de bank en het gat erachter. Toen keek ze achterom naar het lijk. Hij wilde haar net door elkaar schudden toen er iets veranderde in haar gezicht. Haar voorhoofd rimpelde en ze leek met een schok tot zichzelf te komen.

'Ja,' zei ze. Ze veegde haar bebloede handen af aan haar T-shirt, boog voorover, zette beide handen op haar bovenbenen en ademde snel door haar mond. 'Ja, het gaat alweer. We gaan.'

Caffery hield de bus gas voor zich uit en dook met het mes in zijn andere hand het gat in. Het kwam uit op een gang met eenzelfde gat aan de andere kant. In dit gat was een hek gelast, net zoals het hek dat ze eerder hadden gezien, maar het stond open.

Hij kroop er op zijn hurken naartoe, waarbij zijn hand met het mes bij elke tweede stap de vloer raakte. Flea bleef even achter – ze bevond zich nog steeds in de kamer en probeerde zich weer in de hand te krijgen – maar voordat hij bij het eind van de gang was, had ze hem ingehaald en hoorde hij haar ademhaling achter zich. Om de een of andere reden moest hij denken aan iets wat in de dossiers van de Londense politie stond, dat de Tokoloshe onzichtbaar werd als hij een steentje in zijn mond deed, en hij moest over zijn schouder kijken om zich ervan te verzekeren dat zij het was die achter hem liep. En ze was het. Haar ogen glansden en haar gezicht stond strak en vastberaden.

Bij de verste muur hurkten ze bij het gat en luisterden weer. Aan de andere kant van deze muur hoorden ze iemand ademhalen, heet en paniekerig.

'Driehonderdzestig graden,' fluisterde ze.

'Wat?'

'We controleren de kamer. Driehonderdzestig graden.'

Hij deed haar na, draaide zich iets opzij, drukte zijn linkerhand tegen de muur en zette zijn rechtervoet voor zich in de opening. 'Nu,' fluisterde ze. 'Nú.'

Met de bus gas en de stalen knuppel voor zich uit keken ze om de hoek en blikten snel de kamer door. Hij was klein en smerig, vol vliegen en gebruikte voedselverpakkingen. Er waren nog twee deuren en een dichtgetimmerd raam. Op een bank tegen de tegenovergelegen muur zaten twee mannen, de een blank en broodmager, de ander klein en zwart.

'Politie!' riep Caffery, en hij richtte de bus gas op de kamer. 'Politie!' De twee mannen kropen tegen elkaar aan. Een van hen was het ventje dat ze achtervolgd hadden, de kleine heksenmeester in het jack. De ander – Caffery hoefde de stompen aan zijn armen niet te zien om te weten dat het Mallows was. Hij leefde nog. Ze hadden zijn handen afgesneden. Ze hadden zijn bloed afgetapt. En hij leefde nog. Die verdomde LPD. Hij had gelijk gehad, die schooier.

'Hé, jij daar,' zei Caffery. 'Mallows? Ian Mallows?'

Mossy probeerde zijn smerige, verbonden armen omhoog te

brengen, maar de moeite leek bijna te veel voor hem. Hij zat daar met zwarte oogleden naar Caffery te staren. 'Hoe weet je hoe ik heet?'

'Hoe denk je dat ik dat weet, verdomme? Alles in orde met je?'

'Nee, helemaal niet.'

'Nou, blijf daar. Ik meen het. Verroer je niet.'

'Zie ik eruit alsof ik ergens heen ga?' Hij veegde zijn neus af aan zijn schouder. 'Jezus,' mompelde hij. 'Jezus christus.'

'Jij daar,' riep Caffery naar het zwarte ventje. 'Jij daar. Waarom ben je ervandoor gegaan? Hè?'

'Het spijt me, meneer.' Hij kromp in elkaar en stak zijn handen op. 'Het spijt me.'

Caffery zwaaide naar hem met de bus gas. 'Sta op. Weg van die bank. Tegen de muur. Opschieten.' Hij deed wat hem gezegd werd en liet zich als een kind van de bank schuiven, wat Caffery deed denken aan wat de serveerster in het restaurant had gezegd: *hij was zo klein... Hij zou niet verder gekomen zijn dan tot hier.* 'Tegen de muur. Zo ja, blijf staan. Je handen waar ik ze kan zien. Spreid je benen.'

Hij stapte de kamer in en kwam overeind. Flea kwam achter hem aan en ze bleven allebei instinctief met hun rug tegen de muur staan, met hun wapens paraat. Hun ogen schoten de kamer door.

'Waar is hij?' vroeg Flea. 'Baines? Waar is hij gebleven?'

'Hè?'

'Waar is Baines? Waar is hij?'

Mossy hief zijn hoofd een eindje en rolde met zijn ogen. 'In de badkamer,' zei hij, alsof het hem helemaal niets meer kon schelen. Alsof het feit dat de politie er was om hem te redden een ongemak was dat misschien zou verdwijnen als hij geduld had. Hij wuifde vaag in de richting van het raam.

Caffery draaide zich om en besefte dat ze helemaal aan de andere kant van het gebouw waren beland. Het dichtgetimmerde raam bevond zich in een onverlichte gang die naar de zijkant van de torenflat leidde. Buiten hoorde hij verre, onzekere sirenes. De hulptroepen arriveerden. Flea's ogen waren vochtig. Hij wist waar ze aan dacht. Moesten ze de badkamer in of konden ze gewoon hier blijven en wachten op de anderen?

'Is er een uitweg uit die badkamer?' snauwde Caffery tegen het heksenmeestertje. 'Een raam, een andere deur?'

'Ik weet het niet. Misschien een raam.'

'Verdomme,' mompelde hij. 'Verdomme, verdomme. Er zal ook eens geen raam zijn, hè?'

In een vorig leven, voordat hij was dichtgetimmerd door de gemeente, was dit een slaapkamer geweest. De slaapkamer van een vrouw, te oordelen naar de versierde plastic kast in de hoek. De deur naar de badkamer, waar het fineer inmiddels van afbladderde, had nog steeds een knop van geslepen kristal die eens iemands grote trots moest zijn geweest.

Flea en Caffery stonden in de gang, Flea met haar rug tegen de muur naast het dichtgetimmerde raam. Ze wendde haar blik even van de deur af, bukte iets, gluurde door het gat waar de ijzeren golfplaat een eindje weg was gebogen en zag de geparkeerde auto's buiten staan. Ze trok haar hoofd weer terug en wierp een blik op de kamer waar ze vandaan kwamen: het gat was niet groot genoeg voor Tig, maar dat zwarte ventje zou erdoor kunnen als hij wilde. Ze had hem met handboeien aan Mallows vast moeten ketenen of hem moeten opsluiten in een kast. Daar was het nu te laat voor. De sirenes klonken luider; de eerste van de politievoertuigen kon elk moment voor het gebouw stoppen.

'Klaar?' fluisterde Caffery.

Ze knikte en dacht aan de training die ze had gehad: de tactiek om een krankzinnige man aan te pakken. Er waren op zijn minst drie agenten met schilden voor nodig, niet alleen zij en Caffery met een uitrusting voor één persoon. God mocht weten wat er allemaal kon gebeuren, maar ze zwaaide toch met de metalen knuppel om hem uit te doen schuiven en legde hem daarna op haar schouder. 'Oké,' mompelde ze. 'Vooruit met de geit.'

Hij glimlachte haar van opzij ironisch toe. Toen schopte hij met zijn voet tegen de deur. Hij vloog open en ze wierpen zich naar voren, Caffery eerst en toen Flea, die te snel achter hem binnenkwam, half struikelde en zich herstelde door een hand op zijn arm te leggen, waarna ze haar evenwicht hervond en de strijdhouding aannam: het gewicht laag, knieën licht gebogen, met haar zijkant naar voren en haar linkerhand voor haar gezicht.

En toen gebeurde er niets. Stilte. Ze knipperden met hun ogen, hun gezichten geel in het vage licht dat via het traliewerk voor het raam naar binnen viel. De ruimte leek in niets op de badkamers die zij kenden. Op de gebarsten tegels boven het bad was met vakkundige duurzaamheid een andreaskruis vastgemaakt, en waar het toilet eens had gestaan bevond zich nu een kooi van gegalvaniseerd staal, waar een man van gemiddelde lengte wel in kon, maar waar hij niet in rechtop kon staan. Verder was de badkamer leeg. Geen verstopplekken, geen uitgangen. Door dat piepkleine raampje had niets kunnen ontsnappen.

'Verdomme,' zei Caffery, die vermoeid het mes liet vallen. 'Leugenachtige schoffies.'

'Luister,' zei Flea, die hem bij de arm pakte en naar het dichtgetimmerde raam in de gang keek. Als dat magere ventje erdoorheen probeerde te klimmen, zouden ze hem zien, en als hij al geprobeerd had door de flats te vluchten, zou hij worden opgepakt door de arriverende ondersteuning. Maar Tig, Tig kon zich overal bevinden. 'Ik denk dat hij hier nog ergens is,' zei ze. 'Er is nog een deur in die kamer waardoor je weer midden in de flat uitkomt. Dus laten we weer naar binnen gaan en als ze er nog zijn, neem ik dat zwarte ventje voor mijn rekening. Goed?'

Hij keek haar aan. Even bevonden hun gezichten zich zo dicht bij elkaar dat ze de details van zijn huid kon zien. 'Oké,' zei hij. 'Ja, goed.'

'Prima,' zei ze, en ze stak een vinger op. 'Ik tel tot vijf en dan gaan we. Ja?'

'Ja.'

'Een. Twee. Drie. Vier...'

De woorden bleven steken in haar keel. Ze bleef stil staan. Heel stil. Op Caffery's schouder was een druppel verschenen, een volmaakte, heldere, traanvormige druppel op zijn witte shirt, en heel even kon ze er alleen maar naar kijken, terwijl de druppel naar beneden liep en op zijn borst terechtkwam. Hij keek er ook naar, en toen keek hij haar aan. Ze zeiden geen van beiden iets, want nog voordat ze naar boven keken, wisten ze wat ze zouden zien.

Hij hing boven hen. Met wijd gespreide armen en benen aan ringen, zwetend en trillend van de inspanning om op zijn plaats te blijven. Alleen gekleed in een zwarte legerbroek, zijn lichaam glinsterend van het zweet en het bloed. Zijn mond stond open, hij had zijn tanden ontbloot en het bloed dat zich verzamelde in zijn slechte, witte oog zorgde ervoor dat het naar hen uitpuilde. Een wraakengel.

Flea voelde een geluid beginnen in haar keel, een stem in haar hoofd schreeuwde: *je hebt je niet aan je training gehouden, stomme idioot*, en ze had nog tijd om te denken: *in een rondblik van driehonderdzestig graden moet ook het plafond meegenomen worden*. En toen viel Tig als een havik met uitgestrekte klauwen van het plafond en landde met een ziekmakend gekraak op Caffery's schouders. Het mes en de bus gas schoten weg over de vloer en de twee mannen vielen achterover op de tegels, botsten tegen het bad en kwamen op hun zij tot stilstand tegen de muur, met hun gezichten naar elkaar als minnaars, grijpend naar gezichten, oren en haren.

Ze trok de handboeien uit de voorzak van haar pantservest en liet zich naast de mannen op de grond vallen. Ze probeerde de knuppel tussen hen in te krijgen, maar ze kon niet bij Tigs handen.

'Draai hem om,' schreeuwde ze tegen Caffery. 'Draai die schoft om, dan kan ik hem de handboeien omdoen.'

'Hij probeert me eerst te naaien,' bracht Tig uit. 'Hij wil me een beurt geven voordat jullie me wegdragen.'

Caffery klemde zijn tanden op elkaar en dwong met zijn ellebogen Tigs handen naar beneden. Flea wilde zijn benen pakken, maar hij rukte ze weg en sloeg met zijn voeten op de vloer. 'Hoorde je me?' gilde hij tegen Caffery, en het speeksel schuimde uit zijn mondhoeken. Zijn slechte oog flitste van de ene kant naar de andere. 'Ik zei, wil je me eerst afrukken nu we hier toch liggen, hoerenloper dat je bent?'

Caffery bleef heel stil boven op hem liggen. Het zweet liep van zijn voorhoofd in zijn oog, maar hij knipperde niet en verroerde zich ook niet.

'Laat me zijn handen pakken,' riep Flea, die probeerde een goede plek op Tigs armen te vinden om de knuppel op te laten neerkomen. 'Laat me erbij!'

'Hé, smeris, geef antwoord,' brulde Tig in zijn gezicht. 'Ja, jij, smerige neuker die je bent.' Hij duwde zijn heupen omhoog. 'Geef antwoord. Kom op! Zeg dat je het wilt.'

De tijd leek stil te staan. En toen schoot hij plotseling weer vooruit. Flea hoorde stemmen ergens achter zich, geroep door een radio, iemand in een verre kamer die 'POLITIE' riep, en Caffery kwam wat omhoog, greep Tigs oren en trok zijn hoofd naar boven. Tig gilde en probeerde zich los te rukken. Flea moest naar de andere kant en ze stapte over hen heen en stootte met haar benen tegen het bad terwijl ze wanhopig probeerde Tigs arm te pakken te krijgen, maar dit keer was het Caffery die haar tegenhield. Zonder een geluid, zonder een zuchtje of een enkel woord liet hij Tigs oren los, zodat zijn hoofd tegen de tegelvloer sloeg.

'Jezus!' riep ze. 'Hou op! Je...'

Maar Caffery luisterde niet. Hij trok Tigs hoofd weer omhoog en liet het weer vallen, dit keer nog harder. Er schoot iets over de vloer, een tand misschien. Het bloed spoot met een straal ter breedte van een rietje uit Tigs neus. '*Ik vermoord je.*' Caffery ging iets achteruit om meer greep te krijgen op Tigs oren. Hij ging het nog eens doen.

'Hou op. *Hou op!*' Ze greep hem vast, zette haar vingers in zijn huid om te zorgen dat hij Tig losliet, maar hij duwde haar met zijn schouder opzij en schoof over de vloer tot hij met zijn rug naar haar toe lag. Tigs voeten schopten onder hem om grip te krijgen. Ze rolde achteruit, ging op haar hurken zitten. Niet genoeg tijd om een goede positie te zoeken, net genoeg om een doelwit te kiezen. Niet de ribben vanwege het pantservest, maar zijn enkel. Dat zou wel goed zijn, zijn enkel. Zijn voeten in de mooie Loakes-schoenen en grijze sokken, de broek net genoeg omhooggeschoven om iets van het donkere haar op zijn schenen te laten zien. Ze zei een schietgebedje en zwaaide met de knuppel, eenmaal, op het bot.

Een fractie van een seconde bleef het stil, absoluut stil. Caffery bleef roerloos zitten, met zijn hoofd achterover. Even dacht ze dat er niets zou gebeuren, dat hij haar zou afsnauwen, maar toen liet hij met een diepe zucht Tig los en rolde ineengedoken weg, grijpend naar zijn enkel. Ze had verwacht dat hij tegen haar zou schreeuwen, maar dat deed hij niet, hij bleef op zijn zij liggen, met zijn rug naar haar toe en zijn voet in zijn handen, en zijn ribbenkast ging omhoog en omlaag, omhoog en omlaag onder het pantservest.

Er volgden twee of drie seconden van onwerkelijke stilte, net lang genoeg om zijn nek te bestuderen, om een blik op Tig te werpen die ineengedoken en met zijn handen tegen zijn gezicht op de grond lag, met bloed op zijn borst. Toen werd er geschreeuwd, zag ze zaklampen en hoorde ze radio's. Politiemannen zwermden naar binnen en het was voorbij, alles was voorbij.

56

18 MEI

Caffery stond te plassen tussen de bomen toen het gebeurde. De stoom sloeg van zijn urine, want het was koud geworden nu de zon was ondergegaan. Hij hoorde een geluid aan zijn linkerkant, iets verder naar beneden. Eerst dacht hij dat het de Wandelaar was die hout sprokkelde voor het vuur, maar toen hij over zijn schouder tussen de takken door keek, zag hij dat de Wandelaar nog precies was waar hij eerder was geweest, afgetekend tegen de schemerende hemel.

Hij schudde de laatste druppel weg, ritste zijn broek dicht en hinkte een eindje tussen de bomen door, met zijn hand in zijn jaszak om te controleren of zijn zakmes daar nog zat. Daarna bleef hij staan en probeerde hij de schaduwen te ontwarren en er een logisch beeld in te zien. In de verte dreunde het verkeer over de snelweg, zacht en gestaag, maar tussen de bomen klonk geen enkel geluid. Na een tijdje ging hij terug naar het kamp.

De Wandelaar stond naast de nog niet aangestoken stapel hout en keek met heldere ogen in het licht van de nieuwe maan in de richting van het geluid. 'Jack Caffery, politieman,' zei hij zonder zijn blik van de bomen af te wenden. 'Wat heb je meegebracht naar mijn kampvuur?'

Caffery gaf geen antwoord. Er waren geen auto's geweest op het pad dat het bos in liep en hij had helemaal niets gehoord. Wie het ook was, hij moest te voet zijn gekomen. De Wandelaar klikte zijn aansteker aan. Hij bukte en hield het vlammetje bij het hout, dat meteen vlam vatte en de omgeving in rood licht hulde, zodat de takken en doornstruiken sterk afstaken. Toen deed hij de aansteker weer in zijn zak en liep hij naar de rand van het bos. Er viel een lange stilte terwijl hij naar de nacht leek te luisteren. Toen gromde hij alsof hij tevreden was en schudde zijn hoofd.

'Het is nu weg.'

Caffery stond nog steeds te kijken naar de rand van de lichtkring, de rand van de nacht.

'Maak je geen zorgen,' zei de Wandelaar. 'Hij is alleen maar nieuwsgierig. Op het moment is het niets dan nieuwsgierigheid. Hij is nog steeds bang voor je.'

'"Hij"? Wie is "hij" verdomme?'

'Wie weet?' De Wandelaar glimlachte. 'Een duivel? Een heks?'

'Donder op.'

De Wandelaar lachte gemeen. 'Ja, natuurlijk, je hebt gelijk. Het is helemaal niet zoiets. Je verbeeldt je maar wat.'

Caffery keek langs de Wandelaar naar de bomen. Hij kon niet zeggen waarom, maar opeens kon hij alleen nog maar denken aan dat zwarte ventje bij Tig. Hij bleek een illegale immigrant, een van de velen die niet slim genoeg waren om asiel aan te vragen. Net als een hoop illegalen in Hopewell was hij Tig tegen het lijf gelopen, wiens brein overuren had gemaakt toen hij had gehoord dat de Tanzaniaanse politie het magere Afrikaantje zocht wegens het handelen in mensenhuid. Het duurde niet lang voor Tig er brood in zag, het verkopen van *muti* aan andere Afrikanen in de stad, zowel het ritueel als de waren zelf. Er zat geld, groot geld in een dergelijke opzet.

Eerder die middag, terwijl Tig in zijn arrestantencel tekeerging en brulde als een opgesloten minotaurus, had Caffery stil bij de deur van het magere ventje gestaan en hem geobserveerd door het luikje, terwijl hij zich voorstelde dat hij naakt bij het meer stond. Hij was het geweest in de haven, hij had gezworen dat hij het geweest was met een belachelijke dildo om om de vrouwen bang te maken. Hij had ze verteld over het vet waarmee hij zich had ingesmeerd, over het water dat hij over zich had uitgegoten om de indruk te wekken dat hij net uit de rivier kwam. Het klopte allemaal, min of meer. En toch kon Caffery het gevoel niet van zich afzetten dat er iets mis was, dat hij iets gemist had. Het zat niet in Tigs kant van de zaak; dat klopte allemaal precies en hij zou de rest van zijn leven in de gevangenis doorbrengen. Nee, er was iets aan dat magere ventje, het idee dat hij door de straten kroop als het donker werd. Toch wist Caffery dat hij het van zich af moest zetten. De man zat in de cel en hij moest er gewoon niet meer aan denken.

'Precies,' zei de Wandelaar rustig, alsof hij zijn gedachten gelezen had. 'Denk er niet meer aan. Niemand komt in de buurt van ons vuur zonder dat ik het weet.' Caffery keek hem na toen hij langzaam terugliep naar het kamp en bukte om twee blikken onder zijn beddengoed vandaan te halen. Hij gebruikte zijn Zwitserse legermes om gaten te maken in de deksels en duwde ze toen met een stok rechtop midden in het vuur.

Caffery ging op een van de vierkanten schuimrubber zitten en probeerde niet meer naar het bos te kijken. Maar dat was niet gemakkelijk. Terwijl het eten warm werd, de Wandelaar cider dronk en steeds weer de krokusbollen in de papieren zak telde, bleef hij erover nadenken. Hij had een slaapzak meegenomen en was van plan geweest de nacht onder de sterren door te brengen, maar het was kouder dan hij dacht en het zielloze huisje bij de neolithische kringen leek plotseling een heel aangename plek. Pas nadat ze gegeten hadden en hij een halve fles cider had gedronken, werd zijn hartslag weer normaal. Het vuur flikkerde in de nacht en uiteindelijk raakte hij meer vertrouwd met de geluiden en bleven de schaduwen waar ze hoorden te zijn.

Toen ze hadden opgeruimd, zochten ze hun slaapzakken op. Caffery trok die van hem om zijn schouders en ging met zijn rug naar de oude watertrog liggen, met zijn gewonde enkel recht voor hem. De Wandelaar had zijn slaapzak om zijn knieën getrokken en zat tegen een boom.

'Nou,' zei hij, en hij maakte zijn fles cider open. De kurk maakte een scherp, ploppend geluid dat weerklonk in het kamp. 'Meneer de politieman heeft vandaag veel gezien. Dat zie ik aan zijn gezicht. Vertel alsjeblieft. Ik wil alles horen over dood en vernietiging.'

Caffery gromde. 'Er is niets te vertellen.' Hij dacht aan Tig, die niets veranderd was sinds hij die oude dame half vermoord had en het geweld nooit had losgelaten. Hij dacht aan zichzelf, hoe vast hij ervan overtuigd was geweest dat hij nooit meer zijn zelfbeheersing zou verliezen, zoals hij jaren geleden had gedaan. Hij dacht aan wat er gebeurd zou zijn als Flea vandaag niet bij hem was geweest in die badkamer. En toen dacht hij aan Pendereckі, de persoon die hij eigenlijk steeds weer geslagen had. 'Alleen ben ik erachter gekomen dat je gelijk hebt.'

'Dat ik gelijk heb?' De Wandelaar trok zijn wenkbrauwen op. 'Dat kan ik nauwelijks geloven.'

'Je hebt een keer gezegd dat je nooit in verlossing zou geloven en nu zie ik in dat je gelijk hebt. Er bestaat geen verlossing.'

De Wandelaar lachte. Hij leunde tegen de boomstam, met zijn handen achter zijn hoofd, en keek naar hem, wachtend tot hij verder zou gaan. Jack wist dat hij het leuk vond om hem waarheden te zien ontdekken die hij, de Wandelaar, al jaren kende. Hij haalde zijn tabak uit zijn zak en begon een sigaret te rollen.

'Dus als er geen verlossing bestaat, wat houden we dan over? Wraak? Wraak en dan de dood?' Hij duwde de sigaret tussen zijn lippen en stak hem aan. Hij ving de blik van de Wandelaar. Hij had niet veel rimpels in zijn gezicht, dacht hij. Waarom leek hij dan altijd zo oud? 'Ik heb het je al eerder gevraagd en toen heb je geen antwoord gegeven. Wat bedoelde je toen je zei dat ik hoopte op de dood?'

De Wandelaar trok een tandenstoker uit het Zwitserse legermes en begon zorgvuldig zijn tanden schoon te maken. 'Je hebt twee kinderen in je leven, Jack Caffery, het kind dat dood is en het kind dat nog niet bestaat. Het kind dat zou kunnen zijn.'

'Ja,' lachte Caffery. 'Wat een gelul.'

'Je had een vrouw in Londen, heb je verteld, en zij wilde een kind, maar jij bent ervandoor gegaan. Dus moet je jezelf afvragen of dat je laatste kans was.'

Caffery zuchtte. Hij wreef over zijn zere enkel, die bont en blauw was door Flea met haar knuppel, en keek uit over de vallei, naar een rij populieren aan de horizon. Plotseling zag hij een vrouw voor zich. Ze had blond haar en ze droeg een spijkerbroek, maar hij kon haar gezicht niet zien. Ze stond met haar rug naar hem toe in een plas water te turen en bewoog bijna niet. Hij wilde dat ze zich omdraaide. Hij wilde weten of het Flea was. Maar wat hij ook deed, ze verroerde zich niet.

'Nee,' zei hij. 'Er komen geen kinderen.' Hij nam een lange haal van zijn sigaret. 'En bij jou?'

De Wandelaar grinnikte. 'Kijk naar me. Ik zou een kind kunnen verwekken, maar kun je je voorstellen dat iemand de moeder zou willen zijn? Voor jou is het anders. Jij hebt misschien nog een kans.' Hij trof iets aan op zijn tandenstoker en veegde hem af aan het gras. Toen stak hij hem weer in zijn mond. 'Toen ik zei dat je hoopt op de dood, bedoelde ik dat je ervoor gekozen hebt het kind te volgen dat verdwenen is. Elke stap die je neemt in je werk, elke zet is een geschenk aan hem, aan Ewan. Elke zaak die je oplost is iets om op zijn altaar te leggen. En dus heb je voor de dood gekozen. Op deze manier zal het niet pijnlijk zijn, je dood.'

'Wat bedoel je daarmee?'

De Wandelaar keek hem recht aan. Zijn stem was heel zacht toen hij sprak, maar elke klinker en medeklinker kwam licht door de zuivere lucht. 'Het betekent...' fluisterde hij. Het licht van het vuur weerkaatste in zijn ogen. Even leek hij een heleboel dingen tegelijk: monsterlijk en verdrietig. Hij leek oud en hij leek wijs. 'Het betekent dat het nog niet te laat is. Voor jou is het nog niet te laat. Je kunt je nog bedenken. Je kunt nog steeds iets geven om een ander kind. Jij...' zijn ogen keken recht in die van Caffery, onontkoombaar en met een onoverkomelijke waarheid. 'Jij, Jack Caffery, politieman, kunt nog steeds voelen. Je kunt iets voelen voor het kind dat er zou kunnen zijn.'

57

18 MEI

Het was donker toen ze thuiskwam, en de wolken die voor de maan langs schoven wierpen roofzuchtige schaduwen over de heuvel, die als geesten voorbijdreven. Uitgeput en hongerig parkeerde Flea haar auto met de achterkant naar de vallei, zodat ze er niet naar hoefde te kijken. Haar pantservest en de spijkerbroek die ze had gedragen, waren ingenomen door de technische recherche: ze hadden haar een politietrui en een broek gegeven en er lag niet veel meer in haar auto dan een overall. Die duwde ze in haar tas en ze stapte net uit de auto toen ze een weifelend vierkant kunstlicht op het grind ontdekte.

Ze draaide zich om en keek naar de hoge gevel van het huis van de Oscars, net op tijd om een lamp uit te zien gaan, zodat de ramen alleen nog de invallende nacht weerspiegelden. Ze waren nu donker, maar ze dacht dat ze bij één raam een gordijn zag bewegen. Het was niet meer dan een vaag verschuiven van vorm en kleur. Toen het team Tig uit de flat had gehaald, vastgezet met noodbanden – in weerwil van Caffery leefde hij nog – had ze een lid van de eenheid op het miezerige stukje gras voor de flat naar de ramen in de torenblokken zien staan kijken. Toen ze hem had gevraagd waar hij naar keek, had hij zijn schouders opgehaald en met een lichte rilling iets gezegd als: 'Ik weet het niet. Ik heb het gevoel dat er iemand naar me kijkt. Het zijn die ramen.'

Op dat moment had ze allereerst gedacht aan het dichtgetimmerde raam voor de badkamer, aan de stalen golfplaten die net genoeg verbogen waren om een klein iemand door te laten. Stom om eraan te denken, want iedereen die in de flat was geweest, zat nu in de cel, maar het kwam toch weer bij haar op, dat raam en de woorden: *ik heb het gevoel dat er iemand naar me kijkt.*

Er bewoog weer iets in het raam van de Oscars, misschien iemand die wegstapte van het raam. Ze was het liefst naar hun voordeur gelopen om erop te bonzen en te eisen Katherine te spreken te krijgen en te vragen wanneer ze ophield met dat gespioneer. Maar dat deed ze niet. In plaats daarvan haalde ze een paar keer diep adem en stak met alle zelfbeheersing die ze kon opbrengen haar hand op in een kalme erkenning van het feit dat ze wist dat ze keken en dat het haar niets kon schelen. Daarna haalde ze rustig de tas uit de auto en sloeg het portier dicht.

Het elektronische dingetje aan haar sleutelhanger moest kapot zijn, want ze kon de kofferbak niet open krijgen, dus ging ze het huis binnen en zette ze de tas achter de deur in plaats van hem voor de nacht in de kofferbak te laten. Toen ze overeind kwam, zag ze dat er licht brandde in de keuken aan het eind van de gang. Het rook er ook naar eten, naar gember en citrus en stroop. Ze wist wie er was; er was maar één persoon die wist waar de reservesleutel lag, tussen de takken van de blauweregen geklemd. Kaiser.

Ze zou zich niets van hem aan moeten trekken en moeten zorgen dat ze warm en schoon werd. In plaats daarvan trok ze de politietrui over haar koude handen en ging de keuken in. Kaiser stond aan de tafel muffins in papieren bakjes in een blik te doen.

'Hallo,' zei hij zonder op te kijken. 'Ik heb het blik stroop op tafel laten staan om je eraan te herinneren nieuwe te kopen.'

'Wat doe je hier?'

'O,' zei hij luchtig. 'Je wilt met me praten. Er zijn dingen waar we het nog niet over gehad hebben.'

Ze zuchtte en ging aan de tafel naast het raam zitten, met haar handen in haar oksels. Ze keek toe terwijl hij werkte. Hij was zo vertrouwd, zo vertrouwd en tegelijk zo onbekend. Hij droeg nog steeds het witte overhemd met vlekken dat hij eerder ook had aangehad, en hoewel hij zijn enorme, Afrikaanse geitengezicht afgewend hield, zag ze dat hij gehuild had. Ze zag pa's kluis uit de studeerkamer op de tafel naast het blik staan. Kaiser moest hem van de plank hebben gehaald en daar hebben neergezet. Ze legde haar hand erop.

'Kaiser?' zei ze. 'Het heeft iets te maken met Nigeria, niet-waar? Hier zit iets in dat te maken heeft met de experimenten.'

Kaiser hield op met wat hij aan het doen was en keek naar haar. 'Het was mijn project, Phoebe. David was niet meer dan een waarnemer, geef hem niet de schuld. Hij zag niets waar we ons voor zouden moeten schamen in wat we aan het doen waren, maar toen ik werd geschorst van de universiteit wist hij dat hij zijn betrokkenheid moest verbergen. Het spijt me dat we het je niet hebben verteld, maar het was lang voordat jij werd geboren en we hebben nooit gedacht dat je het moest weten.' Hij legde de laatste muffin in het blik en leunde op het deksel om het dicht te drukken. 'In de kluis liggen zijn aantekeningen. Ik weet de combinatie niet, maar nu hij niet meer voor zichzelf kan spreken, geloof ik dat hij recht heeft op zijn privacy. Vind je ook niet?'

Hij draaide zich om, nam de bakplaat mee naar het aanrecht en draaide de kraan open. Ze haalde haar hand uit haar oksel, wreef in haar vermoeide ogen en keek door het raam naar de maan, die laag in de hemel boven Bath hing, en naar de wolken die erlangs zeilden en grijs en geel verlicht werden, als blauwe plekken. De nachtmerrie die was begonnen met de hand in de haven was voorbij. Ze kon het achter zich laten, alles wat er was gebeurd: Jack Caffery op de badkamervloer met een licht in zijn ogen dat geen enkele politieman in zijn ogen zou mogen hebben, en Jonah met zijn bloedende hals en zijn dode ogen die naar haar staarden terwijl ze vergeefs probeerde zijn leeggebloede hart weer op gang te brengen. Tig zat in de cel en het was voorbij, het was allemaal voorbij. Ze zou zich opgelucht moeten voelen, maar dat was niet zo. Ze voelde zich juist extra bezwaard.

'Kaiser,' mompelde ze, zonder haar ogen van de vallei af te wenden. 'Geloof jij echt dat ibogaïne je met de doden kan laten praten?'

Hij schrobde de plaat. 'En jij, Phoebe? Geloof jij het?'

'Ik heb mam gezien. Dat heb ik je nog niet verteld, maar ik heb haar die nacht gezien. Ze heeft me twee dingen verteld: ze zei dat zij en pa gevonden zouden worden, al heel gauw. En ze zei dat ik dan niet moest proberen hun lichamen naar boven te halen. En Kaiser...' Ze aarzelde en haar stem werd kleiner en bijna onhoorbaar. 'Dit is wat ik niet kan begrijpen, waar ik je niet over heb verteld. Het is gebeurd. Precies zoals mam zei. Iemand heeft ze gevonden, Kaiser. Iemand heeft ze in het Boesmansgat gevonden.'

Er volgde een korte stilte, waarin ze zich afvroeg of hij haar wel had gehoord. Toen zette hij de plaat in de gootsteen, veegde zijn handen af aan zijn broek en haalde een zakdoek uit zijn zak. Hij snoot zijn neus. 'Ja,' zei hij met gedempte stem. Hij propte de zakdoek weer in zijn zak en hief zijn hoofd om door het raam te kijken. 'O ja. Ik weet het.'

'Weet je het?'

'Ik weet het. David was mijn enige vriend, Phoebe. Ik heb er twee jaar op gewacht dat ze gevonden zouden worden. Ik kijk iedere dag.'

'Maar ik niet. Niet meer. Dus hoe wist ík het, Kaiser? Ik weet zeker dat ik niet echt met de doden heb gesproken.' Ze zweeg even om erover na te denken en voegde er toen flauwtjes aan toe: 'Toch?'

Hij draaide zich naar haar om. 'Misschien heb je dat gedaan en misschien ook niet. Maar je wist dat de lichamen gevonden waren omdat je tijdens de ibogaïnetrip achter de computer hebt gezeten.'

'Wat?'

'Je hebt op de site gekeken. Ik kwam uit de keuken en toen zat je achter de computer.'

'Op DiveNet?'

'Je huilde.'

'Maar ik...' Ze legde haar vingers tegen haar voorhoofd en probeerde fronsend te begrijpen hoe ze dat had kunnen vergeten, hoe volledig de ibogaïne haar geheugen had geplunderd.

'Ik weet wat je denkt; dat het onmogelijk is. Maar je onderschat de ibogaïne. En je onderschat je eigen instinct.'

'Mijn instinct?'

'Je behoefte om je ouders terug te zien.'

Je behoefte om je ouders terug te zien. Bij die woorden beet ze op haar lip. Plotseling en onverwacht had ze een brok in haar keel en tranen in haar ogen. 'Kaiser,' mompelde ze. 'O, Kaiser. Ik pieker er constant over of we moeten proberen ze omhoog te halen. Vind jij dat we het moeten proberen?'

'Daar kan alleen jij antwoord op geven. Jij en Thom en misschien...'

'Misschien...'

'Misschien je ouders. Wat heeft je moeder gezegd tijdens die hallucinatie?'

'Ze zei dat ik niet moest proberen hen eruit te halen. Ze zei dat ik hen moest laten liggen, wat er ook gebeurde.'

Hij schudde zijn hoofd, trok een stoel achteruit en ging haar met zijn ellebogen op de tafel strak zitten aankijken. Ze zag de rimpels rond zijn ogen en werd eraan herinnerd dat hij oud was. Net zo oud en geheimzinnig als het continent waar hij vandaan kwam. 'Denk je dan niet dat je naar haar zou moeten luisteren? En ze zou moeten laten rusten? Davids verleden laten rusten, hun lichamen laten rusten?' Hij zweeg even. 'En Phoebe, wat nog belangrijker is...'

'Ja?'

Hij glimlachte. Hij legde een hand op die van haar. 'Denk je niet dat je jezelf ook rust moet gunnen?'

Ze trok haar hand weg en veegde de tranen uit haar ogen. *Gun jezelf rust. Gun jezelf rust.* De woorden rolden door haar hoofd. Ze keek naar het raam. Ja, er was pijn, dingen uit haar verleden die ze niet onder ogen wilde zien. Ja, er waren dingen in de toekomst waarom ze waarschijnlijk zou moeten huilen.

In de verte, aan de andere kant van de vallei, waar het oude stroompje de Charlcombe door de bossen liep, moest een eenzame zwerver een vuur hebben aangestoken, want ze zag een rood licht opvlammen onder een afdak van knoestige bomen. Het was te ver weg om goed te kunnen zien, maar ze concentreerde zich erop en langzaam, langzaam drong iets aan het licht en iets in Kaisers woorden in haar door. Ze deed haar ogen dicht en leunde achterover.

'Waar denk je aan?' vroeg Kaiser. 'Waar is die glimlach voor?'

Ze gaf geen antwoord. Ze schudde haar hoofd en hield het vast: het beeld van die kleine vlam in de verte, het geluid van zijn steeds weer herhaalde woorden, het begin van iets als rust. Ze glimlachte omdat ze nu wist dat hij gelijk had. Ze kon het laten rusten. Ze kon zichzelf rust gunnen.

DANKWOORD

Ik wil iedereen bedanken van de Avon and Somerset Constabulary die me heeft geholpen de procedurele details enigszins te laten lijken op de realiteit: iedereen van de Underwater Search Unit, met name hoofdagent Bob Randall, wiens bijdrage tot deze serie niet onderschat mag worden. Ook dank aan adjudant Steven Lawrence van de rechercheopleidingseenheid, inspecteur Steve Tonks en agent Kevin Pope van de verkeerspolitie, Alan Andrews en het Major Crime Review Team. En aan Cliff Davies van het Homicide Review Team van de Londense politie.

Aan al mijn vrienden van Transworld: Alison Barrow, Larry Finlay, Ed Christie, Nick Robinson, Simon Taylor, Claire Ward, Danielle Weekes, Katrina Whone en vooral Selina Walker, mijn ontzagwekkende redacteur.

Aan Jane Gregory en haar team: Jemma McDonagh, Claire Morris, Terry Bland en Emma Dunford.

Voor hun hulp, hun vriendschap en hun inspiratie: Christian Allis, John en Aida Bastin, Linda en Laura Downing, de Fiddlers, Tracey en Eddie Gore, de Heads, Mairi Hitomi, Sue en Don Hollins, Patrick en ALF Janson-Smith, de Larkhall-meisjes (Kate,

Karen, Rebecca en Ness, Lee de boswachter, Mel en Chris Macer, Margaret OWO Murphy en E.A. Murphy, Misty Marshall Welling voor het gebruik van haar naam, Selina Perry, Helen Piper omdat ze zo buitengewoon slim is, Keith Quinn, Karin Slaughter voor haar onvermoeibare pogingen me te laten schrikken, Sophie en Vincent Thiebault, alle Vaulkhards, maar vooral Gilly voor haar gratie en vriendschap, Mark Watson en Tracey en Jo voor een glimp van wat echte moed is.

Mijn grootste dank gaat naar Lotte Genevieve Quinn, mijn dochter, die met haar schoonheid mijn wereld draaiende houdt als verder alles misloopt.